The Moving Peach Blossom Spring
Landscape Painting in the East Asian World

移动的桃花源

东亚世界中的山水画

石守谦 著

生活·讀書·新知 三联书店

图书在版编目（CIP）数据

移动的桃花源：东亚世界中的山水画/石守谦著.—北京：
生活·读书·新知三联书店，2021.10
（开放的艺术史丛书）
ISBN 978 – 7 – 108 – 07248 – 1

Ⅰ.①移… Ⅱ.①石… Ⅲ.①山水画－绘画评论－东亚
Ⅳ.① J212.053.1

中国版本图书馆 CIP 数据核字（2021）第 175626 号

Simplified Chinese Copyright © 2021 by SDX Joint Publishing Company.
All Rights Reserved.
本作品简体中文版权由生活·读书·新知三联书店所有。
未经许可，不得翻印。

开放的艺术史丛书

移动的桃花源：东亚世界中的山水画

丛书主编	尹吉男
责任编辑	杨　乐　李学平
装帧设计	蔡立国
封扉设计	李　猛　杜英敏
责任印制	卢　岳　宋　家
出版发行	生活·讀書·新知 三联书店
	（北京市东城区美术馆东街 22 号 100010）
网　　址	www.sdxjpc.com
经　　销	新华书店
印　　刷	天津图文方嘉印刷有限公司
版　　次	2021 年 10 月北京第 1 版
	2021 年 10 月北京第 1 次印刷
开　　本	720 毫米 × 1020 毫米　1/16　印张 19.5
字　　数	270 千字　图 134 幅
印　　数	0,001 – 5,000 册
定　　价	98.00 元

（印装查询：01064002715；邮购查询：01084010542）

目录

自　序　　3

第一章　导论
——由文化意象谈"东亚"之形塑　　7

第二章　移动的桃花源
——桃花源意象的形塑与在东亚的传布　　31

第三章　胜景的化身
——潇湘八景山水画与东亚的风景观看　　65

第四章　人物的来往
——雪舟入明及当时北京、苏州画坛之变化　　145

第五章　画史知识的传播
——夏文彦《图绘宝鉴》与雪舟的阅读　　169

第六章　物品移动与山水画
——日本折扇西传与山水扇画在明代中国的流行　　213

后　记　　265
注　释　　267
图版目录　　289
书　目　　295

自　序

这本书基本上是我自2007年开始进行"中研院"深耕计划（"移动的桃花源——第10世纪至16世纪山水画在东亚的发展"）以来的研究成果。五年的时间并不算短，但看看自己这些片片断断的成果，不禁感到有点惭愧。现在又将这些很有局限性的成果结集出版，惶恐之余，还觉得需要做一些交待。

我长期以来的研究关怀都在中国绘画史之上，希望能协助现代的观众与读者去了解那些幸运留存至今的绘画作品，并对之提供一些历史性的说明，让大家能进一步感受到它们的文化魅力。在这个过程中，我有幸得到许多老师及前辈学者的指导，在研究取材上一开始便被要求尽力搜集散处世界各地公私收藏中的作品资料，而我也真的在这一段研究生涯中有缘亲临各地之收藏，既看画作，也感受它们在现代时空中身处的不同文化环境。其中，在日本的经验与感受特别深刻。这不仅是因为日本收藏之中国古画质量可观，而且呈现着与中国传统收藏很明显的不同面貌。有许多作品，例如被视为代表东方美学表现的一些宋、元"禅画"，早就不存于中国本土收藏之中，若要完整地掌握中国画史，这些珍贵的材料当然不能漏掉。不过，这些年代久远的古画由于十分脆弱，平常展出的机会不多，研究者必须经过特别安排，才能一睹原作。现在回想起来，我之得以在日本观览那么多的中国古画，如果没有许多日本前辈学者的热情协助，实在不可能做到。我还十分清晰地记得奈良大学的古原宏伸教授在第一次见面就花了整整两个星期的时间，领着我拜访了十来个京都、大阪地区的公私收藏，有时至博物馆的库房，有时在收藏家的客厅，有时在寺院，有时在修复工作室之中，就那些古画一一细述它们的来历，并与我分享他的观察与独到的画史见解。当时的我，正在撰写有关元代钱选山水画的博士论文，本来还以为自己对中国绘画史已有相当功力，但在古原教授面前，却发现自己倒像是个小学生。就在那一次的经验中，我也第一次深刻地感受到，那些中国古画不仅是重建中国画史的重要材料，而且，早已是日本文化中的一部分。

后来我经常到日本进行研究旅行，在关西地区也都蒙古原教授的照顾，连我的学生也如年轻时候的我一般领受到他无私的协助。在言谈之中，古原教授经常讨论的一个话题是中日绘画间的异同，我想，当时他是在鼓励我多学习一点日本绘画史，从而由一个不同的角度反观中国。对此，我总有些迟疑，胆怯的成分也有，亦以为中、日间虽然有关，中国画史之发展基本上独立自主，不似日本画史必须认真看待来自亚洲大陆的一波波影响，因此，谨慎地留在中国研究领域之内，似乎才是明智的策略。这个明智的选择，现在来看，其实相当愚蠢，也是懦弱的自我设限。虽然自1994年起，我便开始较集中地探讨中日艺术交流的课题，但重点其实偏向于处理东传日本之中国画在中国原有脉络中的位置，比较在意寻找在中国画史中遗失的环节。有时虽闪过一些如"东亚艺术之交融与分化"的想法，却都未能真正落实到研究之上。

真正改变这个消极心态的是1999年发生的一起台湾美术史事件。当时位于台中的台湾美术馆恰好有机会购藏台湾元老画家林玉山的一幅《莲池》（1930），但因对方索价较高，一时搁置了下来。然而美术馆并未放弃，发起募款留画的活动，终于如愿以偿，《莲池》一作也成为台湾美术馆的镇馆之宝。此次之募款留画事件，在台湾文化史上实为创举，再加上《莲池》也确实赏心悦目，故而造成轰动。我个人当时也深受感动，一方面为台湾社会也能有如此文化热情而骄傲，另一方面则因为《莲池》一作让我真切地感悟到自己所处之境与东亚文化传统间的内在联系。林玉山本出身于中国传统绘画之背景，但在赴日留学后即以学习日本近代之"日本画"风格崛起于台湾画坛，《莲池》之作既有其亮丽典雅的用色，也以其"写生"观施之于嘉义家乡之风景描绘。特别值得注意的是，此池塘景观之得以入画，实受东亚文化传统中"莲池水禽"主题的启发。当我看到林玉山的《莲池》时，马上想起在京都寺院收藏中所见一批中国宋元时代江苏毗陵画坊所作的《莲池水禽图》，它们东传日本的时间大约早在13至15世纪时，在中国本土反倒未能保存下来。林玉山在他那个时代可能无法亲见这些宋元古画，而是辗转由留日时所师日本画家处习得。对于那些新派日本画的作者而言,《莲池水禽图》已非只是中国古画,且是日本文化传统之部分,故常经由摹写、改作以求新意。与林玉山颇有渊源的川端玉章所作《荷花水禽》(1899,东京艺术大学藏)便是此种表现。如果没有这个东亚传统,我们就没有台湾美术馆的《莲池》,也没有后来的林玉山。这个"感触"虽然尚须更细致的研究来支持,但对当时的我确实有如醍醐灌顶。

此时再回看过去我所关心的中国绘画史,一个东亚的角度便显得十分亲切。对现今的我们来说,"东亚"此一概念几乎毋庸多费唇舌,这都受惠于现代各种新科技媒体带来的影音资讯之快速流动。虽有语言文字及地理空间的差距,东亚各国/区域间的同体感却为所有的人强烈地感受到,并经常引用之以与欧美所代表的西方进行心理上的抗衡。然而,当下的东亚同体感会不会只是表面的假象?在这表象之下真正存在着相互间的了解吗?答案一点都不乐观。造成这个状况的原因肯定很复杂,但是,就我一个从事历史研究的工作者来看,对东亚区内各种不同的文化传统,以及由互动而形塑出的共有文化传统缺乏充分认识,应该要负很大的责任。我自己的学识有限,研究对象又只局限在艺术史的领域,当然不敢奢想能一下子就做出什么大的改变,不过,假如能开始进行一些起步的研究,或许也能起一点抛砖引玉的作用,对东亚文化传统这个论题的未来开展提供一些协助。尤其是在中文学界中的艺术史领域里,对东亚区域内之互动现象虽亦有某种程度的认知,但在研究上,长期以来可说是乏人问津,纵有一些零星的论述,也都让人觉得多少带有中国中心主义的不足,在此状况下,开始进行一个以东亚为架构的探讨,便特别显得有所必要。

就在这样的心境下,我选择了东亚世界中的山水画作为初步的讨论对象,时间则先定在10至16世纪的这段时期。之所以做这样的选择设定,一方面是因为个人对山水画之史料所知较多,另一方面也是由于山水画在此期间已经成为东亚文化世界中最主要的艺术类型,甚至可说是十分突出的一种共有的文化意象,有利于借之切入整个区域文化传统的大问题。另外一个考虑则来自学术资源的配合条件。不论是中国、韩国或日本,学界中对山水画史的既有研究成果之累积都较为丰富,作品资料之公开在近年尤其大有突破,这可说是为我这个研究的后进者提供了极大的方便。如果没有这些优良基础条件的配合,要进入这个领域的难度之高,简直可说是令人生畏。因此,我在此必须对所有我曾参考、请益过的先进学者呈上最高的感谢,其中尤其是日本东京大学的户田祯佑教授、小川裕充教授,韩国首尔大学的安辉濬教授、梨花女子大学的洪善勺教授等人在东亚绘画交流研究上所做出的杰出论著,更是我书案上不可或缺的指南。除了他们之外,青壮一辈的学者也给了我珍贵的协助。其中东京大学的板仓圣哲教授、九州大学的井手诚之辅教授尤应特予致谢。他们二人大概可说是当今学界中对东亚山水画、东亚佛教绘画了解最多、掌握资料最富的学人,他们近年来在日本各地收藏中所发现的中、韩古代作品资料,更为这个研究领域注入了新的活水。他们非但不吝于与我分享他们的见解,更无私地让我参考新发现的资料,对此,我除了感念他们的协助外,也对他们表现出来的这份学术情义,在这充满竞逐倾轧的人世中,觉得特别值得珍惜。

最后,我也必须感谢允晨出版社的廖志峰先生能不计成本地投入,于2012年首次出版此书,即使他已经预知此书的许多印本会在书库中躺上很长的时间。本书的编辑过程也因为许多年轻朋友的投入才能完成。当然,所有的这一切全来自"中研院"深耕计划这五年来的慷慨支助。谨此致谢。

石守谦 序于 2011 年 7 月 5 日

第一章 导论
——由文化意象谈"东亚"之形塑

一、为何选择"文化意象"的角度

"东亚"作为一个整体的概念,是否可以成立?在意识到它的欧洲中心主义的起源包袱,以及饱尝20世纪国际政治势力操作的痛苦经验后,"东亚"这个概念是否可以在其历史发展中找到实质的基础,进而为之,在今日全球化的趋势中,规划出一个合适而可行的架构?这是近期人文及社会科学界中大家普遍关心的课题。历史学者也曾从思想、经贸等不同角度进行探讨,得到了一些成果,但也不见得令人满意。例如近年若干学者努力以传统帝制中国为中心的朝贡体制为参照,试图将中国与周边地区的关系转换成亚洲海洋贸易网,来重新理解"亚洲"的理论,便很受到注意。[1] 这些对朝贡体制下亚洲贸易网的探讨,一方面落实了其机制的内部互动活力的理解,另一方面却也引发对其丰富在地差异无力充分掌握的质疑。但是,相较于长期以来颇受学者关心的东亚儒学发展的课题而言,朝贡/贸易网之取径确有新的启发,尤其是将讨论对象由抽象的思想层次落实至与民生相关的物质层次,最能显其魅力。而且,通过"亚洲"内部朝贡/贸易互动的探讨,它与近年西方学界对全球贸易发展历史之研究热潮也得以连结,进行对话,这亦预示了它令人乐观的学术前景。然而,它的问题基本上在于这个地理区域内确实存在着不易以朝贡体制充分处理,并予以统合的复杂多元性,而且,将讨论层次环绕在物货为主的贸易往来,虽然是在朝贡体制的价值框架之下来进行,却似乎不免受限于"物质"。因此,在建立任何一个有关"东亚"或"亚洲"的体系性论述之前,研究者势必重返原点,进行对相关各国各地间如何互动的更细致理解,以提供未来寻求更为有效之理论的坚实基盘。本文即试图以"文化意象"之形塑为对象,从文学、美术等方面来思考各地区间文化互动之过程,除以之重新评估"东亚"概念的历史意义外,并探索一个新的,居于思想与贸易之间层次的"东亚"研究架构成立之可能性。

  从历史的发展来看,"东亚"之作为一个地理区块的概念,固然与欧洲势力之试图掌控世界版图有关,但在那之前,中国、日本、韩国所在的这个区域之中,却也确实存在过一些文化共相。这些文化共相在某些有利之情境下,得以形塑出一些清晰可感的"意象",而为不同地区之人士所共享,甚至在他们之间促生出某种"同体感"。这种具有高度共享性的意象,其存在的情况可以见到若干不同的类型。从理念层次的对超越现世之理想世界的想象(如净土、桃花源等);到具体典范人物、景观之形象(如苏轼、寒山、拾得、维摩诘、西湖、潇湘、普陀山等);甚至诉诸以物质形式存在的用器用物、消费货品之样貌(如折扇、陶瓷、织品、茶等),各种类型都有。他们之间虽然在"形象化"的具体程度上有所不同,但是值得注意的则是他们分别在知觉的不同层次上形成一种共享事物的"结果"。造成这种文化共相的因素很多,儒学之传播、佛教之传教、朝贡礼制之运作、贸易网络之扩张等,都可说是在其中扮演着重要而不可或缺的角色,但也正如许多评论所指出的,他们各自也都有其片面性。如果要解决这种一元性"东亚"论述的困境,研究者势必得寻求另一种能超越单一由学术、政治、宗教、经济角度切入之既有模式,以一种能不受其限制,而又足以适时将之统合在内的关照格局,来重新反省"东亚"之作为整体的可行性。本文所谓的"文化意象",即是在此思考下的尝试。在对此"文化意象"的观察与分析中,如传教、贸易、朝贡等因子,将从主角转成配角,而依其"意象"之所需纳入考虑为各种可以凭依的渠道,但重点则置于文化意象在通过各种渠道往来后,其所经历的形塑过程。对于这些意象之观察,换句话说,重点不在于它们在中、日、韩各地之是否出现,或者谁先谁后的问题,而在于其如何出现,以及为何出现的"过程"。

  对于这些文化意象的相关认识,过去学界累积得比较多的成果乃在于标示出一些共存于中、日、韩三地的重要文化事物,除了厘清它们间的渊源关系外,也注意去标举出"在地化"时所不同的表现。后者尤为重要,特别是在历史研究与民族国家(nation state)之认同问题紧密牵连之际，这些在地化的特殊表现便因被视为显示着个别民族/国家文化传统之"特质"，而常常受到高度的关注。这些研究可以说是中、日、韩三地在"现代"之历史研究中，努力突显各自之独特性时，除了筛选出他国所无之独有现象外，对于不得不面对之共有现象存在事实的一些必要处置。在如此的论述架构之下，那些共有现象中的事物虽然还是得到了具体的认识，但却产生一些偏离实情的导向，不利于对整体历史的掌握。首先是将共有现象附属于独有现象之下的成见。这意味着研究者虽承认共有现象之存在，却未赋予其足够的重要性，而似乎仅是在将独有现象视为某种民族/国家特质发展的历史过程中注定要被逐渐剥除掉的多余部分。再者则是对那些在地化表现之特殊性的过度重视。由于中、日、韩三地间存在的地理距离，异国事物（以源自中国者占较大多数）在经过传播而为三地所共有之后，常被认为必定产生某种程度的认知上之流失或断裂，而这种认知距离却于在地化发展时反而提供了一种充分开放的空间，促使其表现出起源地所无的特殊样貌。第一个成见来自研究者的取径问题，与大时代文化氛围有关，如何取舍，非本文所欲讨论。第二个见解则不但流传普遍，而且似乎提供了文化传播中"橘逾淮为枳"现象的有效解释，但究竟与实情有多少偏离，却需再加讲明。这个因认知差距而激生在地新表现的看法，经常又因为想要强调在地表现特殊性的重要意义，也容易反过来在未仔细观察前即先行确认此认知差距的必然性，而且，不但确认其必然，尚倾向认定此差距为无可弥补的鸿沟。如果从中、日、韩共有文化意象之形塑过程来看，这种见解中所隐含的认知差距前提，却禁不起严谨的检验。不要说是以物质形式存在之物品在传播过程中因具体可见、可触而在认知上不致有明显之差距产生，即使是不具形质的理念，或者是易受亲身经验限制的人物与景观认知，在此过程中也非全然无可捉摸，反而在如文字与图像之中介作用下，形成一种心中可感的形象，而在传递的过程中保证一定程度的有效性。这种心中可感的形象，即本文所称之"文化意象"，虽然并非全部具体可触，但仍然提供了一种大致的轮廓，足以在各地流动之过程中扮演一种指导性的角色；而此种大致之轮廓却也同时因其并不完全具体，不至于束缚人的反应，因而亦保留了各种在地诠释所需的必要空间。

换言之，"共相"与"变异"二者共同构成此"意象"不可分割的整体。以"意象"来讨论东亚地区内的交流互动特别有利于处理物资之外的"文化"层次的流动。它既可以同时兼顾跨地区的共相与各地区的在地变异,也可以平衡地处理两者间的关系,免除因偏重一方而起的文化霸权主义或民族主义之困扰。

二、东亚文化意象的类型

(一) 理想世界的文化意象

文化意象之得以跨越不同的地理界限,而在中、日、韩间形成共有现象之过程中扮演一种主导性的角色,并促发出各有变貌之在地诠释,必须从其不同的类型予以理解。首先是一种来自宗教性或文学性经典的理念型意象,例如净土、桃花源之类的那些与不完美现实世界对立的理想世界便属于此。过去我们探讨它们在中、日、韩各地之共有现象时,基本上认为这种共有现象之出现必定呼应着相关经典的流传,因此在研究工作中便要先处理经典传布的时空条件,再去讨论各地之间如何出现的问题。在一般的状况下,由于研究者预先就存在着与经典直接对应的看法,一旦经典传入,便意味着理念的出现,因此只需要进一步探究传布范围的大小,接受者多寡等细节,而不考虑此理念是否在过程中产生值得注意的在地差异。如果发现有在地变异的现象,只好试图从经典根据之歧异来予以说明,或者干脆以"误读"经典来作无奈的交待。然而,这种思考方式仍有进一步斟酌的必要。事实上,这些超越现实的理想世界理念,很少出自某个单独的经典,不仅在日、韩接受那种理念时如此,连其在中国,甚至印度、中亚等源头发展时也是一样。

例如在佛教中东亚所共有的"极乐净土"理念,一般都认为出自所谓净土三部经的《无量寿经》、《阿弥陀经》与《观无量寿经》,尤其是《观无量寿经》最为重要。但是这个经典的依据并不能保证中、日、韩三地在分享这个共有理念时表现出相同的样貌。井手诚之辅即指出,12世纪之后中国在表现此阿弥陀净土时,就掺入了天台教的观想诠释,后来更有与道教长生不老信仰结合的现象。而当韩国与日本在展现其极乐净土之理解时,也有相似多元的状况。在韩国的高丽时代,极乐净土有被视为华严世界入口的情形,让原本与极乐净土无关的华严经典起了重要的作用。日本方面则因为与神道信仰融合,表现极乐净土时就超越了原来彼岸与此岸的界限规范,转成与净化之现实世界合一的空间。井手氏所指出的东亚共有极乐净土认识下之各种在地变异，其实皆非单独依赖某个经典所可说明，而必须要从宗教的社会实践面，从各地特有的"信仰脉络"才能予以充分的解释。[2] 如此由经典理念到信仰实践脉络之间的过程，实则即为净土意象的形塑过程。在此形塑过程之中，为了要达到宗教目标，极乐净土信仰不能只停留在经典的理念层次，而须在各地特有的宗教社会环境中找到最有吸引力的方式，将《观无量寿经》中对它的文字描述，通过在地的（华严观、神道观或道教观）转化诠释，形塑出适合在地需求的形象化之净土意象。换句话说，净土三部经提供了极乐净土意象在东亚存在的共有基础架构，中、日、韩三地则在此之上，经过一个"意象化"的过程，再发展出特有的在地变异。

"桃花源"意象也与极乐净土一样，为一个超越现实的理想世界。它的发展成形亦如同极乐净土般，必须经过一个意象化的过程。桃花源的概念一般以为出自中国东晋诗人陶潜的《桃花源记》，此篇名文在后世传诵不已，在中国文化界中成为经典性的文学作品，其中所描述的桃花源有关种种，也早就成为中国人心目中理想世界的典型，其意义宛如佛教的极乐净土。但是，陶潜的《桃花源记》这篇经典散文虽然与桃花源的认知关系重大，却实非其唯一来源。历史学者唐长孺很早便指出，桃花源之说原是中国荆湘地区流传甚广的民间传说。既然原是民间传说，版本的多样性自非定本所限，那么陶潜在《桃花源记》中所传、为后人引为经典的文本，便只能算是他个人对桃花源传说的诠释本，在后来的传播发展中并不能排除其他异源者参与其中。相对于陶潜诠释本之被归纳为文人隐士文化的产物，他本桃花源传说则呈现了丰富的道教神仙色彩，它们的并行于世，意味着桃花源在意象化过程中本来就存在多元变异的可能性。而当桃花源意象在韩国与日本的出现，经典文本《桃花源记》之流传虽然在一定程度上提供了形成共相的基础，但日韩人士各自所处之文化脉络也同时形塑了面目独特的在地化身。12 世纪时高丽文士便以其本地神话传统来指认桃花源化身之实存。16 世纪以朝鲜王子安平大君为主的文化精英圈则结合了佛教的虚实辩证来肯定他们对桃花源梦想的追求。16 世纪日本室町的五山禅僧又别是一种反应。他们在宗教修行与现实世网之间的冲突，一方面让他们积极认同桃花源的理念，另一方面则以一种十分禅宗的方式在其内心形塑一个绝对自由的桃花源存在。[3]

（二）胜景／圣境的文化意象

第二种类型的文化意象可以称之为"胜景／圣境"。它与"理想世界"也有相通之处，都指向一种极为美好的空间，唯一的不同在于后者为现世所无的"彼岸"或凡人不得问津的仙境，而"胜景／圣境"则确实存在于世间的某一特殊角落。虽然只是实存的人世美景，但是，由于人们使用各种文化手段赋予了超乎外表形体的意涵，"胜景"就逐渐转化成某种程度的"圣境"，超越了它原本的表面形式，而产生新层次的精神价值。这也是一种"意象化"的过程。在这过程之中，宗教经常是一个主要的推动力量，让一个自然空间转化出另层的神圣性，而成为宗教世界与凡俗世界的具体"交会"点。中国浙江宁波外海之普陀山便是如此的例子。它原本只是舟山群岛中的一个小岛，但自11世纪后在佛教华严教学之流布与东亚海洋贸易兴起的双重脉络中，却转化成南海观音的根本道场"补陀洛伽山"，"自是，海东诸夷，如三韩、日本、扶桑、阿黎、占城、渤海数百国雄商巨舶，由此取道放洋，凡遇风波寇盗，望山归命，即得消散，感应颇多"，成为诸国人士归心的"圣境"。然而，中国浙江普陀山的观音圣境文化意象并不是一个独立现象，而是东亚区域各国在观音信仰深入人心的脉络中，各自建构其滨海观音根本道场共相的一个部分。韩国的洛山、日本熊野地方的补陀落等处都有与浙江普陀山相通，且可能互有影响的圣境意象之发展。[4]这意味着在补陀洛文化意象之形塑过程中，虽有特定胜景地点的连结，但同时这个胜景连结却非绝对固定，反而可以随时增加新的连结，互相之间不仅不会互斥，且能相互助成。相较之下，来自《华严经·入法界品》中观自在菩萨所在的南方之"补怛洛迦山"，看来似是此过程所必须仰赖的凭据，但它也已历经"海难救助"之转化，而与东亚海上贸易相结合，故而必须依托于贸易路线所及的各个在地胜景之上，才能使意象具体成形。换言之，像补陀洛山这种意象的形塑过程中，在地胜景与圣境意象形成一种互补关系，缺一不可；而且，在地胜景的多样性也以互相参照的积极方式参与到圣境的成形过程之中，因此也对此文化意象之流转产生具凸显性的主导力量。

西湖与潇湘之文化意象，虽不具明显的宗教性，但也可归入"胜景／圣境"类型之中来讨论原本胜景与其后形塑之文化意象间的关系。原来的西湖与潇湘都只是各具特色的自然风景，一在浙江杭州，一在湖南洞庭湖之南的潇水、湘江区域，但这两处风景自 11 世纪之后都历经了一个转化的过程，变成具有丰富文化意涵的名胜。促成这两处名胜转化的力量主要是 11 世纪在中国快速成长的士人文化。经由士人的参与，名胜本有的特定地景、历史记忆等要素被充分地整合，并借着一种文学性的"品题"程序，西湖与潇湘便脱胎换骨似地罩上了一层超凡的精神意义。从表面上来看，"品题"（包括了标题式的"命名"与接续的诗词写作行为）原只是一般的文学行为，但在此过程中，它却有如宗教仪式中将空间净化以转化出神圣性的程序。通过"品题"（最早为 11 世纪后期的文士宋迪所进行）的转化，潇湘风景不但有"平沙落雁"、"烟寺晚钟"等的八景之目，而且遥接西元前 3 世纪屈原《楚辞》以来的历史文化传统，进而被提升至以山水渔樵之乐为实质内容的隐居理想境界，那也可说是一种文化性的圣境。如果说潇湘之境是中国山水隐居理想的实象化，是远离人间尘嚣的浩瀚空间，那么西湖则地处杭州城市之中，属于金文京教授所说的"城市小景"，最宜于承载"市隐"之士的理想。西湖亦因而有十景之目，如"柳浪闻莺"、"苏堤春晓"、"南屏晚钟"、"断桥残雪"等，它们不但是具体的游览景点，而且融合了对时间流动、季节变化之感怀情调，接着又加入了含纳着白居易、苏轼等文化偶像在内的悠长历史人文传统，与之共同建构出一个足堪代表"市隐"理想的风景典范意象。[5] 一旦如此的文化意象完成，它也会反过来强化胜景本身的魅力；西湖与潇湘一样，在它们稍后的生命史中一再地吸引更多人的"品题"，而且，"品题"本身也成为后来"品题"的对象，这就为此文化意象之流转提供了十分有利的条件。

潇湘与西湖文化意象在东亚各地的移动现象大量到惊人的程度，不仅中国境内，韩国、日本两地也所在多有。其中一个值得注意的事实是：虽然意象的移动过程中一直没有舍弃使用原来胜景的名称，但实际上的参与者却大多数已没有"亲临"其地的经验。换句话说，潇湘与西湖意象在各地的移转，实已切断与原胜景的具体关系，而比较仰赖其后形塑所成之圣境意象来进行操作。从此点而言，这种"胜景/圣境"类型就最能显示文化意象所产生的主导性作用。

（三）典范人物的文化意象

第三种类型可以称之为"典范人物"的文化意象。这种"人物"型的意象在东亚区域存在的例子颇多，从宗教世界中的圣贤到文学世界中的作家等等，样态不一，但都可因其具有某种程度的典范性而在此区域内受到不同人群的尊崇而归在一起。例如释迦牟尼、寒山、拾得、维摩诘、苏轼等，便分别属于这些不同性质的"典范人物"。他们的性质固有不同，神圣性之高度亦无法一概而论，但原则上他们都是原来存在于历史时空中的人物，却也都在身后经过一个转化的过程而取得其各自被人所尊崇之"典范性"。一旦此"典范化"的过程得到完成，曾经实存过的这些人物便不再只是血肉形质的"人物"，而成为具有超凡意义的"意象"，脱离其原有的历史时空，而活在尊崇者的心灵或行为之中。我们也可以说，这些特别的人物借由典范化之程序，便由过去进入永恒；不仅超越时间的束缚，而且跨越地理空间的限制，成为无所不在的"典范意象"。这种典范人物意象的众多存在，在中、日、韩三地显得极为突出，自然也是形塑东亚同体感的重要力量。

　　典范人物意象得以在东亚广泛流布也提醒研究者注意它的特性所在，此即其转化过程中所涉及的"去时空化"的动作，这在前面讨论的理想世界与胜景之文化意象类型中都未见清楚的表现。去时空化之后，一个有生命期限的历史人物固然似乎被神格化了，成为一个不死且一再出现、无所不在的典范意象，但此意象却仍与神佛有别，其与原来历史人物间的某些具体联系依然是必要条件，甚至于被视为其是否在新时空中作为该人物之"再世"的有效依据。如此的联系，从人物形象之需求而言，大致上可归出两事：一为肖像性，二为存有神异事迹/故事可供传诵者。前者可能包括人物体貌、服装、姿态等之特征，让观看者可以辨识为某人形象的记录或与之确存着"再世"关系。这种做法最易见于具有高度神圣性的宗教人物意象。例如释迦牟尼意象即很值得注意。释迦牟尼是历史中的实存人物，但也是佛教信仰中的历史佛。他的意象在东亚佛教世界中的传布，基本上不以直接的化身形式出现，而皆由人造尊像作为必要的媒介。在此状况下，释迦牟尼意象在东亚传布之前提在于各地得以拥有"令观者确信自己亲眼见到释迦牟尼的真实形象"，而此前提之得以落实则来自印度优填王为释迦作肖像之说，后世所作如日本京都清凉寺的释迦牟尼像等皆为根据优填王造像而来的摹本。这些摹本虽然可能经过多次传摹移写之过程，但都企图掌握原有的肖像特征，并以特定之螺发构造、等身之尺寸、印度式服装及特殊衣纹处理等细节来表现。有的时候这些肖像性的尊像还在躯体内置入绢制内脏，以象征其"具有生命"的特性。如此营造"真实的"，甚至"活生生的"效果之手段，对于此历史佛意象的说服力实在至为紧要。[6]另种依附神异事迹或故事之做法则来自人物经历中某些特具纪念性之事件，经过标示之后成为身份辨识之依据。它对人物形象之肖像特征已在历史中大部流失的个案而言就特别重要。佛教世界中的寒山、拾得与维摩诘都是这种例子。寒山、拾得在禅宗系统内咸被认为真有其人，可能是8世纪后半生活于天台山的隐士/僧侣，同时也是文殊、普贤的化身。至于这两人的肖像特征则相当模糊，只有"垢面蓬头"一点可勉强当之。因此之故，在寒山、拾得意象之形塑过程中，不仅有着除佛教外，包括道教、文人文化在内的多元来源参与作用，还更集中地仰赖一个对两人大笑大叫，进行一些常人难以理解对话之奇异行径的陈述，来让人指认其再世意象的实际身份。[7]维摩诘亦是如此。他本是《维摩诘经》中所述印度毗耶离城中的居士长者，是曾经实存的世间凡俗人物。但除了是个老人之外，经典并未提供维摩诘此人任何进一步的体貌特征。他的意象因此基本上建立在深通佛法一点上，并以他在病中与文殊菩萨会面论法所生，有着"天女散花"效果的神妙境界，来展现居士典范在佛法世界中的至高至要形象。这个病中论法的事件便成为维摩诘意象的核心，它自第4世纪以后在东亚地区各地的流传，都与此事件有关，也由之产生了如顾恺之"瓦棺寺传奇"的在地新神异事迹，让人们一再地见证此典范居士意象的精神魅力。正是因为维摩诘意象的精神意义，它也可以超越原来的佛教脉络，成为其他领域中典范境界的象征。14世纪以后日本所见歌仙柿本人麿形象与维摩诘的结合，提供了一个很好的例子，那不但可视为维摩诘跨出佛教领域的化身，且为日本歌人典范创造了一个超乎文学技巧的更高精神境界之层次。

维摩诘意象对柿本人麿形象的转化作用，特别展现了不同性质典范人物意象之间的互动关系。不止在日本，此种现象在中国也经常出现。维摩诘与诗人文士形象之交迭案例颇多，唐代诗人王维、元代诗人倪瓒都曾有意识地通过维摩诘来形塑自己的形象。[8]这种案例的众多，当然展现了维摩诘意象的高度吸引力，但如从诗人文士这一端来说，那似乎意味着它本身作为典范意象的一种不足，而此不足也促使人们产生赋予它文学专业身份之外另一层次精神价值的需求。诗人形象如果要提升为一种典范意象，因此可以想象必定经历某种超越历史时空，追寻更具普遍性之意义存在的手续，而后者的重要性经常会使得形象中的"肖像性"显得无足轻重。例如在东亚传布甚广的诗人苏轼意象，虽然基本上奠基于他受人喜爱、叹服的文学才华，但更重要的实是他身处逆境中的达观风流所创造的人文意义，才让他不只是个杰出的文士，而具有足称"不朽"的典范性。苏轼从来没有留下可信的肖像画，但此缺憾似乎毫未对其后世崇拜者产生任何的障碍。他所戴的帽子，后人称之为"东坡巾"，在这个情况下就取肖像而代之，成为无奈但是非常有效的个人"特征"，象征着这个历史人物的曾经存在。但当东坡巾成为代表苏轼的符号后，它也指示着整个意象所包含的文学才华与人生境界。东坡巾因此在这个典范化的过程中，由一顶普通的帽子变成具有某种神圣意义的符号，标志着肉体幻灭于1101年之诗人苏轼，已经转化成不朽的"坡仙"。[9]

相似的现象亦可见于较为概括化的诗人骑驴意象之上。在中国文学史中，通过孟浩然、李白等知名诗人的相关纪事，驴已是诗人特有的坐骑，诗兴与骑驴二事也被巧妙地等同起来。由此而产生的诗人典型意象，便是在一不特定指认具体诗人的状况下，利用蹇驴形象的对照，来反衬诗人富于文学才华的理想境界。这种外表贫穷但才华洋溢的寒士／诗人意象在日本亦有热烈的呼应，连室町时代的五山诗僧皆喜以之自况。高丽、朝鲜的诗人甚至在接纳这个意象之后，发展出"东国"骑牛诗人的典范，并赋予了另一层次脱离政治与名利纠葛的悠闲、隐逸意义。[10] 蹇驴这个在民间生活中平凡无奇的运输工具，正如同坡仙意象中的东坡巾一般，原来只是一个诗人的附属物，现在则成了转化出意象典范性之所托，而在意象的形塑过程中扮演如此积极的角色，可说充分显示了这种非宗教性之诗人意象的特质所在。如此依赖平凡物之符号化／神圣化来进行意象塑造的做法，也提供了在地诠释的充分弹性空间，让操作者可以在地之物，如骑牛，来予置换，以塑造在地的再世意象，并加强它在特定文化脉络中的亲和力。这或许正是此种典范人物意象之所以广布于东亚各区的一个重要因素。

（四）轶闻／传奇的文化意象

另外一种与上述不同的类型可称之为"轶闻／传奇"。它与其他类型，尤其是以胜景或历史人物为出发点者最大的不同在于其皆具有某种程度的虚构性，而虚构性本身亦为其意象流传之所系。伦理性之故事表面上看虚构性较低，但仍有其存在之必要。例如东亚所常见流传的孝行故事意象虽都有实据，但情节之忠实性常不及其故事所承载孝道之伦理价值重要，而致有被忽略，甚而进一步被改装以符典型之现象。15世纪时朝鲜孝女金四月"断指"疗母狂疾的孝行，即被朝鲜官员引为中国孝女典范曹娥之比，故在"厚风俗"的政策考虑下，由政府予以旌表奖励。但是，以金四月比之曹娥，并不意指其为曹娥之再世，而当后日中、韩诗人对四月孝行故事进行再叙述之时，金四月如何断指，如何医治母疾等情节，也都未必被严格遵循，倒反常将之置于"割股疗亲"的孝行模式来做故事的铺陈。[11]这固然显示了此种故事之缺乏经典式文本之依据，本即存在多元版本之可能，另一方面则使得叙事者在为了取得较佳之叙事效果下，感到某种虚构其中部分情节的必要性。如此虚构性之存在多少影响了孝行意象之形塑。当断指可以为割股或其他伤害自身肉体行为所置换，行为者的身份确认便不再那么重要，突显出的则是"舍身疗亲"行为本身的形象与意义。换句话说，孝女故事在形塑意象的过程中，孝女人物的地位让给了孝行之事。也因为如此，此意象在各在地运作时，焦点也集中于孝行意义的注释之上，以彰显其所代表之伦理教化落实的成效。这样的诠释实可视为对某种理想政治状态所作的宣扬，系依各在地作者不同之立场而对东亚政治中普遍尊崇之孝道伦理准则所作的回应，如引之为中朝各自为其在东亚政治文化秩序中位置之表述，亦无不可。由此观之，孝女故事以及相关之二十四孝故事所代表的整个孝行意象在东亚区域中之形塑与流传，虽起自实事，却在各种在地衍化的版本中，仰赖政治性之诠释而得以实现。

相较于孝女故事之与政治教化的密切相关，文人轶事则偏重于非政教考虑的生活情调意境之表现，较不具伦理的规范性，也因而容许了更多的虚构性。由苏轼的海南轶事所形塑之野服形象即为此种例子。与作为诗人典范之意象者不同，这个苏轼形象头戴草笠、足蹬木屐，显得滑稽、古怪而可笑。虽说是发生在他谪流海南之时，但实际上此故事所涉及的人、事、时、地、物都相当模糊，而且被形诸文字的时间稍晚，在在都予人有所虚构之嫌。不过，实情如何，在此并不重要；值得关心的倒是这个海南轶事究竟形成了什么意象，而此意象又如何在东亚流传？恰与头戴东坡巾的诗人典范苏轼形成相反的对照，身着平民"野服"，举止"可笑"的苏轼笠屐形象呈现的是一个自我扮装的士大夫，展现的是一种脱去秩序的玩世不恭。由于已经经过扮装，原主人翁之肖像性自无法辨认，是否仍须固着于苏轼本人，亦不必计较，重要的是其怪异行为所传达的玩世不恭之生活态度，这就形塑了野服意象的最早内涵。正是因为这些包括装扮在内的虚构本质,让后人得到了更大的诠释空间。当中国宋元之高雅文士社群成员积极地运用这个野服意象时,玩世不恭的滑稽行为被解释为对追逐功名成就的懊悔,并借此生活态度折射出真实的高洁人格。日本室町时代的五山禅僧视此又稍有不同。正如瑞岩龙惺对之题诗所云:"好将笠屐换轩冕,蛮海却安官道危",玩世不恭之举被置入禅学对真实与虚幻的命题思考中,成为破除俗世价值成见、悟道的棒喝。[12]

各种故事传奇之中,以男女情爱为主题者总是占据着一定程度的重要性,其中最受欢迎者也在东亚区域内广为流传,并形成引人注目的文化意象。以唐明皇与杨贵妃凄美爱情故事为基础发展出来的杨贵妃传奇意象即可算是其中最突出的代表。它之所以成为东亚共有之文化意象与唐代诗人白居易依之而作的《长恨歌》之广受传诵大有关系;但是,白居易的名作亦不宜径视为此意象之经典源头,而仅是众多传说版本中之一例,其他之版本甚多,也不限于诗词,形诸小说、讲唱或戏剧者在后代亦所在多有。不过,各种版本间除了细节、重点的歧异外,皆环绕着杨贵妃被杀后唐明皇对她的思念来予发挥,其中白居易《长恨歌》中便以几乎二分之一的篇幅描写明皇派遣方士至蓬莱仙宫寻找贵妃,并以"此恨绵绵无绝期"来总结这个爱情悲剧所留下来的浪漫与失落。明皇与贵妃之爱情故事虽起自8世纪的历史真实,但其传衍而生之意象则依附在完全虚构的天人阻绝但相思不已的情节上。杨贵妃虽然也可作为美丽女性形象来予追忆,但贵妃传奇意象在东亚之恒久魅力却更多地建立在这个对爱情永远失落的遗憾之上。

如果不称之为杨贵妃传奇,而以"长恨歌"为这个凄美的爱情传奇意象命名,或许也是个可行的选项。它唯一的缺点在于予人一个专属于文人精英阶层的印象,而无法表现出此意象跨越阶级,尤其在平民阶级中的亲和力,而那也正是它在整个东亚区域内不停地产生回应的基础。中国在14世纪时白朴的《梧桐雨》、17世纪洪昇的《长生殿》,就都是以此意象的再生来面对一般的群众。对这些观剧的百姓而言,即使贵为天子的唐明皇也难承受爱情失落之苦,这最引人同情,也似见证了真情至爱在人间的珍贵。日本平安时代的小说《源氏物语》也有《长恨歌》或杨贵妃传奇的影子,并广受各阶层人士之共鸣。17世纪狩野派画家狩野山雪在为《长恨歌》进行诠释之时,在意象的呈现上便叠合了《源氏物语》的形象,来发抒他对"此恨绵绵无绝期"的中心感怀。[13]

三、东亚文化意象形塑中图像的位置

上述各类型的文化意象可以说是从天、地、人、事等各个不同层次,共同形塑着一个"东亚"的实质世界。不论是通过外交、宗教或贸易等管道,这些文化意象都历经了时间上的形塑、空间上的移置与在地实践之过程。在这过程之中,文字与图像分别扮演着重要的媒介角色。以文字书写为主而生的意念,其生发与传递,是意象未能以形式被感知前的初始阶段;以形式呈现为主的图像/艺术创制与流动,则接之进而赋予具体可感的形象,让意象"视觉化"成形,二者相连,串起一个完整的意象形塑过程。而在这过程中,文字与图像二者之间也互相牵动。文字书写的意念发展不仅不能不受意象视觉化进程的影响,也无法脱离在地文化脉络情境变化之牵制。在过去有关东亚之研究讨论中,由于并未特别聚焦于其中的文化意象及其形塑过程,故而常只偏重于以文字为媒介之一端,那也是学界曾经试图以"汉字文化圈"来定义"东亚"的内在理路。但是,一旦研究者注意文化意象在东亚的形塑过程,便会发现图像其实占着一个与文字同等重要、不可或缺的位置,有的时候甚至可以说是一种前人所未及意识到的关键性存在。

诉诸视觉的图像在说服力的表现上较具优势,这对如理想世界那种理念的传达,特有需要。就理想世界的文化意象而言,不论是极乐净土或是桃花源,视觉化都是一个必要的步骤。极乐净土虽然有佛典上的文字描述,但其美好毕竟不如眼见为信,对信徒更有感染力。事实上,现存敦煌莫高窟二二〇窟南壁上的阿弥陀净土图即作于 641 年,早于一般认为观经变相所依据之善导大师对《观无量寿经》解释的时间,学者甚至认为善导的解释可能是由这种观经变相图画所启发的。除了对净土的直接图绘有助于此意象之传布外,传教者也运用各种阿弥陀佛"示现图"或"来迎图"的图像,进一步说明彼岸与此岸的关系,以及阿弥陀佛如何由彼岸的极乐净土下降至现实世界来救济众生的具体动作。它们与净土变相图共同形成一个图像群,将有关极乐净土的理念作了完整的视觉性呈现,其效果自有经典文字所不可比拟之处。[14]桃花源意象之形塑亦颇有赖于图像,原因也在于视觉的优势说服力。今日所读到的大量中、日、韩人士对桃花源意象所发之感想或诠释,极大多数都是因图而作,即使他们所面对的桃花源图绘可能有不同的来源根据;不一定只是追随陶潜所述的版本。许多不同时空脉络中出现的在地诠释也依视觉化之形式进行表述。中国在 14 世纪以后一再出现的"桃花源"园林,基本上便可视为立体性之图像,是园林主人桃花源意象的自主陈述。朝鲜安平大君命画家安坚所作的《梦游桃源图》,将佛家的梦觉之论引入桃花源在现实世间能否存在的思考,图绘因而得有推陈出新的画境。而此画境的意象表述可谓超越了所有以文字形式出现的朝鲜桃花源诠释,足可称为桃花源意象在东亚流动中的朝鲜代表。[15]

图像之重要作用在"胜景/圣境"文化意象之形塑过程中则显现于其对特殊形式的框定动作之上。"潇湘八景"意象之成立既须有"品题"之程序,而品题之初发意图原来自对一片浩瀚风景中之特有意境者加以框定,亦即在似乎无限的可能性之中,进行某种最佳观看时机/角度的选择。宋迪原所选择的八景便是如此,分别就潇湘景物在雨(潇湘夜雨)、雪(江天暮雪)、湖水(洞庭秋月)、雁(平沙落雁)、舟(远浦归帆)、寺(烟寺晚钟)、渔村(渔村夕照)、山市(山市晴岚)等项目建议了最佳的观看方式。这个框定的观看基本上牵涉两个选择,一方面是一日中特定的时间点,例如"渔村夕照"意指渔村之最美只在夕照之际,另一方面则在特定视觉效果的标定,如"洞庭秋月"针对湖景只选定秋月映照水波之境,"江天暮雪"则在各种雪景形象中,独挑江天一色的效果为最胜,其余则皆舍去。相似的做法在"西湖十景"中亦可见之,稍有不同的只是西湖的十个景点有着更明确的地理位置而已。胜景意象化之过程既有如此视觉观看之框定,可以诉诸视觉之图像遂成不可或缺的表达形式。原来宋迪《潇湘八景》除了品题之外,必有图绘配合,只是可惜不传于世;后来 1100 年左右觉范惠洪所作的《潇湘八景诗》便是对应着宋迪的绘画而来,而且不仅成为后人追仿题诗的范本,且反过来作为绘图的重要参照。潇湘意象在韩国、日本之传衍,也不只依据品题的文字,亦必要地植基于图像对那些特选的观看框定之上。高丽人士早在 12 世纪初即借由入华画家李宁传入中国的潇湘八景图绘,那些图绘除了传布了对八种景物观看之框定方式,因而带动了韩国之在地运用,而在其地方八景之建构上产生如以"西江月艇"(高丽"松都八景"之一)呼应"洞庭秋月"等现象外,[16]还具体地带去了原来宋迪描绘时所使用的华北系山水画风格,这种风格一直留存至朝鲜初期的潇湘八景山水画之中,成为朝鲜在地潇湘意象之突出特色。与高丽、朝鲜者相较,日本室町时代所衍生之潇湘意象则深受 13 世纪后期由画僧牧溪、玉涧所作之南方水墨山水画风的引导,并以之视觉化其对季节变化特有所感的在地潇湘诠释。对于扮演日本室町潇湘意象之推动者的五山禅僧及其支持者而言,惠洪等诗人所提供的文字虽然引人,但牧溪、玉涧的潇湘八景画的图像显然更为重要。[17]

相较于理想世界与胜景/圣境之文化意象,有关人物意象之形塑过程中倚赖图像的情况则又别有值得注意之处。宗教性的尊像因为高度神圣性的需求,故而在佛、菩萨等形象制作上之考究,常有非文字叙述所能完整传达,必须仰赖图像来作清晰的规范。这种视觉化的规范尤其在尊像的传递过程中特别重要,但它并非仅停留在某些细节之忠实复制而已,更根本的关怀在于确保尊像神圣性于传递过程中能超越模制工作本身的限制,而得到原本的如实表达。佛教在东亚世界中的传布便多所运用尊像的绘画与雕刻等形式,而尊像间忠诚链结的保证则是传布成功与否的症结所在。日本京都清凉寺所存的释迦像是986年日僧奝然从中国携回,根据北宋宫廷所供奉的印度优填王所制释迦像的摹制本,它在日本也成为后世若干寺院摹制本所依据的原像,其中1249年的奈良西大寺释迦像就是在清凉寺像面前直接雕制的,而西大寺像自己后来亦成为众多其他传布释迦信仰之尊像的摹刻源头。如此清凉寺释迦像之"原像—摹像"关系所形成之系谱本身的真确性,即为相关尊像所需有之神圣性提供了视觉性的保证。这个保证如果没有经由图像系谱的确认,根本无法达成。[18]

维摩诘意象的流传则显示了图像在形塑过程中另一个重要作用,即将对象人物抽象典范境界视觉化、形体化的能力。维摩诘意象之重点既在于这个人间居士深通佛法之境界上,如何在一个俗世人体之上展现那个神圣境界则是意象形塑过程中的第一个难题,《维摩诘经》之中并未提供任何解决。历史上对这个难题做出解决的据说是4世纪末的画家顾恺之,文献上记载他画出维摩诘形象的"隐几忘言之状",即成功地将维摩诘佛法境界视觉化为人体的姿势与表情,其有效性因之造成极大的感动力,因而便有瓦棺寺传奇的配合出现。后世各种维摩诘意象的表现,包括日本的各式不同典范人物之维摩诘化身在内,严格地说,都是对顾恺之所创图像的诠释或再诠释,而非直接诉诸《维摩诘经》的经文叙述而来。这些在地诠释或化身之间,虽然没有形成像清凉寺释迦像一样的明确系谱,但却有一个共同的前提,即各意象的制作者皆基于同一种"隐几忘言之状"的图像而来,并借由极为近似的姿势、表情之掌握,以视觉性的图像形式作为这个意象的主要表达。在此状况之下,维摩诘本人的体貌特征甚至可以被忽略，而代之以意象使用者的肖像性指涉。日本室町时期文清在为荒川骏河太守诠氏作《维摩居士图》时，便直接将画主真容置入维摩诘形象之中。这可以说是企图表现画主认同维摩诘意象的手段之一，也可以视为他作为维摩诘在地化身的一种表达方式。果若如此，将真人肖像与维摩诘隐几忘言之状结合的图绘方式则增强了化身具体存在的说服力，此对维摩诘意象在日本的传布确实可以产生积极的作用。它在日本后来被运用来诠释歌仙等知识人典范意象之做法，因此亦可理解为同一模式的进一步发展。[19]

寒山、拾得的怪异行为其实也与苏轼海南轶事中的可笑之举同出一辙，都有赖图像之助方能让人具体感受其怪异之需要。但是，这两种意象却因在图像上缺乏如维摩诘那种"隐几忘言之状"的大体规范，表现的自由度相对提高，但也意味着其图像系谱性的渐趋模糊。在缺乏系谱的规范之下，图像可能冒着丧失神圣性的危险，但从另一方面看，它却反而能享受化身多样化的开放可能性。图像的这个双面性因此相当程度地介入了这两种文化意象在东亚的传布过程之中。从它们的结果来看，苏轼野服形象虽在日本五山禅僧中得到转化，但后来运用似乎并不普遍；寒山、拾得意象则虽有各种不同的变相，但亦局限在禅僧文化圈中，不似维摩诘意象之有跨社群的表现。这似乎意味着来自其图像媒介本身的缺陷。如果将此图像性格与意象类型二事予以结合考虑，那又似乎进一步地指示着偏向轶事之意象类型本身在转化其精神价值时所面对困境之不易突破。轶事之所以引人常依附在其情节之通俗性上。而当图像被选作媒介，即易导向煽情式的视觉陈述，而迟疑于对意涵转化的诠释。杨贵妃传奇在中国 16 世纪以后的图像表达中，常见对情节中情色的描绘，以及对情侣相聚时浪漫、风流之强调，反而淡化了，进而移转了原本应有对爱情失落的感怀。[20]日本狩野山雪的《长恨歌图》虽然力图回归至白居易《长恨歌》的古典诠释，并以整个下半卷来呈现明皇对贵妃的无限思念，但其图像之叙事仍不免偏于丰富华丽、多彩多姿。其中对方士至蓬莱仙宫寻得杨贵妃的几段情节更是作了大篇幅的描绘，尤可突显画家对将此神异视觉化的强烈兴趣。轶事类型文化意象之所以易于产生如此异化的现象，固然与各种在地诠释的文化脉络有关，但也须注意其所使用图像媒介自身特质所起之推波助澜的作用。

图像在文化意象形塑上所扮演的重要角色，原则上可以无疑。但是，它在各不同类型个案中的运作方式却有值得注意的变化，不能一概而论。在许多状况下,图像的主导性又会与文字这个重要媒介产生互动,而产生更复杂的层次,当意象之形塑者/推动者为对此二媒介具同等兴趣与能力的个人时,特别容易见到。对于图像在东亚文化意象形塑中所产生的丰富现象,学界必须承认迄今只有初步的认识,未来将必须通过更多的个案详细研究,来累积对这些变化的理解。

四、作为东亚文化意象的山水画

上文所述各种文化意象类型多有包括山水画在内者,例如理想世界中的桃花源、胜景意象中的潇湘八景等都是,但是,跳出这个类型之分,东亚世界中出现的山水画,本身也可以作为一个文化意象来观察,从不同的面相来理解它在东亚中的形塑历程。这便是本书导论以下五章的主要内容。

山水画起源于中国,但源起的时间大家看法不一,有人以为可以宗炳的《画山水序》为据,推至6世纪,有人则以为可以张彦远在《历代名画记》所说,"山水之变,始于吴(道子),成于二李(思训、昭道)",将成立的时间定在8世纪之时。我个人则在整合文献与现存作品资料之后,认为一个具有独立"画意"的山水画要到10世纪左右才真正出现,在那之前则只是山水形象的描绘,而不符后世所称之"山水画"。山水画其实不只是对外在自然风景的被动图绘,它还在形象描绘之际传达一种人与自然关系的想象。有着这种画意内涵的山水画便与一般所称之"风景画"存在着本质上的不同。具有如此画意的山水画自10世纪之后,很快在中国流行起来,成为文化界中最吸引人注意的现象。[21] 它的耀眼光芒也在不久之后得到韩国与日本的注意。高丽王朝的上层阶级至迟在12世纪时便已接受中国山水画,并效法之而有自己的创制。日本之有山水画或许稍晚,可能传自高丽,或直接取之中国,但最迟在13世纪时已有具体作品保留了下来。韩国与日本之山水画虽有其自身之特色,并非只是被动地模仿中国,但也都与中国共同分享着那种表达人与自然关系的画意理念,并由之生出在地的长期发展,直至近代西潮东渐之际,仍为文化表现之突出代表。我们可以说,东亚区域文化之中确实存在着一个共有的东亚山水画传统,形象与画意兼备。而在这个传统的发展历程中,16世纪之前则可说是重要的形塑时期,从传受到在地新变之生,各区在变貌之中又凝成共相,共同组成了一个清晰而"可观"的东亚文化意象。

就山水画之形塑成为东亚之文化意象而言,中间的过程必定同时牵涉到理念、人与绘画相关物品等三个不同层次的往来移动。过去讨论东亚的绘画交流之时,大致上偏向于整理具体作品的移动现象,尤其是希望尽可能明确掌握究竟哪些是中国作品被带到韩国与日本的情况,即使没有原迹留存,也勉强由文献探讨取代,并从而进行地区间风格的比较分析。这个风格学倾向之东亚绘画交流史的长处除了在于说明日、韩两地绘画与中国的渊源关系外,也特别突显了各自与中国不同风格特质之出现与发展。立足在这个基础之上,我们便可以进一步来问一些更根本的问题:究竟是什么原因使得这些本非民生必需的艺术作品,竟能超越各种障碍,产生远距离的移动?远距离移动是否必然伴随着理解上的隔阂,进而导致在地创制操作上的变异?这个变异如何被有效地控制,而仍然维系着共相的存在?共相的维系又如何能同时保有适度的弹性,而不至于扼杀在地创制的必要活力?对于这些问题的理解,山水画的材料提供了一个较为复杂的状况供讨论。其他的画科,例如与宗教仪式密切相连的佛教绘画,基本上可以宗教需求来回应那些问题,变动程度相对单纯。山水画则无此类功能性的需求可作贯穿,因此常随描绘山水性质之差异,而须从理念、人与绘画相关物品的三个层次重新观察其在东亚区域中移动的过程。

山水画得以形成跨越时空的传统,根本上植基于它所表现的人与自然关系之理念。正是因为这样的理念得到人们的认同与需求,山水才得以"入画",而出现所谓的"山水画"。但是,唯独理念的需求还不足以充分说明山水画的存在。如果考虑到上文所说意象化的过程,山水之成为正式被认可的画科,必定同时牵涉到图绘模式如何配合发展的条件。以往论艺者喜以崇尚自然为东方文化之特质,并以之概括为中、日、韩山水画之所以兴盛的原因。但是,这种说法未免失之笼统,且无法顾及山水画晚于人物出现的史实。当我们去问,自然之山水物象为何会为人所崇尚?或许应先尝试回答,它为何会成为人们必须要花费精神工夫去完成的"绘画"之对象?外在自然之景物固然皆可作为人们的欣赏对象,但并不意味着都会成为山水画。事实上,这种不能入画的例子很多。中、日、韩三地的海岸线加起来很长,来往也常赖以海上交通,因此海洋不能不说是东亚构成中的重要部分,但是,海景却在东亚的山水画传统中几乎未曾扮演过任何显眼的角色。这大概是因为海洋之意象为航海的高危险性所制约，难以承载较为正面的人与自然的关系。海上蓬莱仙山的想象或许是个例外，但那也失之虚幻、飘渺，充其量只是山水画中的边缘。东亚山水画的主流表现所诉求之理念正好与海景相反，是一种趋向和谐之人与自然的理想化关系，而且经常是一种超越日常现实经验的更完美呈现，以寄托人的心理需求。为了要对如此理念有所表达，人们势必接着面临另一些基本问题：如何图绘才可以确保其效果？山水画是否存在着一种图绘模式可以用来承载它所要表述的人与自然关系？它又能不能在这样的形象层次上发展出其自身较明确的意象？从山水画的制作来说，外在自然中之诸多物象必须先行筛选、描绘，进而在画面上加以安排，方得成画。在此过程中，画面的安排经营又最为关键，为任何人与自然理想关系表达之所系。因此东亚山水画传统之成立，也建立在对此画面经营之图绘模式的共识基础之上。如此共识之取得，很难诉诸某种文化的美感特质，也不可能自然发生，而必须历经学习而来，它的历史进度遂也影响到整个东亚山水画传统的发展步调。

这个以图绘模式为形质的东亚山水画理念，虽可归纳为人与自然之理想关系，在操作上却有必要作较细致的认识，以突显它的丰富性。本书第二章即以"桃花源"作为这个理想关系之虚构型的代表。桃花源意象中所呈现的美好山水以及人所享有的理想生活皆非对外在自然的真实陈述，而纯粹只是历经不同世代人的虚构形塑，最后成为一个东亚区域内最具吸引力的理想世界典范，并以山水画的图绘形式作为此理念的载体。桃花源意象虽起于虚构，在后来的发展中则出现了各种随不同需求而生的人世化的化身，它们的山水图绘方式也因之有所调整。有的时候选择青绿山水那种非自然的形式来强调桃花源永远失落的感叹，有的时候选择隐居山水图的模式来寄托对平静生活的单纯期望；当朝鲜上层人士在呈现他们的桃花源在地化身时，仙境山水之图像则成为表达对此理想世界真实与虚幻辩证关系诠释的最佳形式，而对日本室町的五山文化中人而言，桃花源亦呼应了他们急欲自现实纠葛中脱身的需求，一种简朴的书斋山水图的图绘则以刻意隐藏桃花源形象的方式，警示着五山的观者及时回归本心。这些呈现桃花源理念之各种样貌的山水画，表面上看来风格不一，但在画面经营上都是通过物象的结组在传达着一种非现实的自然世界，一种只存在于心中的、更"真实"的桃花源意象。桃花源不必具有固定的形象，那个传说的原有情节亦无须一再重复，山水画中所表现的人与自然关系在此时即被转化成对桃花源意象在不同情境中的不同追求。由于这个自由度,桃花源意象在东亚的传布取得了高度的活力,而它作为人与自然理想关系表达之极致代表被普遍接受,亦为东亚山水画中理想世界意象之建立起了奠基性的作用。

与桃花源之起于虚构不同,本书第三章所处理的胜景山水画则出自真实存在的地景。然而,胜景之作为山水画而广泛流传,产生各地的分身,却不因其地景之特质,反而在脱离地景之限制,趋向一种更为普遍化的人与自然理想关系之表现。东亚世界中广泛流行的潇湘八景山水画可说是探讨这个现象的最佳材料。关于潇湘八景图在东亚传布现象的重要性,学界早有注意。在20世纪50年代日本的岛田修二郎即有经典性的研究,开启了后来数个世代学者的相继探讨。[22] 近年来由于韩国与日本潇湘八景图绘作品的新发现颇多,又大为增强了对它在东亚区域相互连结的认识。在此成果之上,本书此章试图以"风景观看"的角度,重新观察东亚这个胜景意象的发展,并借之探讨其图绘方式之得以在传布过程中扮演决定性角色的缘由。潇湘八景山水画虽起自对中国湖南潇湘一带地景的描绘,但在成立不久后即超越该特定地景的束缚,成为一组描绘风景观看下最佳效果的山水图绘。所谓的最佳观看效果通常不止于接收视觉所见,更多、更重要的则是因所见而引发的内心感触,而此感触即投射了观者与自然间某种关系的陈述。由此言之,东亚各地,包括中国在内,虽随处皆有胜景被比拟为潇湘,视之为潇湘的化身,但根本上大家所注意的实皆不在地景本身是不是真像潇湘,而如何以观潇湘之法而观之才是重点所在。如此所得的山水图绘究竟有没有冠上潇湘的标题因此亦不须过于计较,只要传其观看之要旨即可。

然而,这种图绘的开放性并没有造成危害潇湘意象的离心力,相反,它在保有开放性的同时又展现出一种高度持续的凝聚力。这种凝聚力之得以超越时空障碍而持续,主要系依赖其移动过程中一种共有图式的经常性的存在。此图式之存在来自对潇湘意境的形象化,可说是潇湘山水画的画面基本结构,贯穿所有不同时空、不同地区制作之不同样貌的作品。而其之得以臻此,则又是因为画稿在传布过程中所起的积极作用。在绘画之制作上,画稿之使用本属常事,但就山水画而言,画稿一般因为流传不多,也不易辨识,故而较未引起人们注意。但在观察东亚潇湘八景山水画的传布时,却可发现画稿作用清楚地存在着。这些画稿不但是所谓观看之法具体落实之物,并在各种潇湘八景图绘制作的过程中,为画家与过去的作者间担任着一种承转的中介角色,一方面使其能够学习前人所累积的成果，另一方面则提供所有新变的基底，在如此运作之中，图式的基本架构也得以普遍地在东亚地区中顺利地移动。不过，为了要能够更充分地讨论画稿的这个角色，我必须用一个较有弹性的方式来下定义。我在书中所称画稿指的不只是树石、山体、瀑布等单独物象的图绘样本，而且还包括对这些物象在画面上如何经营相互关系的表达；不仅指那些画作成品制作前所根据的先期图样，并包括另外一些前人所完成的作品，只要它们被后来的画家在制作潇湘图绘时取作学习或模仿的对象。换句话说，东亚潇湘八景图及其画稿之间最重要的是一种类似亲子关系的联系，既有基因的传递，亦有形体的变貌，形制的大小、完成与否等细节则无须过分计较。相对于其他山水画主题，潇湘八景图绘在东亚的发展可说对此画稿现象展现得最为清晰，也最利于由此制作层面切入理解整个东亚山水画意象之形塑。这是我不揣浅陋将之置于本书第三章的基本考虑。

以如此的画稿观来检视东亚的山水画，也能进一步理解潇湘八景意象为何会成为其中最重要的主题。相较而言，桃花源主题便显得偏重理念，画稿所扮演的角色并未同样积极，图绘模式虽存，但选择性也较多，各地化身之图绘遂可有较多元的形式。潇湘八景图则自宋迪创始之后，因为对胜景意境框定的需求，很早就看到了一个以中景水域为主之朦胧平远山水图式的存在。在中国的状况，我们虽不清楚前后各种不同之潇湘山水画传承间有过什么样的画稿，但由其图式之共享，却可肯定画稿之曾存，只是未能详其运作过程而已。在韩国与日本的情况则相对十分清楚。我们今日甚至还保留了朝鲜时代潇湘八景图的具体画稿，由之不仅可观察到与中国潇湘图式的相通之处，亦可梳理出朝鲜画稿间的发展，以及八景图绘据之而作之变化的整体趋势。朝鲜潇湘画稿在八景山水画制作上的承转角色也让人注意到一个颇为强烈的历史意识，甚至可谓是刻意地在祖溯其与 12 世纪高丽初接潇湘意象时期的渊源关系。此意图可部分地说明为何朝鲜潇湘山水中会出现在中国潇湘图绘中少见的奇矫造型之山体，并对整个朝鲜前期山水画表现中偏重人对自然奇幻想象的兴趣，提供一个侧面的理解。日本潇湘图绘传统之建立过程中，画稿作用亦表现突出。[23] 其中影响作用最大的当数室町幕府将军收藏中极受珍重的南宋夏珪、牧溪等人之潇湘画作，它们即属广义的画稿，作为后世继作者之画本而发挥了久远的文化魅力。日本潇湘图绘后来有"多景同图"，并衍生出独特的大画面通景山水的新变都与此夏珪、牧溪画本成为其自身文化传统内经典作品的发展有关。八景以大画面通景山水之形制进入建筑中之居室空间,尤其足以显示潇湘意象在室町上层文化中的重要地位。也是因为如此之文化意涵,潇湘八景便化身为引导在地风景观看的方便法门。16 世纪富士山胜景在日本的出现就是此成果之例。这不禁让人忆起 14 世纪嘉禾八景在中国之新订,当时图绘者吴镇的援引潇湘亦属同类。

  山水意象之东亚形塑既必筑基于广义画稿/作品之移动,具体之运作则仍在于人。各种人物在东亚区域内跨国界的往来当然是图绘移动的第一层次脉络,他们的需求与相互了解实是图绘之所以移动的动力来源,其往来之作为也具体影响到图绘移动的实质内容。对于这些人物的了解,早为学界视为探讨东亚文化交流课题中的重点之一。就艺术的领域而言,对这种人物往来之相关研究可粗分为两类,一类为直接参与制作活动的艺人(与委托/赞助者),另一类则是为其穿针引线,促成交流活动不可或缺的中间人。近年来尤其对于后者的研究有了可观的进展,例如海老根聪郎即就 15 世纪在中日文化/艺术交流中扮演关键中介角色的宁波地方文人进行了细致的研究,[24] 大大提升了我们对一些重要的交流史实之理解,也调整了过往将艺人视为交流舞台上唯一主角的研究心态。如此解除主、配角之分的态度亦为本书第四、五两章讨论人物往来相关问题的基调,虽然二者都涉及过往处理中、日绘画交流中最闪亮的明星主角雪舟。雪舟向来被视为中日往来史中最重要的画家,不但亲入中土,且在返日之后带动了所谓水墨画"日本化"之发展,其历史地位毋庸置疑。第四章也回到雪舟这个焦点人物,但是,与前人研究稍有不同者则在于另外注意到北京宫廷绘画与雪舟入明动机间如何重新理解的问题。永乐皇帝迁都北京之后,宫廷绘画的再兴在当时东亚文化界应是最引人注目的焦点之一。雪舟之入明除了要与中国画家切磋山水画技法之外,一定也希望对整个明朝宫廷绘画进行深入的亲身观察。可是,当时的北京宫廷绘画,尤其是山水画,又是什么样貌?受惠于近年来明朝早期宫廷绘画资料的整理与公布,我们已对之有较充分的掌握,并对其山水画中如何表述一种符合政治理想的人与自然关系有所认识。如此之宫廷绘画有没有对雪舟的山水画观产生作用?又如何落实到其山水画的制作上?这些提问皆非以往企图厘清雪舟与少数一两个中国画家技法上传习关系的研究所能涵盖,倒必须要将关注的焦点从画家之个人风格调整到画家之为宫廷服务,表达其规范画意之共性之上。换言之，在这个事件上与雪舟交会的并非少数一两位特定的画家，而是宫廷绘画之整体。如果再进一步观察当时位在北京的宫廷山水画，其政治性意象之所以突出，还须通过苏州文人画家之刻意反其道而行的对比，方能得到更清晰的呈现。苏州本非雪舟入明的目标，他甚至很可能根本不知道沈周这位新兴苏州文人山水画的宗师，当然更不知道他在后来中国画史上要产生的重要意义。不过，苏州文人画家并不因此而未在雪舟入明一事上扮演任何角色。相反地，当北京宫廷绘画被视为与雪舟互动的一个整体时，苏州文人画家之选择退出便是此整体活动中的重要组成部分。如要允分掌握雪舟与明朝宫廷绘画间之互动，此苏州文人通过"拒绝"所扮演的特殊角色，遂有必要纳入考虑。这亦是第四章处理苏州画坛时的切入点。

　　第五章也与雪舟有关，但重点在于探讨他的画史观背后整个东亚画史知识的形塑，以及在此形塑中，夏文彦《图绘宝鉴》这本著作所起的作用。1366年出版之《图绘宝鉴》作为画史参考书的历史意义过去虽鲜少受到学界之青睐，但实则对东亚区域中画史知识之传布至为关键，不但在中国绘画的相关文化之发展影响甚大，而且在出版后不久即传入日本，成为日本文化界在15、16世纪中获得画史知识的最主要来源。雪舟也是《图绘宝鉴》的读者，并由其中所提供的画史系谱中尝试寻求自我的定位。他不但将自我形塑为南宋禅僧画家玉涧在日本的再生，而且仿照夏文彦所建构的云山系谱，将自己的本地师承纳入，拟出了一个中国云山系谱的新化身。从雪舟与中国关系的角度来说，他的入明经历、在北京宫廷的观察、学习等固然重要，但来自《图绘宝鉴》的画史知识也同样不容忽视，至其晚年尤可见此对画史关怀的启发。而从整个东亚山水意象形塑过程中人物往来之角度说，《图绘宝鉴》所代表的知识传布也意味着一种超越具体行迹的交流，对往来人物的行为起着重要的引导作用。14世纪中期的夏文彦虽然无法与15世纪中期的雪舟真正地会面，但通过《图绘宝鉴》，夏文彦简直像是一个不可或缺的中间人，协助雪舟形塑他与中国的关系。这种知识传播几乎可说是东亚文化交流史上必要的组成部分。它的重要作用经常见之于文学范围，而借由某些文集出版品的移动显示出来。但在绘画艺术的领域中，资料却极度匮乏。在此状况下，《图绘宝鉴》即提供了唯一可据以探究的案例，因而显得特别珍贵。

　　知识传播大抵托之于书籍的移动，书籍遂而也是东亚交流中极具价值的物品。然以物品的角度观之,书籍之外另有一种为了满足上层阶级消费需求的外来奢侈品,在此文化互动过程中也扮演了重要的角色。如牧溪、玉涧所作的具体画作即属此类,但数量有限,却不宜用来彰显这种物品在文化互动过程中的作用强度。相较而言,本书第六章所选择聚焦之折扇则数量可观,且早已形成东亚之特有形象,研究上较具优势条件。折扇起于日本,韩国接续仿作,早在10世纪时已经西传中国,为上层阶级人士争相追求的外来文化性奢侈品。在东亚文化交流史中普遍偏向注意源自中国的东传现象,与此对照下,折扇之西传及其在中国后来的发展也显得特别突出而引人注目。不仅如此,折扇本身除了表现出高度的工艺技巧外,扇面上也有绘画作装饰,其中有山水画的部分更是提供了一个绝佳的机会,让我们从这些物品的立足点来观察山水画意象随之所产生的一些有趣的变化。例如15世纪时中国开始发展的金地山水画折扇就是出自对进口日本折扇的仿制与竞争,但同时高度意识到折扇本身的随身性质,在16世纪时刻意在金地扇面上描绘隐居的图像,作为当时许多富裕的文化新贵在城居中表述林泉之志的媒介。而随着折扇至17世纪在中国社会中之逐渐普及,山水扇画也开始展现出市井观众的趣味,并意味着山水绘画由精英阶层独享进入城市庶民生活的新现象之发生。这些变化的出现皆与山水画之取折扇为载体一事有关,故在一般的卷轴形制作品中少有呈现。由此言之,中国15至17世纪山水扇画之发展使得日本折扇之西传获得了更深且广的历史意义。

  当然,折扇之上并非只画山水,16、17世纪的中国山水画也不宜以扇画作为全部代表。即便如此,这仍无损于山水扇画在此时期所展示出来的特殊历史意义。我们可以毫不夸张地说,由于折扇与山水画二者的如此结合,东亚的山水画意象也在17世纪得以突破阶级上下之分,为一般庶民所共享。本书以之为终章,即为彰显此意。

第二章　移动的桃花源
——桃花源意象的形塑与在东亚的传布

一、前言

"桃花源"的传说属于那种凡人在无意之间巧入仙境的故事之一。这种故事在各地区文化中颇为常见,情节或许各不相同,但大致都环绕着一个不变的主题,即仙境与人间的短暂互通。当这个互通偶然地出现,某个(或少数几个)凡人在无意间经过了仙境的"入口"而进入其中,亲身体验了各种人间所无法想象的美好。但是,这个美好的停留却只能是短暂而不可回复的,一旦这幸运的凡人离开仙境,便无法重回,仙境与人间再度回到隔绝的状态,留下来的只是那个误入仙境的,令人啧啧称奇的"报道",以及后来又经过各种诠释加工而成的"传说"。而这些传说之所以吸引人,一方面固然在于"报道"了仙境之诸种美好,另一方面则在于人仙之间的短暂遇合,那似乎最易于勾起人们的幸运想象,激发人们永远的期待。

不过,源起于中国的"桃花源"传说也有它特别之处。如与其他同类传说相较,"桃花源"有着强烈的自然山水美景的形象,而不仅以美好的食物、游乐、生活享受等来定义仙境的基本内容。从陶潜(365—427)的《桃花源记》所提供的资料来看,原来"桃花源"传说中的"仙境"始自武陵渔人所"忽逢"之"夹岸数百步"的"桃花林"。渔人立即为其"中无杂树,芳草鲜美,落英缤纷"的绝美景致所吸引,遂探其源,因而发现了"髣髴若有光"的山洞。这个桃林与溪行山水的元素可以说是仙境与人间短暂遇合的引子,它的"突然出现",引导着其后"进入仙境"情节的进行。而如此之"桃花流水"的山水意象之得以有此作用，基本上在于其"似非人间"的"理想性"，遂足以激发人们对其为仙境的可能想象。就此而言，"桃花源"传说实是以一种"理想化"的山水形象来作开展的基础。这不仅关系到我们对此传说特质之理解，而且对其在后世之传布历史中之所以会与山水绘画产生密切的关联，提供一个有效的探讨角度。

山水画在中国唐宋以来的发展，以及在韩国、日本等东亚地区的传布与再生，都与其形象中的"理想性"有关。对于实地景观的图绘虽然自古以来一直都存在于山水画的领域之中，但它并非主流。绝大多数的山水画，不论是属于早期历史中的"仙境山水"或是较晚成为发展主轴的"隐居山水"，都是经过"理想化"的完美山水形象的呈现。"桃花源"传说既植基于"桃花流水"的理想山水形象之上，正与山水绘画之旨趣相符合，极便于取用为传布之载体，使其在文字之外，再得视觉图像传播之利。这也可视为"桃花源"传说传布史中最为值得注意的现象。事实上，自从八九世纪起，"桃花源"传说便与"桃源图"的图绘出现了紧密的共出关系，我们如说整个"桃花源"意象之形塑，很早便以文字与图绘的两种不同形式所共同完成，并持续发展，实在一点也不为过。然而，研究者虽然亦曾注意过"桃花源"传说的相关图绘作品之存在，但对其"图像性"在整个"桃花源"意义之形塑中究竟扮演着何种不可或缺的角色，却尚不及讨论。本文的主要目的因此将聚焦于"图像"在"桃花源"意象形塑中的积极参与作用，并以中、日、韩之相关山水绘画作品之分析，讨论其意象在东亚地区传布过程中一些值得注意的变化，并试图对这些变化进行一些说明。

二、中国的"桃花源"图绘模式

最早将"桃花源"传说以文字记载下来的是陶潜的《桃花源记》。[1]根据这篇文字，这个渔人误入桃源仙境的事情发生在晋太元中（376—396），地点在武陵（今湖南省桃源县）。它的故事本身由几个重要情节组成。首先是渔人在"忘路之远近"后"忽逢桃花林"的巧遇仙境入口。接着是至"林尽水源"时发现了山洞，渔人遂舍船而入。再者为山洞通道外，"豁然开朗"、"有良田美池桑竹之属"的村庄，村人皆为"不知有汉，无论魏晋"的与世隔绝之人，但各家显然生活富足，皆"设酒，杀鸡作食"款待渔人。最后一段则为渔人之离去，村人虽诚云,"不足为外人道也",但渔人未守诺言,仍"处处志之",并向郡守报告,引人随往,却"遂迷不复得路",表达了对仙境永远失落之叹。如此四个段落的情节发展,既各有重点,且皆具本身之戏剧性设计,确为精心安排之结构。其中之首段与末段虽属常见之仙境故事中以"巧遇"起头,以"毁约—迷失"作结的模式,但"忽逢桃花林"的一片溪岸美景确实提供了一个视觉上的高潮,让仙境向凡人的短暂开放,得到十分震撼的效果。末段的"不足为外人道也"的"约束"也平易有味,大胜唐代顾况在《仙游记》中描述另一个类似故事中所记的"此间地窄,不足以容"所显露的冷漠心态。[2] 至于第二段的舍船入洞,由通道之"初极狭"至数十步后之"豁然开朗",亦制造了一个视觉感官上的大变化。第三段对仙境之描述亦与一般者不同,初看只是一平凡村庄,且"男女衣着,悉如外人",但以"自云先世避秦时乱……遂与外人间隔"的一段说明,来定义其"不知有汉,无论魏晋"那种超越历史时间局限的仙境本质,亦巧妙地为此仙境赋予了一种悬疑感。这些结构上的设计,想当然是陶潜本人根据所闻故事而作的加工,但是也不能否认他确曾以渔人所报道的故事为其基础的可能性;无论如何,经过他的文字记述之后,整个"桃花源"传说的四个段落各有自身的吸引力,也具有重被诠释的高度潜力。后世针对"桃花源"传说所作的图绘基本上即由此各具特色的四个段落出发,而发展出不同的表现模式。

陶潜对渔人所报道的桃花源故事并不仅只作了文学性的结构处理而已,他也进行了史上的第一个诠释。他的诠释可见于其《桃花源诗》之中。对于桃花源的本质,现代学者大都祖述北宋苏轼(1036—1101)的看法,不以为仙境之事,而倾向视之为陶潜"寓意"之文,或甚而如陈寅恪辨之为"纪实"之文,[3] 然而,陶氏本人在诗中本有"奇踪隐五百,一朝敞神界"之句,根本上即表达了他是以神仙故事来处理渔人的桃花源报道。至于他的诠释则是针对桃花源中仙境的内涵而发。对他而言,此仙境之有无神奇事物,似无关紧要,而是在表面看似平凡之田园生活中,却有"童孺纵行歌,斑白欢游诣。草荣识节和,木衰知风厉。虽无纪历志,四时自成岁。怡然有余乐,于何劳智慧"[4]的"超凡"境界,而其之得以臻此,完全是来自免受人间政治力之干预。他在诗中特别说到"秋熟无王税",便是以"王税"为政治力无所不在的象征。陶潜自己虽弃官而赋《归去来兮辞》,或许终其一生仍有无法完全脱离政治力干扰的感慨。由他来看"无王税"的桃花源,那种无政治存

2-1 (传)五代 阮郜《阆苑女仙图》及局部 北京故宫博物院藏

在的完全自由，正是仙境之得以为仙境的根本关键。在陶潜的这个诠释之后，桃花源便成为一个最特殊的仙境。它的"无政治"理想尤其对于那些饱受政治迫害，或深陷于政治倾轧斗争漩涡中的人而言，最能产生吸引力。即使向来反对视桃花源为仙境的苏轼，也不能例外。

注意到陶潜对"桃花源"传说的诠释，尚提醒我们意识到后世通过陶氏《桃花源诗并序》所知的桃源传说，应该不是唯一的版本。或许我们应称之为陶潜诠释版才更适当；在它之外，应该尚有可能为数不少的、更为"原始"的一些"传闻"版本，其中一些今日尚可见于《搜神后记》、《异苑》及《周地图记》等书之记载之中。[5] 所谓"传闻"之有变异，因此衍生各种版本，本不足怪，其间亦不必有"近真"或"失实"之计较。然而，值得注意的是："桃花源"传说除了那些赖文字以传的版本（包括陶潜诠释版）外，尚有依"图绘"而传的版本存在，而且，时间很早，至迟到9世纪初时已颇有流传，且显非陶潜版的衍生，而是另有早期的不同源头。这种图绘版的桃源传说，可说与其他文字版，包括陶潜的诠释版在内，一起形成桃花源的早期意象。

我们今日虽无这些唐代或其前的早期桃花源图绘的留存，但从文献上仍可确定其存在的真实性，并由之得知其大概的面貌。例如唐代之舒元舆（？—835）所写之《录桃源画记》便可供作此用。[6] 舒氏此文乃系记其所见四明山道士拥有的一幅古画《桃源图》，记中指出画中除有名为"武陵之源"的溪流外，溪南北皆山，夹岸则"有树木千万本，列立如挥，丹色鲜如霞"的大片桃花林，这些都大致与陶潜版所述相近。但是，舒氏所见的古画则无"阡陌交通，鸡犬相闻"的村庄景致，而是充满了青鸾、丹鹤、玉鸡、金狗等神畜，还有"霞槛缭转，云磴五色"的宫殿，"服身衣裳皆负星月文章"且有多数金童玉女服侍的五位仙人，他们的唯一工作似乎是守护着一个上有五色祥云，炉火正旺的丹灶。有趣的是：此图中未见误入桃源的渔人，倒有一"雪华鬓眉，身着秦时衣服，手鼓短枻，意状深远"者坐在溪艇之中，那应是指秦时避入此地，成仙不还之人。综合舒氏所作的仔细描述，此件古画《桃源图》所绘者实为道教中人的神奇仙境，或属渔人所见之另种传闻版本，而与陶潜版存在着相当多的差异。

　　舒元舆所见之古《桃源图》的实相究竟如何，今日当然无法在图像上具体验证，但它可能是一种充满瑰奇色彩的，有各种神仙活动在内的"仙境山水"，则可大致推测。这种类型的绘画今日仍可在传为阮郜之《阆苑女仙图》【图 2-1】中得到一些概括的了解。另外一个可供参考的图像则为传系保留了 10 世纪原样的《御制秘藏诠》山水版画。[7] 它们虽然都是描写高僧幽栖山林之景，但其多着墨于崇山峻岭、奇峰异石之铺陈，也有与仙境之理想空间相通之处。其中一幅【图 2-2】有平台上置坛塔的安排，甚至可说是舒氏所见画中仙坛丹炉的同类。总之，四明叶姓道士所藏的古《桃源图》大致属于这种仙境山水的模式。当韩愈（768—834）写《桃源图》诗时所见的画作，应该也属此类神仙气息浓重的模式，才会让他在诗中一开始即发出"神仙有无何渺茫，桃源之说诚荒唐"的批评。[8]

2-2　高丽《御制秘藏诠》第二卷第三图（局部）"仙坛丹炉"《高丽藏》本　京都南禅寺藏

对于桃花源仙境本质的质疑，在 11 世纪后期的中国士人文化中逐渐蔚为风潮，它一方面让陶潜版的传说成为众人注目的焦点，另一方面也带动了一种"人世化"新诠释的出现。在这一波段的发展中，苏轼可说是最主要的代表性人物。他在《和桃源诗序》一文起头便云"世传桃源事，多过其实"；如此断然立论的依据当然不是舒元舆、韩愈等唐人所见的桃源仙境图绘，而是在摒弃了那些传闻异本后，独尊陶潜版传说为正本之后的结果。他于是回归到陶氏《桃花源记》的文本，辩称文中"止言先世避秦乱来此，则渔人所见，似是其子孙，非秦人不死者"，又以村人"杀鸡作食，岂有仙而杀者乎"，来否定其为仙人之说。不过，苏氏之论除消极地否定桃源为仙境外，更有积极地举证其可实存于人世的高度可能。他特别指出南阳之菊水、蜀中青城山老人村以及颍州之仇池等地，都属同类境地，而且"天壤之间若此者甚众，不独桃源"。苏轼虽将桃花源看得如此"人间"，但他也认同了陶潜的诠释，以为此"避世"之地的前提在于不"使武陵太守得而至"，不使之"化为争夺之场"，亦即保持其"无政治"的绝对自由。然而，即使如此，相较于原传说中对仙境永远失落之叹惜，苏轼将桃花源"人世化"之举，确实显露着一种前所罕见的乐观与期待。[9]

伴随着将桃花源"人世化"新诠释的流行，12 世纪时也出现了一种直接针对陶潜版桃花源传说而作的图绘。由 18 世纪宫廷画家王炳所作之《仿赵伯驹桃源图》【图 2-3】作基础来看，相近的传本颇多，都作仿古式的青绿设色，有的传本被归为 16 世纪苏州画家仇英名下，但如说原稿脱胎自 12 世纪中后期擅长青绿山水之大师赵伯驹之手笔，似也不无道理。[10]事实上，王炳仿本除末段突现迫切山景似经后人添加之外，前面诸段落皆将人物情节置于前景以树石隔出的空间之中，而与背后之各种密实山体形成对比，这种结构方式还是保留了 12 世纪或更早以前的面貌。这种逐段描绘故事文本所述情节的模式其实颇适于用来图绘自 11 世纪以来大受文士推崇的陶潜诗文之作，其中《归去来兮辞》便有出自苏轼友朋圈之文士画家李公麟（约 1049—1106）的绘本，广受欢迎与摹仿，现存美国华盛顿哥伦比亚特区艺术馆的一本手卷咸信为时代十分接近的临仿。[11]如果我们进一步比较王炳的《仿赵伯驹桃源图》【图 2-4】与传李公麟的《归去来辞图》，尚可发现前者描绘村人筵请渔人至其家出酒食一段，实出自《归去来辞图》中的"家居团圆"【图 2-5】一段。由此推想赵伯驹在创稿时多少参考了比

2-3 清 王炳《仿赵伯驹桃源图》台北故宫博物院藏

第二章 移动的桃花源——桃花源意象的形塑与在东亚的传布

2-4 清 王炳《仿赵伯驹桃源图》（局部）

2-5 （传）北宋 李公麟《归去来辞图》（局部）"家居团圆"华盛顿哥伦比亚特区艺术馆藏

2-6 清 王炳《仿赵伯驹桃源图》(局部)

他稍早的李公麟之知名图作,这也十分可能。

出自赵伯驹之《桃源图》与《归去来辞图》间的相关性亦显示了赵伯驹本不同于仙境山水模式的诠释。这个长卷式的图绘基本上根据《桃花源记》的文本依序作了六个分段,分别为溪岸桃林、渔人入洞、发现村庄、会见村人、村人家居与高士追寻等。其中对洞中世界的描绘即有三段,占去长卷一半以上之篇幅,而且,正如家居一景来自《归去来兮辞》之田园生活,刻意强调着理想化之人世庄园意象。另外,它的末段不作渔人离去、复返迷失的图绘,却作深山中独行于崖间的高士刘子骥,也值得注意【图 2-6】。刘子骥(生卒年不详)本名刘骥之,《晋书·隐逸传》中有传,是出名的隐士。《晋书》传中曾记刘驎之入衡山采药,"深入忘反",巧遇二充满灵方仙药的石洞,却不得入而返,后来再度寻索则已失其处。[12] 此事极似桃花源故事,有学者甚至以为陶潜乃是"牵连混合"刘驎之故事而写就《桃花源记》。[13] 不论其是否如此,陶潜在《桃花源记》中称他是"高尚士",应该也知道他入衡山采药的故事。《桃花源记》将他纳入作为"后遂无问津者"的结尾,可能意在提供渔人与郡守遣人之外的另种"问津者"类型,表达连这种"高尚士"都无法再入桃源仙境的失落感。有趣的是:出自赵伯驹的《桃源图》的末段却对文本的结尾作了调整,既不作离去的渔人,也不作象征政治力的郡守人马的"不复得路",而只描绘了高山流水环绕中,独行于道的刘驎之策杖身影。策杖高士在中国山水画中向来意指着对某种理想境界之追寻,辽宁叶茂台辽墓所出《深山棋会》中便有策杖高士向仙人居所行去的形象,[14]《桃源图卷》最后的高士亦有此意才是。相对于卷前已经加以"人世化"的桃源世界,以及身在其中的渔人而言,独行于山中而被密实之山体所包围的策杖高士,可说被赋予了更强烈的企求桃源之感。它的重点已非在于惋惜桃花源之永远失落,反而表达了一种对追寻的坚持。从此点而言,这个有宋本依据的《桃源图卷》确实很能呼应苏轼等人将桃花源"人世化"的诠释。

赵伯驹本《桃源图卷》因此也可视为一种综合着古本《桃源图》仙境山水(保留在首段的溪岸桃林)与较新之田园山水(第三段以下)的图绘模式。但是,约莫与它出现之12世纪的同时,另有一种图绘模式则完全脱离了仙境山水的关联,而以古代风俗图式来表现桃源世界的理想性。这个模式的代表形象可见于传马和之(?—约1190)的《桃源图卷》【图2-7】。此卷虽归于南宋初宫廷画家马和之名下,但实际的制作年代当在15世纪左右,且由其上有"晋国奎章"等明朝晋王府的钤印来看,可能为宫廷或王府画家所为,风格上,尤其是末段作云气中宫殿的画法,实与故宫另件明前期石芮所绘的《轩辕问道图》【图2-8】十分接近。然而,这卷桃源图卷也非与马和之全无关系。它的第四段村民生活之景基本上不照《桃花源记》的文本,而系取用了南宋宫廷中绘制《诗经图》时呈现上古理想生活风俗的图式【图2-9】,后者之现存版本甚多,且皆归在马和之名下,那显然与马和之为《诗经图》的主要创稿者的事实有关。除了《诗经图》外,传马和之本的《桃源图卷》【图2-10】还借用了李公麟《兰亭修禊图》【图2-11】中的一些形象,这很清楚地见之于其中酒后曲肱伸臂及跳舞姿的两个村人之上。如此的借用关系也为这卷15世纪制作的《桃源图卷》之源头提供了一个时代的上限。

马和之本的这两个形象实非来自对《桃花源记》中对村民生活的记述，但以兰亭集会中不受世俗规范拘束的高士形象来表达其生活中无忧虑的自由与欢乐，这也可说是对桃源世界的一个有效诠释，亦即是以上古而纯朴之风俗意象来取代仙境，并赋予以耕织为主的农村生活一种如《诗经》所言圣王之治下的寓意。由于这个立意上的不同，马和之本的图绘模式也略去了对溪岸桃林的交待，完全脱离了仙境山水的旧有影响。它与人世间的距离亦因此改由末段那云气中的宫殿来处理。画中在云层之上仅露出屋顶之宫殿群意味着一种有高下之别，且不可逾越的空间，永远分隔着即使拥有富贵荣华的人世与理想的桃源世界。借由宫殿与农村、豪华与简朴、严整不苟与自由欢乐的对照，这个图绘模式特别突显了一种在追寻纯朴自由之桃源理想过程中，舍弃人间荣华富贵的觉悟。假如说赵伯驹本模式最能符合如苏轼那种官僚文士的桃源想象，那么，马和之本的这个图绘模式就最能契合宫廷中人（包括皇帝与贵族）的心理需求了。

除了上述三种模式之外，第四种模式可称之为隐居山水。这大致上是14世纪中国南方文人圈中最流行的山水主题，"桃花源"意象与此主题绘画间的互动，因此也显示了一种普遍化的倾向。它一方面进一步淡化与《桃花源记》的直接关系，另一方面也抛弃了原来仙境传说的母型，加强了"人世化"的理解，甚至开始展现"实地化"的现象，几乎可以说是第一种模式仙境山水的相反对立。如此的发展，最佳之图绘范例应属14世纪中期的王蒙《花溪渔隐》【图2-12】。

王蒙此幅《花溪渔隐》大约作于1367年左右，[15]正值元朝将亡，江南地区陷于动乱之际。画的对象即是此时选择在雪溪附近隐居的一名叫作玉泉之长辈的住处。玉泉的隐居住所出现在立轴形式画面的下方，其屋前"两岸桃花绿水流"的安排，明显来自桃花源的意象借用。此处亦有渔人形象，但已不是巧遇仙境入口山洞后又迷失的凡夫，而是"西施同泛五湖舟"，"白发烟波得自由"的主人玉泉。他虽作舟中垂钓动作，但那已是以渔为隐的高士符号，意味着他的生活不仅能逃离外界的动乱，而且能达"万古荣华如一梦，笑将青眼对沙鸥"的理想境界。那虽没能具体图现桃花源世界中的生活细节，但两者同样具备无政治力干预、自由而无忧的完美生活。玉泉隐所之后的水景与远山亦不在暗示这

2-7 （传）南宋
马和之《桃源图卷》
台北故宫博物院藏

2-8　明 石芮《轩辕问道图》台北故宫博物院藏

2-9　南宋 马和之《诗经·豳风·七月》纽约大都会艺术博物馆藏

2-10 （传）南宋 马和之《桃源图卷》（局部）

2-11 （传）北宋 李公麟《兰亭修禊图》（局部）1417年摹刻 藏地不明

个理想避世之所的与世隔绝、不得而入，而只是以单纯的方式，补充着这个理想隐居的美好景致。

这个以江南隐居山水为图式的玉泉之桃花源，可以说是陶潜版桃花源世界的当代"化身"，充分展示着一种将桃花源"实地化"的结果。它当然不能说是至14世纪才可见到的现象。湖南省的武陵自然早就被指为桃花源现身之所在，唐代之时已吸引许多文人墨客的探访，成为旅游之胜地。但桃花源之高度吸引力显然不仅于此。至迟到12世纪，中国地区许多胜景，尤其是所谓的洞天福地之处，便都有桃花源的实地化身。例如南岳衡山的云密峰便有桃花源，据《南岳总胜集》的记载，此处亦有类似渔人得而复失的故事。[16] 浙江天台亦有出名的桃源现场，阮肇、刘晨的故事即发生于此，它也有相近的巧入仙境神奇。镇江的茅山，早就为道流视为"金坛福地"，至宋之时，亦"世以比桃源"。

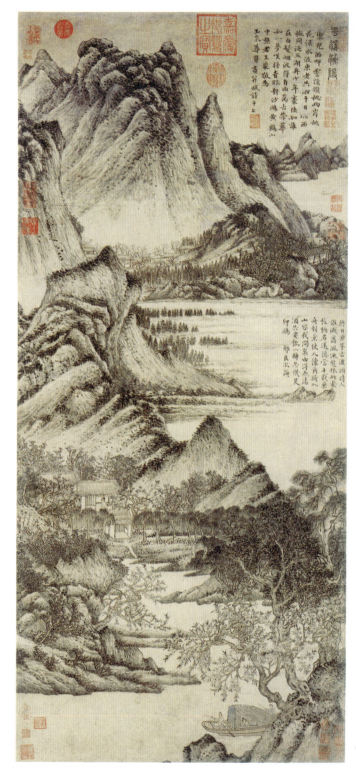

2-12 元 王蒙
《花溪渔隐》
台北故宫博物院藏

它的"华阳洞"也因具山洞之奇,甚至被比附为进入桃花源的洞口。[17]但是到了14世纪之时,除了各地的胜景场所外,桃花源也进入到许多人造的生活环境之中,尤其是标榜着隐居理想的上层人士的园林之内。大约与王蒙同时的江南名士杨维桢便曾为其松江友人陈衡父、昆山富豪顾瑛的园林住宅分别写过《小桃源记》,来宣扬他们亭园之美与隐居之理想。[18]王蒙《花溪渔隐》所针对的玉泉之隐所亦属此种所在才是。原来桃花源传说的重点在于对仙境永远失落的感慨,至这些分身被大量地实地化,甚至引进至人世居所之后,仿佛意味着仙境在人间"再发现"之高度可能性。这或许也可视为较苏轼更为乐观的期待,但也可理解为身处乱世之中如玉泉、顾瑛那种雅士生活里的短暂慰藉。在如此的内外矛盾之中,像王蒙《花溪渔隐》的图绘即为此种隐士的桃花源化身留下了合宜而具体的意象。

三、安坚的《梦游桃源图》与韩国的桃花源化身

由于高丽与北宋的密切外交、文化交流关系,韩国在12、13世纪时已有文士使用桃花源之意象来表达他们对仙境或相似之理想境地的赞美与期待。如此之现象很可能与陶潜之声望受到北宋文士的大力提升,而高丽则通过当时外交途径接受到北宋以苏轼为核心的文化潮流之影响有关。在此深染北宋文化之氛围中,若干高丽中后期的重要文士都表现了对陶潜的高度兴趣。其中李仁老(1152—1220)在其《卧陶轩记》文中即以自己"从宦三十年,低徊郎署,须发尽白,尚为龃龉樊笼中物",远不及陶潜"在郡八十日,即赋归去来"。另一文臣李奎报(1168—1241)也在其《白云居士传》一文中自称为"古陶渊明之徒",这些都是明确地选择了陶潜作为自身的学习典范。[19]他们对于桃花源的认识因此可能源自陶潜的《桃花源记并诗》,也采纳了陶潜的诠释。约与李仁老、李奎报同时的陈澕有《桃源歌》之作,其中第二段云"君不见江南村,……所恨居民产业日零落,县吏索米将敲门,但无外事来相逼,山村处处皆桃源",[20]便是取用了陶潜版中以"无政治力"作为桃花源第一义的理解。

高丽文士除了接受陶潜版的桃源传说外,也采纳了中国北宋文士将之"人世化"的诠释,并将之用来观看、比喻他们所遭遇的美好环境。李仁老在对他曾经居留过的滁州北仰岩寺的"山奇水异,窅然有幽

奇之致"风景进行描述时,便以"渔火明灭,云沉烟淡,茅茨联属,如在武陵源上"来表达其非凡之美。[21] 这也可说是桃花源意象被用作比喻的例子,而比喻的所指则是在强调景致之如仙境般的特质,一方面固然是绝对的美好,一方面也有极度令人思念之意。类似的用法似乎相当普遍,甚至有格式化的情况。吴曾的《能改斋漫录》中记录了两则北宋后期高丽使节船因风漂流至中国时所呈之书状,其中都有"望桃源而迷路,误到仙乡"之句。[22] 它们看来像是预先准备好的文书,但都以桃源来比喻他们中国之旅的"迷路",却十分有趣。而"误到仙乡"之作为外交辞令,也有来自桃花源人世化的背景。这或许都透露出桃花源意象在高丽文士间普遍流传、运用的现象。

在运用桃花源意象的同时,寻找"在地"化身的举动因此亦可说并不让人感到意外。韩国庆尚道的名山智异山中的青鹤洞即曾被视为"桃花源"式之遗迹。李仁老曾仿《桃花源记》作《青鹤洞》一文,其中第一段云及:"古老相传云其间有青鹤洞。路甚狭才通人行,俯伏经数里许,乃得虚旷之境,四隅皆良田沃壤宜播植。唯青鹤栖息其中,故以名焉。盖古之遁世者所居,颓垣壤堑犹在荆棘之墟。"[23] 他所记的"青鹤洞"虽以青鹤为名,但在李仁老笔下却是以桃花源的目光来描写,而且,李仁老与他的崔姓堂兄一起寻访青鹤洞之不可得,也是刻意摹仿桃源传说的刘子骥部分,不仅强调其地之未能寻得,更在借之表彰追寻者如刘子骥的高尚情操。不过,追寻青鹤洞之失败虽兴起李仁老"试问仙源何处是,落花流水使人迷",仿效着王维《桃源行》中仙境渺茫的感叹,但那并未真的让他怀疑桃源化身之存在。"颓垣壤堑犹在荆棘之中"便是"古之遁世者所居"的遗痕,向他保证着青鹤洞这个桃源化身的真实性。从这一点来看,高丽文士对于桃源之韩国化身确实有乐观的期待,这也使得他们与北宋以苏轼为中心的文士文化共有着一种对桃花源的理解。像这样以青鹤洞为桃花源之说虽似未见于高丽时代以前的文献中,但这似乎也不宜径视为李仁老等人的新发明。时代稍早于李仁老的南宋文臣楼钥(1137—1213)即在其一则对《桃源图》的题跋中提道:"正如三韩有秦语,传为神仙愈难知。"看来他很可能指的就是如青鹤洞的那种传闻。[24]

最适于表达北宋士人之桃源诠释的赵伯驹本图绘,是否也受到高丽文士之接受与喜爱?图绘作品是否在他们形塑桃源意象时起过一定程度的作用?对于这些问题,由于没有具体的图像资料存留下来,一时不能做出肯定的判断。不过,李仁老在《青鹤洞》一文中提到陶潜《桃花源记》的故事时尚说"后世丹青以图之,歌咏以传之",很清楚地以"丹青"与"歌咏"并举,来说明世人(包括他自己)之所以知桃源事的媒介,显然他的桃源印象也不能说与所见图画完全无关。后来一直到朝鲜时代,韩国文士仍多有题《桃源图》的诗作流传,那亦可视为有关桃源的图绘在当地文士圈中尚不少见的旁证。揆诸12、13世纪以来,高丽、朝鲜高层热衷于中国文物之输入与仿作,某些桃花源图绘之在当地流传、欣赏实也不难想象。至于他们所见的图绘属于前文所述四种模式中的哪一种,或者诸种皆有,今日惜无资料可供进一步的讨论。不过,可以肯定的一点是:当李仁老等人热情地呼应北宋苏轼等士人对桃花源的诠释之时,他们应该也相应地乐于接受赵伯驹本图绘才是。这个图绘模式因为最能表达文士阶层对桃花源理想世界在现世空间里的高度向往,故而成为凝聚此阶层内部认同的有利媒介之一。它对13、14世纪高丽文士文化之意义,很可能亦是如此。

如以这个文士模式之角度来看现存有确定年代的安坚《梦游桃源图》【图2-13】,则可注意到一些重要的改变。此图之作者为朝鲜李朝初期最重要的宫廷画家安坚(生卒年不详,活跃于15世初中期),当时系为王子安平大君(李瑢,1418—1453)夜梦桃源而作。在安平大君的梦中,他所亲至的"桃源洞"是"四山壁立,云雾掩霭,远近桃林,照映蒸霞,又有竹林茅宇,柴扃半开,土砌已沉,无鸡犬牛马,前川唯有扁舟,随浪游移,情境萧条,若仙府然",安坚画中基本上皆将这些景象,如"桃林"、"竹林"、"茅宇"、"扁舟"等,一一图绘而出。[25] 从表面上看,安坚似乎只是单纯地根据安平大君自己所讲述的梦境细节而作出此桃源形象,可能与中国原已存在的几个图绘模式毫无关系,尤其是与赵伯驹本所代表的文士模式更是不同。它既没有桃花源中无政治力涉入之平和生活的描写,也未对巧然得入桃源的渔人或安平大君作任何交待。最引人注意的是:安坚的桃花源中竟然空无一人,而且,它的构图也违反了一般由右向左展开的原则,而是将开始的现实世界放在左边,安平大君到达的桃花源却在画卷起始的右边。对于这些特殊现象之解释,过去学者皆由安平大君自撰而附在画后的"记文"出发。安辉濬以为画中之不绘人物及动物乃是欲表达文中"情境萧条,若仙府然"那种属于仙境的不受干扰与绝对平静。[26] 小川裕充则以为其构图之左右顺序逆反是为了表现"梦游"之"非合理性"

而作的设计,[27] 那也是安平大君之"记文"与陶潜《桃花源记》在起首时已经显示的最大差异。

然而,诉诸"记文"仍无法完全解答安坚桃源图绘与既有模式间关系的问题。安坚对于安平大君梦境的基本掌握肯定来自王子本人,但很可能没有机会参考"记文",据其上文字所示,"记文"是在图成之后才书写上去的。至于安坚的作画过程也很快速,在"梦后三日"即已完成,而在这紧迫的三天中,他与安平大君之间可能也无法进行频繁而仔细的相互讨论。在此情况之下,安坚在图绘上的创稿如说需由其先行独立完成,应属合理,而其创稿之际亦可能参考了既有的图式,其中最可能者则为"仙境山水"的桃源图模式。安坚即使没有机会看过早期这种模式的桃花源图,他仍可通过如《御制秘藏诠》的山水版画而知"仙境山水"的概略。在现存南禅寺本《秘藏诠》中第二卷第二图【图 2-14】的山水就是一个很接近的"仙境山水"之例,其中世俗之寻道者以行旅方式出现在左方,而有高僧得道之地则在右方,此神圣之境除有鹿、鹤等瑞兽仙禽外,尚有多数造型奇怪之岩石、山体环伺。如此仙凡之间的对比,以及左右位置的安排,都在《梦游桃源图》中出现,很可能并非出于偶然。安辉濬早就注意到安平大君所书"记文"的形式,很像佛经的文本安排,应该与他本人的佛教徒身份有关。[28]《秘藏诠》的山水版画也是一种附在经典文本之前的装饰,与佛经常见之扉画类似,因此其横向构图虽近于一般之手卷形式,但通常不会如叙事画般讲究由右至左的方向性。当安坚作《梦游桃源图》时,可能即以如《秘藏诠》的佛经图绘为取法对象,并因大君已有"如仙府"的指示,选取了"仙境山水"模式,将主景的桃源仙境以大量的奇形山体和弥漫处处的云气搭配组成,并置之于横幅的前半,以与后半较为普通的人世山水形成强烈的对照。

至于画中不绘人物及桃花源故事中之情节,也可以由佛教角度作一解释。安坚在画中故意不作任何人事情节之交待(包括安平大君及其友人之对桃花源的"发现"),固然反映了此图并非意在制作《桃花源记》或大君"梦游桃源记"的插图版的基本态度,但因为涉及"梦境"之内容问题,也须从梦与真实的思考脉络来予理解,这也是当时为此作进行诗文题跋者在其文字中一再触及的议题。例如在安平大君梦中与他一起同游的朴彭年(1417—1456),便在其所题写之《梦桃源序》中论及"觉梦之论"云:

桃源標渺隔塵寰
梅竹何從善地看 志我天遊酣一枕 馳神雲臥住三竿
高標者 聆奇逸思飄 䟦跨汗邊郡向武陵 斯致浪且㟁詞
客共瑞 攀地靈賞自孀鳥討造物 應為好戲謾入洞芸迷
磴逕穿林穠薈地冠行道不有乾坤闊些覺無何日月閒吾轉
井宏乐拖峽千盤碧嗣玉琮漾高塢竹塢支邍近遠桃林
霞氣擁紫户平湖浜右樹滰年一葉漾蘅雲霧扇何代閒蒼飈
月樹誰家断翠嗣馬騁悅從教時慶憂㕥不掌覺廿多銀㙥行
手性堂回眼鬒谷呤除偶解頷尼骨不堂尋玉客㕘張永頻逼
金鞍溙遊杜殿珠千屢輕裘鄙憑煉九還誰料是幸曹煬化
相誇倚履信濛愎騁合鵬同鐙嶺体義青牛鴉虛闌
繞覺鄱起見葷遰續殘無計霽膠鵞靜思兀心捎記
獨洋柒問境無勞移隨指點又萬奮更心酸而雪雙子
發縣覆雷電一生何模㨜撞𥩟清㷲師雀然已世態鶴爭
覽可堪四省頁天詠安溥胥陸海索綫至華已兩始善鞋
布繳果我難石田郗屋鵬人趣流此浮雲達者觀如足
習祺浩歎乾興飞甲高雅致令人長憶桉芝軒
迂二浪歎風月肯好說夢善湖山芙蓉行樂源夸語梅樹道

蘆溪崔恆

2-13　朝鮮 安堅《夢游桃源圖》及跋 1447年 奈良 天理大学中央图书馆藏

歲丁卯四月二十日夜余方就枕精神遼朗
睡之熟也夢亦至焉忽與仁叟至一山下層
巒深壑峻峭寶窅攢花數十株微徑抵林
表而分岐細徑竚立莫適從適遇一人山冠
野服長揖而謂余曰從此徑以北入谷則桃
源也余與仁叟策馬尋之崖碕磝嶪林莽薈
蔚溪回路轉蓋百折而欲迷入其谷則洞
壑曠豁可二三里四山壁立雲霧掩靄遠近
桃林照暎蒸霞又有竹林茅宇柴扉半開欹
仉無雞犬牛馬前川唯有編舟隨浪濤搖
情境蕭條若仙府然之居余等遲留
謂仁叟曰架巖鑿谷開家室豈非武陵
源洞也俯仰之間有懷不能自已又曰
韵事也相與整駕陟降頫眺忽覺馬鳴
于逈都夫邑同繁華名官噫遊寓谷勒崖
乃覺潛隱者之兩廢是故欣然青紫者迹不
到山林陶情泉石者豈不廠廊蓋靜躁殊
途埋之必然也古人有言曰畫之所為夜之
夢者也余托身
禁掖風夜從事何其夢之到於山林耶又到
而至者桃源耶余之相好者多矣何必遊桃
源而從是數子者意其道充厚故致此也柠
之懷而與數子者交遊龍厚故致此也
令可度之觀因但東知耳噫古之奇乎今亦
是乎後之觀者亦予有言此亦
後三日圖乃成書于匪懈堂之梅竹軒

(二)

夢桃源序
事有垂百代而不朽者茍非奇惟之跡之
以勤人耳目安能及遠傳後如是耶世傳
挽源故事著諸詩文者甚多惟生也晚末
得親見聞惟以此導其湮醫久矣一日
列儼讀其記不覺失聲敷曰
匪懈堂以所作夢遊桃源記示儼事迹
偉文章幼妙其川原窈寞挽源遠近
之態與古之詩文無異而儼亦在從遊
國得見距武陵萬餘里在萬餘里之上述路之龍為平古人
時物色相接不為奇惟夜夢神
有是我事耶為事畫想夢神
國夫神明以
有言曰不待物則亦何以神明以
形而立不待物則亦何有形
主之則亦何有形之外與物遇而內無神
形兩遇蓋形雖外有形也
人之在世亦一夢中也亦何
為而真是而夢為何以古人
之往乎覺而不及之邪也我
為覺而令人所不及之何獨擅其奇
恒之跡雖難仿安敢辨狀其間教余請其
記想其事以惆儼平昔不敢以文拙辭姑
匪解堂圖題記將求詠於詞林間以儼
在從進之末命叙之
書此云正統十有二年後四月日奉直
郎守集賢殿校理知製教經筵副檢討
官平陽朴彭年仁叟頓首謹序

(四)

2-14　高丽《御制秘藏诠》第二卷第二图《高丽藏》本 京都南禅寺藏

> 吾神不倚形而立，不待物而存，感而遂通，不疾而速，有非言语形容之所及也。庸讵以觉之所为为真是，而梦之所为为真非也哉？而况人之在世，亦一梦中也。亦何以古人所遇为觉，而今人所遇为梦？[29]

朴氏所谓"觉梦之论"是对梦中与梦醒之后所见何为真实、何为虚幻的辩论，极早就受到思想家的注意，《庄子·齐物论》中"庄周梦蝶"即为一例。佛家禅宗亦曾论此，基本上以为人在梦中处处以为是真，梦醒之后却觉是虚幻，其实人人以为真实的人生即是虚幻。禅宗之论可说是颠覆了一般人对梦境中真实与虚幻之关系，而朴彭年题跋文字中就是依循着禅宗的"觉梦"理念而来。朴氏既为安平大君的亲近文士，陪着他出现在梦游桃源之途中，其《梦桃源序》应该也分享了大君的"觉梦"观。由此推之，安坚受安平大君之命而作图绘时，虽画的是大君之梦境，却意在示其梦中桃源洞之"真实"。在这"真实"之内，所有人事有关的活动，包括鸡犬与渔人、大君和朴彭年等，皆只是一时的虚幻，只有盛开的桃树与象征着理想隐居的茅亭和孤舟才是永恒的存在。

借由安坚的图绘，安平大君实则企图呈现他心目中桃花源的"真实"。那虽近乎他自己的想象，但却不尽然只是空中楼阁，而应视之为一种带有"实践驱动力"的意象。在梦游桃源之后的1451年，安平大君在京城之北的武溪洞建了"武溪精舍"。根据他的亲近文臣李垲之《武溪精舍记》,此处是在"出京城北门,行穿松桧阴森间二里许,攀岭而上,折而稍西,俯见洞府,豁然开朗,颇与人境相殊",而其中则"有池植莲,有圃种苂,有桃数百株,有竹数百丛,周环栽拥,……若广若幽,宛有桃源洞之奇致矣",[30] 安平大君见之即表示:"吾尝梦游桃源矣,及得此髣髴乎,梦中之见,岂造物者有所俟耶?!"[31] 当他在此建了武溪精舍,以示他"确实"找到了桃花源,印证了他梦境中的"真实"。而从整个寻求桃花源的历史来看,安平大君之举似乎也很清晰地重复了中国自 11 世纪至 14 世纪那一段逐渐人世化、实地化的发展过程。苏轼也曾想象仇池为他的桃花源,并且由"梦"至之。安平大君在 1447 年夜晚的梦游,似是仿效了苏轼之举;而他在 1451 年于武溪洞所找到的桃花源则像是 14 世纪王蒙、杨维桢友人们在江南所营造的避世庭园,宣示着桃花源之无数化身在现实中存在的可能。

1447 年安平大君的梦游桃源之事与苏轼之间的密切关系,不但让人想起李仁老等高丽文士,也让人觉得他有意地向此文士传统表示认同。他虽出身王室,但在当时也正经历着严酷的政治斗争,正如崔桓在《梦游桃源图》的题诗上"扰扰宦情螳怖雀,纷纷世态触争蛮"所言,很能感受到与苏轼等人相近者,其急欲由政治纷争中解脱而得自由的心境。因此他在"记文"的后段特别陈述了他之所以选择了朴彭年、崔桓、申叔舟等文士同游,乃因其"性好幽僻,素有泉石之怀,而与数子者交道尤厚,故致此也"。[32] 这实际上乃出自对《桃花源记》中刘子骥段落的摹写,用意在于借之表明自己对此"高尚士"传统的认同,免得读者怀疑他这个禁掖中人对桃花源理想之诚意。安平大君的这个认同情结另一方面也说明了安坚作图时不取出自皇室脉络之马和之"桃源图"模式的理由。不过,安坚也未取以图绘《桃花源记》之"情节"并强调高士之追寻企求的文士模式,而是采用了更古老的仙境山水模式加以调整而成。换句话说,图中所缺乏的文士立场全赖其后方的"记文"才有表达。如此,安坚的图绘与安平大君的"记文"成为各有重点,但又须合而为一整体的两个部分。整个《梦游桃源图》图卷的这个安排,是否出于安平大君的设计,或尚有其他文士的参与规划,不得而知;但是,无论如何,它确属于桃花源意象传统中前所未见的新变。而它之所以臻此,很可能反映了当时朝鲜人士企图以对桃源传统的"集大成"诠释,来为其对桃源化身在韩国之发现与实现进行全盘说明的心理需求有关。

安坚的《梦游桃源图》虽非 15 世纪朝鲜桃源意象表达的全部，但其图像仍有重要作用。它通过与俗世山水对比而呈现的仙境，在剥除了人事形象之后，意在"形象化"梦境中所见桃花源的"真实"，而非原来"永远失落"的虚幻乐土。它的具体形象后来在安平大君的武溪洞之旅中一定也提供了重要的引导作用，完成了大君在现世中对于桃源化身的指认。令人感到遗憾的是：安平大君的桃花源并未能给他带来真正的平静与自由，在武溪精舍完成的两年之后，大君仍死于政争之中。

四、日本室町五山文化中的桃花源意象

就桃花源意象在东亚的传播与运用而言，日本地区在图像资料上当以 15 世纪时由京都五山禅僧扮演核心角色之活动最值得注意。这个时间大致上与朝鲜安平大君及其文臣之活动前后相去不远。但是，两者间首先值得注意的不同在于传播过程中中介群体的性质差异，朝鲜者以文士群体为主，室町日本则为五山禅僧。五山禅僧之群体，由于其本身所具之汉学训练，固已成为此时期中国与日本间各种政治、贸易、文化交流活动中不可或缺的中介者，但是，正如朝鲜的文士群一般，这个中介者在传播之际，不仅可能附带着主动筛选之作为，且在运用之际，也会因其时地而有转化的调整动作。对于室町时代五山禅僧文化中的桃花源意象也同时兼具这两种现象。

五山禅僧们既已遁入空门，为何仍对桃花源意象产生浓厚的兴趣？或者，这个问题还可接着问：他们对桃花源传统中哪一个部分会特别感到吸引力？那个特殊取向对他们在此意象的传播与运用中，产生了何种作用？五山禅僧虽为出世之佛教僧侣，理应不再需要桃花源这种意象作为寄托心灵的目标才是。不过，因为历史的因缘际会，五山禅僧竟然成为日中之间文化交流的主要桥梁，而赖之以沟通的则是与佛教分不开的中国文士文化。即使五山禅僧很难以中国之文士——如苏轼等人——视之，但他们确是日本当时"士人文化"（中国的）的权威代言人。在他们与士人文化的互动过程中，陶潜之作为隐士典范的形象，很早就为他们所接受与运用，而且，值得一提的是：如此形象的载体，除了有唐宋名诗人的文字作品外，尚有大量的图像作品参与其中。在五山诗僧中，较早即有如翱之慧凤（14 世纪末）、绝海中津（1336—1405）、鄂隐慧奯（1317—1423）及西胤俊承（1358—1422）等人，都曾为陶渊明

相关图绘题诗。借由这些图绘,陶渊明之"归田"、"醉眠"、"赏菊"等形象遂得有相当普遍的流传,尤其其中常见以扇面形式为之者,更易于让人想见其高度流行之情况。[33] 他们对陶渊明形象之歌咏经常是为其俗世的友人、赞助者而作,其中大部分是中央或地方的武士或官员,由于这个缘故,陶渊明的典范形象也经过一种佛家的转化。例如兰坡景茝(1418—1501)曾为饭尾任式摹李公麟之《渊明坐松下图》作序文并题诗时,便以渊明之"投簪归去",得有"春则酌于宅边之柳,秋则酌于篱落之菊,悠然以对南山"之境界,因之"人皆指而为第一达摩"。经此转化之后,渊明形象便可无碍地用在当时仍在政界服务,且颇有政声的画主饭尾氏身上,来称赞他"身虽侍云霄,意未忘丘壑,终日颓然,要与樽俱卧,谓之小靖节,不亦宜乎!"[34]"小靖节"之说虽然看起来只是一种比喻,但这实提示了一种"达摩—陶渊明—饭尾"的化身关系,它对陶渊明意象在五山文化圈中之运用,具有十分重要之作用。

除了陶渊明之外,桃花源的化身也出现在五山文化圈中。与之相伴随的大概也有不少的桃花源图绘作品一起强化着桃花源的意象流行,尤其是在15世纪以后更是如此。今日幸存之标为"桃源图"之作品虽然不多,但仍可借由传岳翁藏丘(约活跃于15世纪中、后期)之《武陵桃源图》来推知大概。岳翁此图【图2-15】系与另幅《太白观瀑图》【图2-16】作为一套之立轴,画中作南宋夏珪体之山体上安排着数株桃树,其前水边系一空舟,渔人则已离舟上岸,正欲往山径深处之洞口行去。这明显地系取赵伯驹本的桃源图绘模式加以简化而成,在略去了桃源世界的生活描写之后,只保留了渔人到达桃花源入口的部分。如此简化桃源故事之用意当在突显世人企羡桃源理想之意,当其与《太白观瀑》一图并置,一为表达企隐之志,一为呈现隐居内容,正可配合成对。这种桃源图绘对当时五山文化圈中的观者而言,经常兴起他们企望自纷扰之现实中解脱的企隐之心。西胤俊承曾在一幅可能相似于此的《桃源图》上题云:"桃源胜概久关心,欲逐渔舟相共寻",便表示了相同的心境。而他之所以如此感受,则在诗的末联中说明是因为"野衲胡颜羁辇毂,长年间却好山林",[35] 似乎是将其不得遂山林之志,完全归咎于京都生活环境所造成的牵绊了。由此观之,桃花源意象也以一种颇为吊诡的方式进入了五山禅僧的生活世界里。

五山诗僧虽身处政治与宗教在现实中复杂纠缠之环境中,但只要坚持其"心隐"实践中的内在丘壑之志,仍可望超越形迹,进入心中的桃

2-15 （传）室町
岳翁藏丘
《武陵桃源图》
东京出光美术馆藏

2-16 （传）室町
岳翁藏丘
《太白观瀑图》
东京出光美术馆藏

花源。如果这样，桃花源便不再是遥远而虚幻的想象，而是在当下足以安身的"真实"。对于如此之理念，诗僧太白真玄（？—1415）提供了很好的说明。他曾在1404年为友僧写《寄桃源故人诗轴序》一文。文中一开始即提出"疑耳之所闻，信目之所见，古今一也。桃源之说岂无疑于所闻耶？"这个有关桃源是否真实的长期辩论。他接着以为应该超越"耳目"的"闻见"局限，来理解其与友僧对"桃源"故人"一雄尊公"之隐居的存在意义："吾愿其地是缩问一雄之在家，荣辱不预，治乱不闻，以游以遨于桃花岸岸，红雨烂熳之际，而不知柯之将烂矣。"如此存在于"一雄尊公"的桃源化身是真实可信的吗？它自"太元晋疆"可以超越时空而移至"应永日域"，是借由"仙人烂柯缩地"的法术吗？他接着总结云："已而知闻者，不如见者为信，又乌不知见者，不如居者之为乐乎哉？！"[36] 这是以其"桃源"故人之"心隐"为其超越之唯一凭借，也是其"乐"，即其桃花源的"真实"存在之足以为"信"之所以然。太白真玄的这个理念也出现在1413年的《溪阴小筑诗画序》一文中。此序文写在一幅书斋山水图之上方，其上另有大半篇幅由其他六位禅僧题诗于上，这是现存室町时代五山文化圈中广为流行的诗画轴中最早的作品【图2-17】。据太白真玄的序文，此书斋所指系南禅寺僧侣子璞纯之所居。它虽是位在京都城市之内，但图绘中却将之置于山林流水之中，意味着主人"身立禅林稠广之际，而溪阴其名以居之，所谓门市而心水者欤，岂不亦谓得之于心者乎？！"太白真玄将这个隐居比之为桃花源，并称此图为"心之画也"，很直接地将标榜"心隐"的隐居书斋山水与桃花源意象等同起来。

子璞这位京都南禅寺的僧侣可能并非什么位居高位的佛门人物，但他也以这种书斋山水来表示他的清心超越，这充分显示了心隐文化在整个五山圈中深入的程度，但同时也反映了五山禅僧在京都之复杂环境网中恐于迷失的普遍焦虑。在此之时，桃花源意象不仅因其美好而成为终极目标之类比，也因为其随时"不复可寻"，而产生一种警惕的心理作用。后者的意义尤其值得注意。它使得桃花源意象在与禅僧的隐居意象叠合时，不再只是文学上的修辞，而扮演着更积极的角色。关于此点，西胤俊承在一首《江山小隐图》的题诗中表达最为真切：

雾里几重嶂，江边三四家，
碧知麋鹿草，白辨鹭鸥沙；

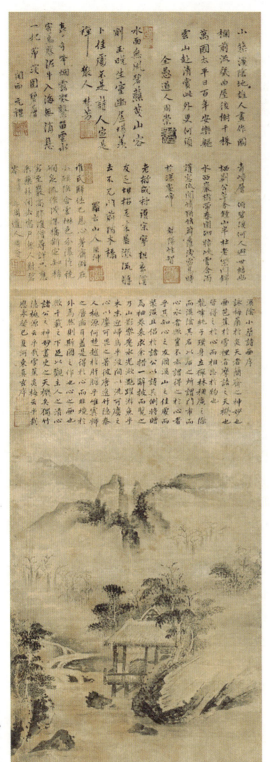

2-17 室町
《溪阴小筑图》
太白真玄序
大岳周崇等赞
京都金地院藏

招隐非无约，吾生况有涯，
归舟武陵暮，但恐失桃华。[37]

此诗的后半段强烈地表达着个人对未能及早解脱牵绊，而"暮色"将临，可能要严重地妨碍他向桃花源"回归"的忧虑。诗中开头的山水景象虽然美好，充满着"招隐"的魅力，但那只是为了与末尾"但恐失桃华"形成对照的设计。而在此对照之下，禅僧的"回归"本心而得超越之自由，则在期待之中被加上了一层浓重的焦虑感。

由此再来反观《溪阴小筑图》的图绘本身，便可发觉它在表面图像之下的另层意涵。此图向来以其风格表现之质朴著称，全画只作简单之书斋于流水旁、疏朗之树林内，后方只作突出云气之上的部分远山。岛田修二郎早就指出这个景观全与南禅寺实景无关，而为描绘内心理想的隐居形象。它的来源无疑与元代14世纪王蒙等人所发展的中国江南书斋山水画之模式有关。[38]但如以王蒙的《花溪渔隐》来作比较，《溪阴小筑图》显然更为单纯地不讲求任何形式的技巧表现，而且在形象搭配上更为简化。而将此中国书斋山水之简化版再加以"质朴化"的处理，显然是为了符合表现禅僧那种"书斋中的书斋"之意象。[39]不过，当观者将之与太白真玄的序文合观之时，也立即会注意到图绘中实无任何与桃花源（以及序文中亦言及的李白等人之"竹溪六逸"）有关的形象提示，既无桃花夹岸，也无渔人与舟。其实，在如此观看之下，桃花源即成为一种"被隐藏"的意象存在表面的心斋书房之下。这个"被隐藏"的理想世界既意味着五山禅僧的焦虑，也向他们追求精神之"回归"提示着一种警惕。

五、结语

日本五山禅僧对桃花源意象的接受与运用，从表面上看，似乎多赖于文字层面的媒介，但图像所担任的隐藏性角色仍属不可或缺。正如太白真玄在其《寄桃源故人诗轴序》中所言"疑耳之所闻，信目之所见"，"目之所见"图像的存在，总是提供了"信"的第一步基础，至于所见者究竟是"真"是"幻"，则是进一步开出的问题。问题的答案如何，其实并不重要，重要的实是提问本身，这是禅家的要旨。换句话说，桃花源意象究竟为何？是否如渔人所见？如陶潜所述？是否仙境？是否真实?等等讨论皆已不再那么重要,最紧要者实在于它在修行过程中的触发作用。在"书斋中的书斋"山水图中,桃源意象虽无具体之形象呈现,但其所扮演的正是这个不可或缺的触发角色。

如此的室町五山文化中的桃花源意象,便与朝鲜安坚和安平大君所共创之《梦游桃源图》一样,都在一个东亚的共同基础上,展现着特殊的意义。它们各自的特殊意象也都根源于担任传播中介者族群之所处文化情境,这与桃花源意象在中国所发展出来的四种图绘模式的轨迹,基本上也如出一辙。它们都应视为桃花源的"化身",而"化身"的众多,也正呼应着桃花源意象在东亚流布时中介者的多样性。作为一个东亚文化意象的突出代表,它或许正是桃花源永恒魅力之所在。

第三章　胜景的化身
——潇湘八景山水画与东亚的风景观看

　　从山水画在东亚地区的发展历史来看，题为"潇湘八景"之山水作品在中国、韩国与日本的频繁出现，可说是一个极为引人注目的现象。虽然描绘的对象总是自然界中由山、水、树、石所组成之景观，但东亚地区中人们所称的"山水画"却不能与今日大家所习用的"风景画"一概念完全等同起来。风景画所指的风景是人们视觉所见的自然景物，具有特定的空间与时间（包括光线、气候、季节等变数在内）的条件。相较之下，山水画则较不受那些特定空间、时间条件的限制，有的时候甚至以追求超越时空的理想性为目标，将有特定指涉的风景转化成一种理想的自然景观，而与诉诸桃花源的那种理想意象结合为一。换言之，风景画必以具体时空条件下的实景为前提，山水画则虽可能出自某个风景描绘，却以理想山水意象为依归。如果从这个角度来看，潇湘八景表面上似可说是中国湖南洞庭湖以南潇水、湘江地区的八个风景，每一景都是在特定的时间中所看到的山川景物，包括了四时晨夕、晴雨云雾的变化以及有限的人物活动。但是，倘若我们仔细观察潇湘八景图在东亚的发展历程，风景画的讨论框架却不见得适用。

　　潇湘地区的特殊风景在中国可能很早就得到风雅人士的赞美，并在《楚辞》以下的古典文学中经常展现其身影，但是，只有到了11世纪中叶，它才以"八景"的形式，开始成为山水画的成套题材，并大受欢迎。在此之后，朝鲜与日本也跟着制作了为数不少的这种山水画，且都名之为"潇湘八景"，即使那些画家与观众很可能根本没有机会亲眼目睹潇湘的这八个风景。因此对于这个潇湘风景描绘在东亚的发展，我们至少可以问几个问题。首先，潇湘风景为什么会定型为"八景"？接着，当这八个风景成为成套的系列山水画时，它们的内容有没有发生变化？再者，当朝鲜与日本的人们接受并制作来自异国的潇湘风景时，他们要如何处理这个视觉经验中完全陌生的题材？对于这些问题的回答，我们如果拘泥于将潇湘八景图视为风景画，立刻会面临一些不易克服的瓶颈。因为风景既与具体的时空条件相关，人们对之是否有过亲身体验便须纳入考虑。风景画的作者基本上是风景的观察者与记录者，而它的观众固然不一定对之有亲身体验，但总是以追求这个体验为第一目标。因此风景画的成功与否取决于图绘予人此种亲临其地感受的强弱。曾经亲见风景者，对该风景图绘的感受最为直接，但是，无此经验者则只能进行"卧游"，通过想象来追求类似亲临的经验。卧游之事虽然可能，但在感受上相对间接，也容易变得模糊，而使风景的魅力降低，因此很难吸引多数人的追随而形成某种流行。在没有任何亲临条件之配合下，风景遂而必须经过一种转化，才能对人产生某种程度的吸引力。一旦牵涉到这种转化过程，风景即不再是单纯的视觉经验，而成为超越视觉经验的，具有一种更普遍意义的心中意象。对如此景象的描绘，虽然可能源自实地风景，但已不宜视之为风景画；作者与观众是否亲至实见既已无关紧要，这种图绘就更加脱离具体特定空间条件的制约，而朝向一种理想山水意象的方向接近。就潇湘八景而言，即使在中国，亲临实见者本来就比卧游者少，而在朝鲜与日本的人群中这个比例自然更为悬殊，需要仰赖转化以产生卧游吸引力的需求也更高。那么，这个转化如何才能有效？其过程之中如何克服对此风景的陌生之感，进而促使卧游者生出某种倾羡想望之心？这些问题便成为面对其流行于东亚之现象时，必须先予适度说明的地方。

　　作为一种源自真实风景，但又近乎理想意象的潇湘八景山水画在东亚的文化传布发展史上有其特殊重要的意义。它既不是风景画，也与桃花源那种仙境山水画的形态有别，而较适于视为两者的结合。中国传统文献中有一种"胜景"的概念，正可用来称呼这个风景与仙境的结合体。胜景一般解为名胜之景，要点似在知名与否，其实还有一层宗教性的仙境意思在内，例如中国的各地名山都在道教的洞天福地系统中占了位置，这便指示着地景与仙境的关联才是胜景成立的必要条件。当风景成为人们心中的胜景之时，除了在转化的过程中逐步累加外表地貌之外的人文意涵，还经常伴随着图绘形象的出现，协助形塑这个胜景意象的视觉形式，以取信于人，并用于意象的传播。从这个角度来看，潇湘八景山水画从在中国的形成到流行至朝鲜与日本,即提供了探讨这种胜景意象形塑的绝佳范例。尤其在这个过程之中因为牵涉到图绘山水的问题,特别容易让我们意识到其中基本"图式"存在的关键意义。潇湘景观如何定型为八景并成为山水画之系列主题,以及它(们)如何在朝鲜与日本环境中被接受乃至形成流行,这些问题都关系到人们对图式的认识与运用。因此对于这些图式之各种运用的探讨不仅是理解潇湘八景山水画之所以成为东亚突出之文化现象,也提供了观察整个东亚山水画发展的最佳机会。

一、潇湘八景山水画在中国的出现

湖南湘江、潇水地区的风景很早就出现在中国文辞之士的作品之中。这个地区的风景特殊,大片的水域与丰富的光影烟云雾气表现尤其予人深刻的印象,而且还孕生了一个可能是中国最早的爱情故事典范。据说在远古的夏朝开始之前,圣王舜帝死后,他的两个妃子娥皇、女英投湘江自杀,死后化为女神,而二妃之泪下处则生出斑点之竹,后世称之为湘妃竹。这个浪漫凄美的神话传说可说赋予了潇湘地区充满湿润雾气地景的第一个迷人诠释。[1]从舜帝与娥皇、女英夫妻永别的爱情悲剧,到悲剧主角的化为女神,这个转化的进程其实皆以潇湘风景为根本,不但是故事发生的地点,而且其风景的迷茫特色正是故事两阶段搬演的最佳场景,先是呼应着女主角的离情别恨,接着则是以朦胧视觉兴起仙境的如真似幻之感。离情别恨是男女感情最难面对的问题,生离或许尚留一点重聚的期待,死别则只能令人心碎,完全让人束手无策。唯一可以治疗死别伤痛的办法或许是将故事延伸到另一个非人间的虚构世界,让爱情悲剧的主角变成仙人,一方面奖励情感的至诚,另一方面则在另一个世界中提供爱情圆满结局的想象。仙界的想象也像爱情一样,对于脆弱的凡人具有永恒的魅力,不但可以解脱情感的痛苦,而且不再受生老病死的制约,得到真正的自由,自然亦是人所无法抗拒的诱惑。潇湘的爱情神话可说是兼具这两个普受关怀的议题,因而演变成一种典范,在历史中不断地被传诵。经过如此转化之后的潇湘风景便成为同时带有这两种形象的胜景意象。11世纪中叶宋迪(约1015—1080)所创制的《潇湘八景图》即是针对此意象而作的山水画。

从时间上来看,宋迪创制《潇湘八景图》山水画距离由屈原(约前339—约前278)《楚辞》中所见潇湘意象之始建已有一千年以上的间隔，即使较之以李白（701—762）《远别离》诗作为代表的8世纪以来将潇湘作为离情别恨之代名词的文学流行风潮，也已经迟至三百年之久。既已无先机之利，宋迪为什么要作？而他的潇湘创作又为何得到当代人的重视，进而形成绘画中的一个典范？在整个悠久的传统中，他以山水画图绘潇湘又有什么历史意义？这些问题都还没有得到充分的讨论。近年即有学者自唐代以来的文学抒怀传统讨论潇湘相关意象表现中的政治隐喻，来说明宋迪之作与当时以苏轼、黄庭坚为首之北宋士人贬谪情境间的关系。[2]这个取径角度确实符合宋迪本人在政治上属于反对王安石新法改革之保守派的立场，而且他也在1074年因为一场朝廷官署的火灾被夺去中央政府中的官职，贬到了洛阳，经历了与他同属保守阵营，包括司马光在内的其他友人一样的政治困顿时期。火灾之责据信与宋迪无涉，处罚他的原因其实还是政治改革所引起的党派倾轧。将宋迪之创制《潇湘八景图》置于其个人晚年所受到的不公平遭遇之中，视此图绘为其在1060年代宦游潇湘地区的追忆，并在其中隐含着他对时政的批评与不满，此说虽然缺少直接的证据，却可说是颇有吸引力的推测。[3]然而，这个推测虽然提供了《潇湘八景图》制作时宋迪不能明言的个人动机，但对于当时及后代就此系列主题山水画所表现出来之热情反应的说明，则似乎无用武之地。宋迪的潇湘山水画究竟作于何时？是在他宦游湖湘之际？或在遭受贬谪之后？其实无法进一步确认。但潇湘山水图的倾慕者之中，虽能列入如苏轼那种深能对其政治隐喻有所体会者，但其中也不乏敌对阵营中的人士。徽宗皇帝（1082—1135，1100—1125在位）在这里就是一个最突出的例子。作为执意实行变法的神宗之子，徽宗基本上继承了改革的政策方向，但他也是潇湘山水画的最有权势之支持者，曾在女真人入侵之前派遣宫廷画家张戬到湖南实地绘制八景图。[4]他对潇湘八景图的如此高度兴趣，显然不太可能是来自其中政治意涵的感动。

在保留宋迪创制《潇湘八景图》时个人政治动机之可能性的同时，我们仍须面对宋迪如何将八景定型的实质问题。事实上，宋迪并非是第一个描绘潇湘风景的画家，自8世纪以来李白、杜甫的题画诗中就曾出现"潇湘"一词，虽不知所咏画作之详情，但总与潇湘一地有关，可见潇湘之入画，至少早于宋迪两三百年。[5]宋迪的首创之处实在于将潇湘风景归纳为八景，并赋予其如诗的标题，成为八幅一套且具标题的山水

画。在此之中,又以八景标题之命定最值得注意,那也是与宋迪同时的文士沈括(1031—1095)对之加以记录的根本理由:

> 度支员外郎宋迪工画,尤善为平远山水,其得意者有《平沙雁落》、《远浦帆归》、《山市晴岚》、《江天暮雪》、《洞庭秋月》、《潇湘夜雨》、《烟寺晚钟》、《渔村落照》,谓之"八景"。好事者多传之。[6]

从沈括的陈述看来,宋迪似乎是先拟定了这些四字一组的标题,共计八组,故称之"八景"。至于为何止于八景,而非其他的数目?沈括并未说明。近来有学者推测其系受到道教中以"八景"为仙人"游行上清"之"乘舆"的影响,颇可供作参考。[7]另外,我们或许还可追问:这八景的命题究竟对潇湘风景而言有何作用?又为何能得到"好事者多传之"的效果?我们如果将之与后来发展出现的"西湖十景"加以比较,会发现一个有趣的差别。西湖十景这种风景区中的命题都是针对具体的景物、地点,如苏堤、断桥、花港、三潭、雷峰塔、南屏山等而取名,潇湘八景则不然,全无特定地点的对应,其中"江天"、"洞庭"、"潇湘"三者指的都是浩瀚的大片区域,即使"平沙"、"远浦"、"山市"、"烟寺"、"渔村"较为具象,或有实指,但也没有明确的地点。潇湘八景因此不像西湖十景那样具有一种实地导游的性质,而较接近于一种意境的品题,不受特定地点的约束。这种意境的品题也意味着某种选择的进行,亦即在观赏大片潇湘风景的无限可能性之中,选择八个最佳观看的时机或角度,以充分领受潇湘意境的极致。宋迪的品题不从特定地点出发,而自较具普遍性的物象开始,即与其意境设定息息相关。他的八景之目首先让人注意到的便是八个物象的择定,分别为雨(潇湘夜雨)、雪(江天暮雪)、湖水(洞庭秋月)、雁(平沙落雁)、舟(远浦归帆)、寺(烟寺晚钟)、渔村(渔村落照)、山市(山市晴岚)等,接着则是对这八个物象建议了最佳的观看方式。如此框定的观看基本上牵涉两个选择,一方面是一日中特定的时间点,例如"渔村落照"意指渔村之最具意境者只在夕阳落照之际,"山市晴岚"则以晴天清晨岚气未散之时为最胜;另一方面则在配合季节或气候而来之特定视觉效果的标定,如"洞庭秋月"选定秋月映照水波之景为观赏湖面可得之最佳效果,"江天暮雪"则在各式雪景形象中独选江天一色之感最为动人,其余皆舍去。经过了这些选择框定之后,潇湘风景便转化成八个可被观赏的意境,并以八个标题来命

3-1 南宋
舒城李氏
《潇湘卧游图》
（局部）
东京国立博物馆藏

名、确认。如此的转化，不能不说是宋迪对潇湘文化发展的一个新贡献。

除了框定八景的意境并予以四字一组的标题外，宋迪还对这八个意境作了图像的拟设，那便是《潇湘八景图》的首度出现。至于宋迪八景图的实际样貌如何，因为原图已经不传，很难确切地讨论。不过，我们还幸运地留有两件距宋迪不算太远的 12 世纪中叶标名为"潇湘"的山水画作，一是舒城李氏所绘的《潇湘卧游图》【图 3-1】，[8] 另是王洪所画的《潇湘八景图》【图 3-2】，[9] 二者形式虽不完全一样，但却都呈现了一些共相，可供推想宋迪原作之用。《潇湘卧游图》全图为横长四米的长卷，作一全景大观式的山水表现，其中虽有细节上的变化，但用意不在八景的各自样貌；王洪之《潇湘八景图》现虽裱成两个长卷，但各景独立成画，画意亦在表现各景不同的意境。两者形式之不同体现了 12 世纪时图绘潇湘山水的两种可能模式。然而，不论画家做哪种选择，他们所作的潇湘山水皆带有如李生与王洪之作所见之浓重的烟云雨雾效果，以求符合潇湘地理景观的特质。宋迪原作对此地理特征亦应有所表达。此外，李、王二作固然在景物描绘布局上有繁简之异，但基本上皆以水景为主，代表水域的空白经常占据着画面过半的比例。这个现象显然是在呼应潇湘意境的表现需求，八景标

题的意涵也都根基于此以水景为基调的景观而生。宋迪之原作如推想亦应以水景为重点，应属合理。当然，这两种模式的差异也不应忽视。作八景独立表现的王洪卷在各景处理时皆出之以由近观远的方式，与观者的距离较近，不似《潇湘卧游图》那样采取远观的视点，此则应视为采八景各自表达时所作的配合选择。从沈括的记载来看，宋迪原作应是八景各为一图的形式，其画中山水景物的远近大小安排因此亦极可能近似于王洪卷才是。

另一个可供推测宋迪《潇湘八景图》原貌的线索在于沈括记载中对宋迪善画平远山水的报道。平远是 11 世纪时已经定型化的三种山水画构图模式中的一种，在郭熙（约 1000—约 1090）之子郭思的《林泉高致》中说明是"由近山而望远山"，而与高远、深远合称"三远"。[10] 宋迪之时作平远山水的范例今日仍可见于郭熙的《树色平远》【图 3-3】。[11] 这是一件宽仅一百零四点八厘米的小横幅，左边作近景土坡、树木、行人与路亭的描绘，形象皆较大，右边则作较小的中景水上渔舟以及其后笼罩在烟气中的远景层层山体，物象既小且模糊不清，表达着一种向后延展的空间感。如果参考《树色平远》的结构方式，我们大致可推想宋迪所专长的山水画也有类似的由近观远之处理，以物象较大而清晰的坡石

3-2 南宋 王洪《潇湘八景图》之《渔村夕照》普林斯顿大学艺术博物馆藏

3-3 北宋 郭熙《树色平远》纽约大都会艺术博物馆藏

第三章 胜景的化身——潇湘八景山水画与东亚的风景观看

3-4 南宋 王洪
《潇湘八景图》
之《平沙落雁》

树木近景与较小而模糊的低平中远景并置的方法来表现平远的景观。他的《潇湘八景图》虽然不一定作如《树色平远》的横幅，但也应有类似的结构模式。如此再来看王洪所作的八景图绘，我们便可发现他的山水结构仍然保留着《树色平远》的那种样子。例如第一段的《平沙落雁》一景【图 3-4】就是如此安排，左方的近景只有几株叶落将尽的老树立在岸边，从此向右方望去的中远景才是主题所在，空旷江面中的小沙洲上已有六只鸿雁停下，尚有其余数只则正以优美的队形下降，在朦胧水气弥漫下显得似乎不想特别引人注意；沙洲之后方另有几抹低平远岸、遥山的模糊影像，将空间做了往后延伸的提示。它与《树色平远》之间即使仍有一些差异，大致上可理解为来自配合潇湘地景的特征，并没有对那个平远山水的结构模式作什么大的变动。由这个近似的关系来看，王洪的《潇湘八景图》或许便可让我们合理地推想宋迪当时图绘八景时所使用的平远山水结构。

不过，从风景品题到图绘制作的过程中，主题物象在画面上的具体安排才是关键问题。虽然宋迪当时原作已无法得见，王洪本的图画仍然透露了一些有用的线索。八景既是在潇湘景观中针对鸿雁、湖水、雨雪、渔村、山市及舟楫、寺观等物象作观看的框定，这八个主角如何在平远山水的结构中出现便很值得注意。在 11 世纪的山水画中，这些物象其实经常被使用，依画家的表意需求而安置在画面上近、中、远景的不同位置。如果画家需要表现远方空间的深度，在画面上方画

上成人字形队伍飞翔的雁群就是一个很有效的办法。寺观建筑经常表示一种超越人世境界的存在，画家如欲强调此事，则会将寺观放在中景或远景的山上，而利用前景的山市或村落的人事活动来进行对比式的衬托。从这样的背景资料出发的话，我们可以注意到王洪本《潇湘八景》对这八个主角物象的安排几乎一致地居于中景，而且常有空旷的水景配合。除了《平沙落雁》外，《山市晴岚》等其他各景莫不如此。其中《潇湘夜雨》与《洞庭秋月》二景还做了有趣的调整，可借以理解画家制作时的理念。这两景据标题所示皆为夜景，本最不易表现，画家却颇有技巧地借用远山的明晦来显示不同气候中的夜晚特质。《潇湘夜雨》【图3-5】中的远山几不得见，意指在夜雨中视力的不及于远，而夜雨最强烈的昏暗迷茫效果则被置于中景，出之以江边水雾掩绕的树林，成为此景的焦点。《洞庭秋月》【图3-6】则一反昏暗为明亮，远山轮廓仍清晰可辨，意味着秋夜中月色的皎洁，而画家在此又故意略去空中的明月不画，倒将中景的湖面加大，成为前景中岸边舟上旅人凝视的对象。不论他所凝视的是明月在水中的倒影（未实际画出）或是月光之下湖面的波光，没有描绘物象的中景却成了此画的焦点，这也可让人看到画家刻意经营中景之企图。由于资料的不足，我们在此很难进一步讨论这些有趣而巧妙的安排究竟来自王洪本人还是更早的宋迪原作，然而，如果说宋迪的八景图绘基本上也有如此将主角物象置于中景的模式，应亦极为可能。

3-5　南宋 王洪《潇湘八景图》之《潇湘夜雨》

3-6　南宋 王洪《潇湘八景图》之《洞庭秋月》

二、12 世纪中期至 14 世纪的中国潇湘八景图

宋迪以平远山水的基本模式创制之潇湘八景图一方面可以说是对潇湘风景八个意境的品题框定，另一方面也是对这些意境图像转化所提供的一组图式。这组图绘显然在出现不久后即大受欢迎，其中最主要的原因在于这八个意境经过此番图像转化后已经脱离特定地景的约束，不再专属于潇湘，转而成为由山市、渔村、雨雪等平凡物象升华出来的理想化形象，而八景之图式也因此成为可以运用到任何一般风景观看、框定其意境的图绘手法。对于宋迪的这个成绩，时人已予以高度肯定。12 世纪初宋徽宗宫廷编纂的《宣和画谱》特别以"览物得意"、"写物创意"来说明他的这个创作过程，并比之为有如诗人"登高临赋"。[12] 如此之比喻应是当时公论，诗僧觉范惠洪也对此八景图表示了赞美，并以"人谓之无声句"记录了类似的评价，惠洪自己更进而就此"无声句"创作了一组"有声画"的诗歌来与之唱和。[13] 宋迪八景图之可被比拟为诗人"登高临赋"，部分也因为其八个意象清晰，而又两两对仗成组的标题设计，其实与律诗结构颇有相通之处。[14] 不论宋迪当时是否确实刻意模仿，类似的品题活动在文学中确属常见，而由"落雁"与"归帆"、"晴岚"与"暮雪"、"秋月"与"夜雨"、"晚钟"与"落照"各成一组的对仗，也有便于记诵的好处，八景的这组标题因此亦可理解为潇湘八景图高度迷人魅力的重要因素。

在"好事者多传之"的热衷氛围中，王洪的八景图绘只是 12 世纪时众多效法之作内幸存下来的一例而已。根据南宋若干笔记文献的记载，在王洪大约同时期已有不少画家作潇湘八景图，并作了一些变化。邓椿在《画继》（1167 年自序）中曾报道宋神宗时宫廷画家王可训也曾作八景，但是没有后世庸手所犯的毛病。他特别评论到八景中的"烟寺晚钟"与"潇湘夜雨"因为一涉无形的钟声，一涉昏暗中视力不得见之夜雨，其实很难图绘，尤以后者为然。当时众多"庸工"因拘泥于标题"潇湘夜雨"作画，只好取巧设计了"火炬照缆"、"孤灯映船"的形象来勉强附和标题所指，遂而贻笑大方。[15] 假如邓椿所指的是一般流俗化的潇湘山水表现，王洪之作则像王可训者不见有这种现象，或许让人得以推测其在当时会得到较高的评价，属于等级较高的严谨制作。王洪卷上每段现在还存有南宋内府的"御书"葫芦形钤印，透露其曾入南宋内府收藏的经历，那即使无法推论王洪原即系宫廷所制，但无论如

何都有助于想象它高出于一般俗制的地位。另外，稍晚的曾敏行在《独醒杂志》（有1185年杨万里序）中也提到一位东安士人所作的八景图颇与一般常画不同，在画最难形容的"潇湘夜雨"时，不取俗套之以"行人张盖"表示雨中之景，而"作渔舟吹火于津渡"来显示暗夜中仍可得见的渡口独亭与岸边舟楫。[16] 看来曾敏行以为创新的手法其实正是邓椿所批评的那一类庸俗格套。以"行人张盖"来勉强交待潇湘雨景的做法，相较之下或更属一般可见，对邓椿那种评论家而言，甚至可能根本不值一提了。不过，文献上出现的这么许多潇湘八景的图绘变化都因作品流失，无法详究它们与宋迪原来所发展出来的图式究竟有何种关系。如果没有在图式上可供联系的线索，这些林林总总的八景图绘是否还可辨识为潇湘主题？观者在此刻是否必须仰赖标题的协助才能作此辨识？从标题入手似是合理的办法，可惜12世纪中叶时的发展尚出现了一些新现象，让人有点束手无策。1140年由士人张澄成篇的《画录广遗》就报道了他亲见画商求售的一卷《八胜图》，标题分别为"渔市晨烟"、"江村晚霭"、"遥山骤雨"、"叠嶂残霞"、"雾锁松溪"、"雪迷山路"、"澄山印月"、"晴麓横云"等，上面尚有徽宗题云："因阅宋迪八景戏笔作此。"[17] 姑不论此卷是否真的出自徽宗或其画院，张澄的报道已显示宋迪八景的标题至其时已衍生出新的名目，但仍被视为潇湘一家眷属。我们不禁要问：如果这个新现象相当普遍地出现，而作品上又未带有标题说明之题识时，辨识为潇湘的成功率还有多少？许多学者为此感到困扰，但尚相信原来许多潇湘八景的各种图绘因为在流传过程中失去了原题，而丧失了原本的身份归属。为了要恢复它们的潇湘归属，有学者提议借由八景中主题物象的指认来复原画作的本来身份，例如以画上落雁之出现将原传李成作的《小寒林》【图3-7】改定为八景中的"平沙落雁"，并推测可能来自宋迪某版原作的局部。[18] 如此之推测固然不无道理，但出于无奈，亦可体谅，而其所面对的困境则充分显示了八景标题本身重要性之不可忽视。我们似乎不得不接受这种早期作品难以重建的限制，转而从13世纪可确认为潇湘八景画作与王洪版的比较中，尝试探索八景图式的形成与发展。

文献中记载的13世纪潇湘八景图十分丰富，相较之下，今日所留存的实物实在稀少得令人感到可惜。严格地说，我们只有两件可以确认无误的此期作品，而且作者身份比较特殊，既非如宋迪的文士，亦非如王洪的职业画师，而是佛门中的僧侣画家，两人都活跃于南宋末期

3-7 （传）北宋 李成《小寒林》台北故宫博物院藏

3-8 南宋 牧溪《潇湘八景图》之《远浦归帆》京都国立博物馆藏

的 13 世纪中之杭州地区。作者之一的牧溪（约 1200—1279 后）有件横卷式的《潇湘八景图》很早就传到日本，在足利义满（1358—1408）时被改装成可悬挂的八幅小立轴，现仅存其中的四段，分别是《远浦归帆》、《烟寺晚钟》、《渔村夕照》、《平沙落雁》。〔19〕从这四景来看，牧溪在画法上较王洪使用了更多的水墨，描绘速度更快，物象也更模糊简率，但在结构图式上两人作品仍可见有相通之处。牧溪的《远浦归帆》【图 3-8】可说在结构上最为清楚地显示了这个关系。画中左下角前景作烟气中近树与村店一角，岸边人正向右方望向远方中景的模糊帆影，江上除了湿润的水气外尽是一片空白。如此构成的主题物象安排，正与王洪的同段处理【图 3-9】如出一辙，只是左右相反而已。这个现象指示着一个共有图式的存在，而其之所以如此，不见得是因为牧溪直接学自王洪（王洪画卷当时可能藏在内府，非禅门中人所易见），较可能是两者皆源自较早的宋迪的设计。牧溪之《渔村夕照》（东京根津美术馆藏）也有类似的图式使用，主角的夕阳下之渔村出现在右边的中景，隔着江水与左方的近景遥遥相对。牧溪另外两景则为此图式的修改，如《平沙落雁》【图 3-10】只将焦点置于中景的沙上雁群，虽仍是由近观远的安排，但故意略去近景不画，让它隐藏在浓重的雾气中不可得见。《烟寺

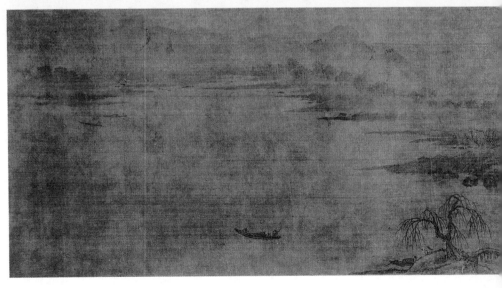

3-9 南宋 王洪
《潇湘八景图》
之《远浦归帆》

（左）
3-10 南宋 牧溪
《潇湘八景图》
之《平沙落雁》
东京出光美术馆藏

（右）
3-11 南宋 玉涧
《潇湘八景图》
之《山市晴岚》
东京出光美术馆藏

3-12 南宋 王洪
《潇湘八景图》
之《山市晴岚》

第三章　胜景的化身——潇湘八景山水画与东亚的风景观看　|　83

晚钟》（畠山纪念馆藏）也是如此处理，主角的烟寺只画出小部分的朦胧影像，位在中央部位的一条细长延伸之中景带上，其他皆是水气弥漫，充分展现着牧溪画风的个人特质。另位僧侣画家玉涧（活跃于13世纪中期）所作的《潇湘八景图》也可用来验证这个图式的存在。玉涧的八景图现藏日本，亦仅存三景，[20] 其中《山市晴岚》【图3-11】一景最能表现他个人大胆运用水墨的风格。画中水墨淋漓，下笔极为快速地"涂抹"出前景的野桥、岩块，及中景行人与笼罩在雾气中的山村，物象俱残缺不全，既即兴而又抽象，但远观之下却又与王洪较为详细的描绘【图3-12】呈现着一致的结构。他与王洪的最大差异在于完全不对水面进行描写，也缩减了在画面上的比例，这似乎与牧溪的图式简化有异曲同工之处。除此之外，玉涧的这三景都有首七言绝句与标题写在左方意指水面的空白之上，很引人注意。现存的王洪卷与牧溪的残段都没有看到这个诗、题与画并列共存的现象，那会不会是后人将诗与题裁去加以改装的结果？而玉涧卷则意味着未裁改前的诗画合璧原貌？对于这个可能性，我们虽无直接资料可作依据，却仍值得纳入考虑。宋迪原作固然未有题诗配合，但自从惠洪为宋迪的无声句作了搭配的有声画之后，诗画并置的形式便可以作为创作八景时的选项。今日在一幅传为夏珪所绘的《洞庭秋月》立轴【图3-13】上即题写了惠洪的诗，题写者虽非如原传称的南宋某皇帝，但整个作品风格尚可接受为13世纪之作无误。[21] 如此说来，诗画合璧之作为八景图的一种格式在13世纪的存在，玉涧的作品就不只是个孤例了。

　　这幅《洞庭秋月》应该是南宋时八轴一套潇湘八景图系列的遗存。它被归为夏珪所作，虽无法确认，但似提示着宫廷制作的可能性。夏珪现存之《山水十二景》中的四景【图3-14】，便被认为是他应命在宫中仿潇湘八景之式而作的变化。[22] 但是，此卷既名为十二景，且如"烟村归渡"、"遥山书雁"等标题明显与潇湘八景者有所差异，究竟能不能比为张澄在《画录广遗》中所说的八景图之衍发，仍无法让人完全无疑，或仅能谨慎地视之为很有吸引力的推测而已。与夏珪差不多同时的宫廷画家马远据说也曾作过八景图，可惜都已不存。现存一卷董邦达（1699—1769）奉乾隆帝之命在1746年摹写的《临马远潇湘八景图》【图3-15】或可借以想象马远原作的样貌。[23] 董邦达是乾隆时期带着翰林院侍读学士头衔的词臣画家，画风专长于四王一路的正统派，不太能期待他精准地重现院体风格的马远笔墨，不过，既是重摹，或者还

3-13 （传）南宋
夏珪《洞庭秋月》
华盛顿哥伦比亚特区
艺术馆藏

3-14 南宋 夏珪
《山水十二景》
堪萨斯市
纳尔逊-阿特金斯
艺术博物馆藏

保留了原作的构图才是。从其上之"远浦归帆"和"平沙落雁"两段，我们确实也可辨识出王洪、牧溪所共有的图式。然而，此卷上之"洞庭秋月"、"山市晴岚"、"江天暮雪"三段之构图却很不同，都喜将物象在画面上作斜线排列，有点接近清宫描绘西湖十景时的格法，[24]不禁让人对董邦达摹作的忠实度有所质疑。如果参考乾隆时期清宫临摹古画工作时常见改动细节的众多案例，[25]董邦达的重摹就让人不得不更谨慎以对，要想由之重建马远潇湘八景图的期待也只能暂时搁置。纵然如此，相关资料之几乎荡然无存却丝毫不能减低对南宋宫廷所制《潇湘八景图》样貌进行理解的迫切需求感。原因无他，主要还在于现存13世纪的少数作品完全出自僧侣牧溪、玉涧之手，他们虽在日本文化史上久拥崇高声望，在中国传统艺评界中却早为文人雅士贬为"粗恶无古法"，[26]地位远在宫廷画家之下。如果要较为公允地评估潇湘八景图绘在13世纪之

发展情况,南宋宫廷之作究竟与那些僧侣画家有何同异,就显得十分要紧。面对着这些资料上的困境,我们或可试着借由14世纪职业画师的作品中勉强对此问题进行一些推测。

中国本土在1267年元朝建立统一南北的政权之后,艺术界最大的变化之一在于绘画的地位于宫廷中大为降低。宫廷中固然仍有画师执役,但数量远不能与南宋相提并论,而且,山水画也不是元代宫廷中优先需求的画类。在此状况下,我们看不到元代宫廷所制《潇湘八景图》,实属意料之中。不过,退而求其次的则仍有华亭地区职业画师张远所作的《潇湘八景图》【图3-16】长卷传世可供协助。张远此人曾出现在夏文彦的画史参考书《图绘宝鉴》(1366年出版)中,是一位专善马远、夏珪山水风格,而且长于临摹古画的南方画师,应可视为当地继承南宋院画传统的人物。[27] 他的《潇湘八景图》会不会也传承了南宋宫廷作

第三章 胜景的化身——潇湘八景山水画与东亚的风景观看 | 87

88 | 移动的桃花源——东亚世界中的山水画

3-15 清 董邦达
《临马远潇湘八景图》
1746 年 美国私人藏

第三章 胜景的化身——潇湘八景山水画与东亚的风景观看

3-16　元　张远《潇湘八景图》上海博物馆藏

第三章 胜景的化身——潇湘八景山水画与东亚的风景观看 | 91

3-17 元 张远
《潇湘八景图》
之《平沙落雁》

品的部分样貌？这个期待或许不算漫无边际。张远卷有画家签款，但无各景标题题书，卷后附有金弘训（可能为明初人）所撰一篇《潇湘八景图序》文字确认了画中主题。卷中"平沙落雁"一段【图 3-17】作近景行人望向中景雁落之平沙处，基本上就是已在王洪卷上所见的图式，而与牧溪的简化处理【参见图 3-10】稍有不同。另外，张远的八景图与董邦达摹马远卷同样将八景作连续的横幅表现，不似牧溪、玉涧的各景独立，也值得注意。在作这个连续山水构图的长卷时，八景的顺序如何，显然不是关心的重点，处理上的挑战应在于如何将原来独立的各景自然地连成一气。张远卷很清晰地呈现了一种依近、中、远三景之变化排列来铺陈长卷构图的意识。从第一、二段的以近景起头，第三段加入中景，第四段再加入远景，第五段只存远景，第六段则在远景外另加近景，第七段又仅有中景，最后则以近、中、远景俱全的方式作结尾，形成变化有致的构图布置。这种将框定景象依近、中、远景之存否作变化安排的连续山水长卷构图亦见之于夏圭的《山水十二景》，可以视为 13 世纪时宫廷绘画中对山水长卷有高度意识下发展出来的创新成果。由此来看，张远八景图中的这部分表现即可能来自某件南宋宫廷制潇湘长卷的结构。换言之，南宋宫廷制之潇湘八景图虽已无法得见，但从王洪各

景图式及张远的连续构图中,仍可大致想象得之。

三、14 世纪时在中国的两则新变

14 世纪时潇湘八景图的发展中,张远图卷大概只能算是南宋宫廷的延续,另外有些新出的衍化也值得特别注意。八景之名目与意象自 12 世纪闻名以来,传播程度深入各阶层,不仅及于上层之皇室、士大夫,也至于基层的民众。元刊本的杨朝英《朝野新声太平乐府》中记载"大都行院王氏"的散曲中即有嵌入八景名目于表演唱词之中:

[石榴花]看了那可人江景壁间图,妆点费工夫。比及江天暮雪见寒儒,盼平沙趁宿,落雁无书空,随得远浦帆归去,渔村落照船归住,烟寺晚钟夕阳暮,洞庭秋月照人孤。[斗鹌鹑]愁多似山市晴岚,泣多似潇湘夜雨。[28]

看来这是北京大都街市演艺中的部分,唱词系配合着观看壁上的潇湘八景图而来。另外,元刻本《梨园按试乐府新声》中也录下了北方杂剧名

3-18 元《疏林晚照》约1265年 山西省大同市冯道真墓壁画

家马致远作的《八景小令》八首,分别就这八个潇湘胜景的标题进行了动态的咏唱,有声有色,较之惠洪的有声画,又别具一番梨园的特有趣味。[29] 由这些散曲小令,潇湘八景之作为人间美景的形象确已深入人心,其名目不仅成为言说的固定表达方式,并可用来作为如愁、泣等情感的形容,而将之搬上舞台,则不啻是某种对图绘所作的三度空间转换,尤其是加上了音乐表演层面之后,更成为一种动态的诠释。愁与泣之情感和潇湘美景的连结早就深植于潇湘文化传统之中,后世由八景兴发的诗与画亦皆多少隐含这般情绪,对于处于漂流与思归情境中之旅人来说,感触尤其深刻。八景的标题泰半皆以"归"字为依归,实非偶然。而八景于14世纪时融入戏曲表演之中,可说是这种情感诉求流布最广,深入各阶层的最佳表现。

当潇湘八景以文字、图绘、音乐、舞台表演等多元形式普遍出现于生活的文化氛围时,除了直接的回应外,也带动了一些"题外"的反响。在绘画的领域中,山西大同冯道真墓出土壁画中出现的一幅《疏林晚照》山水画便是潇湘八景流行氛围下的产物。冯道真是全真教中一位高层级的道士,葬于1265年。他的墓中装饰壁画甚多,《疏林晚照》【图3-18】位于北壁,面积颇大,且其山水题材与东西壁的"观鱼"、"论道"等生活中求道修行形象之图绘性质似完全不同。[30] 它在墓葬中的意义为何?值得进一步说明。从它在墓中居于棺床背后之北壁的位置来看,《疏林晚照》的性质应类似辽宁法库叶茂台出土10世纪辽墓中的《深山棋会》,属于墓主灵魂所往居的"仙山图"一类的图绘。但是,问题在于《疏林晚照》却缺乏任何指示为仙境的母题,只有夕照烟气迷茫中的村落及右上方的两只江上帆船而已，这如何能帮助它扮演应有的宗教角色？《疏林晚照》之画题为制作者自题于壁画之右上方，以此四字标题框定了图绘的意涵。由此观之，"疏林晚照"这四字标题便极类似潇湘八景者，尤其是其中的"渔村夕照"在意象及用字遣词上最为接近。"渔村夕照"本来就有浓郁的"望归"情感，如惠洪对该景的赋诗中即以"渔郎笑傲芦花里，乘兴回家何处归"作结，14世纪大都散曲中也说"渔村落照船归住"，都是以渔人归家之形象来兴起行人望归的愁绪。[31] 另外，《疏林晚照》的画面虽以夕照中之安详而又生机盎然的前景村庄为主，观者的视线则被斜向导引至右上方中景的两只帆船，此布局立刻让人想到八景中"远浦归帆"的图式，其望归用意也颇为清晰。值得注意的是，宗教界人士经常转化这个"望归"的表达为求道的提醒。例如要求惠洪针对宋迪无声句作有声画的演上人（即临济宗杨岐派的五祖法演，约1024—1104）就曾以"悟了同未悟，归家寻旧路"[32] 开示门徒，以"归家"为喻来指示其追求回归真如本体的目标。这或许也可以说明画僧牧溪、玉涧之所以制作潇湘八景图，而入华日本僧侣会在禅寺的环境脉络中接触到这些作品，且将之携回日本的宗教层面之道理。《疏林晚照》的画主是全真教的道士，其修道途径与目标虽与佛门中人有所不同，但亦讲究彻悟解脱，"回归"至虚无自然的玄真道体为正途。[33] 虽然不画仙境之任何标志，《疏林晚照》在冯道真墓中便是以潇湘的回归之意为言，形象化地以归帆之返家来陈述冯道真修行求道的结局——"归真"，并以此图来作为墓葬整体展现修道过程图示设计的总结。如此之运用，固然逸出原来潇湘意象的范畴，但也未尝不可视之为其意象之扩展。

潇湘八景图对胜景的品题框定作用在14世纪时亦有接续的新发展，见之于吴镇所作之《嘉禾八景图》【图3-19】。吴镇此作作于1344年，系为协助嘉禾景德教寺住持在山师修建部分庙宇的劝缘募款而作。据吴镇在卷首题识的说明，此八景胜点的拟定本身即来自潇湘八景的启发，欲为嘉禾选出可以与之比美的八个景点，故在查阅图经等地方资料后，得到八个胜境，分别为"空翠风烟"、"龙潭暮云"、"鸳湖春晓"、"春波烟雨"、"月波秋霁"、"三闸奔湍"、"胥山松涛"、"武水幽澜"。[34] 它们的标题，例如"春波烟雨"、"月波秋霁"多少还留有一些效法潇湘的影子，但也可看到景点中具体地点、景物在品题的过程中扮演了更积极的角色。其标题中前二字全有实对定点景物，后二字虽以景观之形容为

3-19 元 吴镇
《嘉禾八景图》
(局部) 1344年
台北故宫博物院藏

主，部分也直指景中之物，如"龙潭"、"鸳湖"、"胥山"、"武水"皆为嘉禾区内山、水地点名称，"春波"指嘉禾东城门，而"空翠"是亭，"烟雨"、"月波"皆为楼，"三闸"则是河上三个水道闸门的合称，最后一景的"幽澜"虽是名泉，但也指称相关的石井、凉亭等人造建物，那正是在山师所要修复的对象。看来吴镇在为嘉禾建立八景时的取径确与宋迪面对潇湘风景时颇为不同，或许，这也牵涉到吴镇本人对胜景本质在认识上的问题。他基本上认为潇湘八景之所以在"胜景"中"独得其名"，是因为它们由真实的景所出，故可"信乎其真为八景"，其中"洞庭秋月"与"潇湘夜雨"二景之所以广受传诵，也正因其直接来自该区地景，而其他六景虽未明指地点，亦应"出于潇湘之接境"，非属虚构编造。既如此以实地定点为胜景设定之依归，原来潇湘八景形塑时占着同等重要性的意境，便退居其次。他的嘉禾八景选定因此呈现了原来潇湘者所无的定点景观化的强烈倾向，这个倾向在他为此八景进行图绘时也有所反映。[35]

在制作嘉禾八景之图绘时，定点景观之如实交待成为第一要务，这

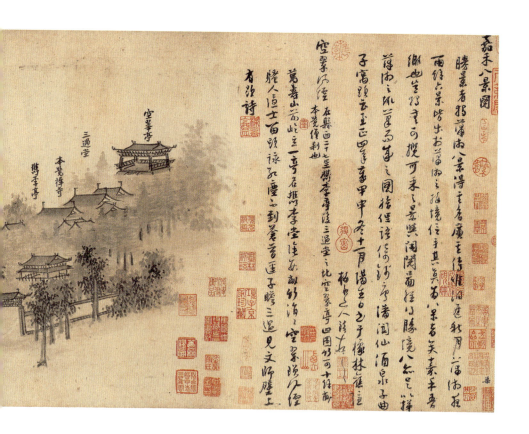

是吴镇《嘉禾八景图》卷与前此所见诸《潇湘八景图》最明显的不同。且以"月波秋霁"一段【图3-20】为例。此段以文字说明起始，在标题下方以小字说明月波楼的地理位置在县西城上，下嵌金鱼池，并注明该地为昔日的李氏废园，写法显然袭自常见地方志书中记景物的形式。接着以三行曲文咏述在月波楼向外观看的周遭景致，其旁所接图绘则以金鱼池为中心交待着各景物的位置，月波楼与天福寺梁朝桧遥遥相对，月波楼的右方依序为水西寺、爽溪、祥符寺、仁寿寺，左方则有楞严塔院、九品观等，各点皆有书写较为工整的文字榜题，形象却有时省略，或草草点到为止，可知其所在意者实为各景物之辨识及其间相关方位之表达。图中物象大小比例之呈现亦与一般山水画不同，位于中景部位的月波楼因是此景主角，画得最大，手卷下缘近景的一排建筑反而较小，约同于金鱼池对岸较远处的祥符寺建筑群。这种无视远近比例但强调方位的图像安排当然非属山水画家吴镇的平常风格，而系刻意取用传统舆图的制图方式。吴镇本人自承在选定八景前曾参考"图经"，因此绝非虚言。他除了在那些方志书中取用文字资讯外，还故意效法其制图方

3-20 元 吴镇《嘉禾八景图》之"月波秋霁"

式,只稍加放大月波楼的比例,来呈现他所定出的"月波秋霁"此一胜景形象。他之所以选择这种接近图经的方式,固然一方面是因为嘉禾八景乃新拟胜景,有对观者进行说明的必要,另一方面也有意借图经之形式以强化胜景真实存在之说服力。

虽然与传统潇湘图绘已有所不同,吴镇对嘉禾八景图的制作仍然深受其影响。从全卷的山水景物描绘来看,《嘉禾八景图》上的烟云雾气颇重,大部分的树林都笼罩在潮湿的雾气中,较低的建筑也都半隐半现,显示与吴镇其他山水画有很大的差异。吴镇的山水画绝大部分也皆以水景与渔夫为主题,例如作于1342年的代表作《渔父图》【图3-21】画的是月夜下湖上渔夫高士的安谧平和生活。即使是夜晚之景,1342年的立轴只在远景一角了些许烟气,全轴物象几乎完全清晰呈现,却无《嘉禾八景》的烟气迷茫掩映的处理。[36] 烟气迷茫本是潇湘八景图图式的根本要素,看来吴镇在创造他的嘉禾八景时也作了同样的风景观看,并以之为贯穿图卷前后的基调。除了将八景笼罩于烟气迷茫中外,大片空白水面的运用也来自潇湘的图式。吴镇的这个运用尤其在"三闸奔湍"【图3-22】与"胥山松涛"【图3-23】两段最称极致。前者三个水闸的简率描绘固有实景根据,但又特将之置于烟水迷漫之中景作横向细条排列,此则极近"平沙落雁"的处理。而且,为了突显如此意象,标题中所指的"奔湍"也刻意不在画面上表示,以免降低了"如潇湘"的效

3-21 元 吴镇
《渔父图》
1342年
台北故宫博物院藏

第三章 胜景的化身——潇湘八景山水画与东亚的风景观看

3-22　元 吴镇《嘉禾八景图》之"三闸奔湍"

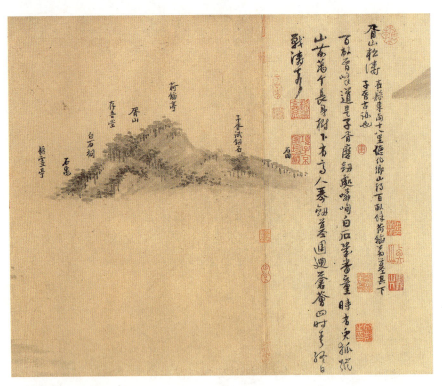

3-23　元 吴镇《嘉禾八景图》之"胥山松涛"

| 100 | 移动的桃花源——东亚世界中的山水画

果。"胥山松涛"亦是如此。该段之"松涛"本应为胜景所在,但画面却全未着墨,只在远景作一低平孤山,以彰显前方水面之浩瀚,并寄托遥望古迹之幽幽情思。这个构图设计也可以说是画家为了让此嘉禾胜景得以有如潇湘,甚至不惜牺牲对景点特殊景观的具体描绘。换句话说,潇湘八景的特殊观看方式在此成为推销"嘉禾八景"的手段之一。吴镇以他的图卷来协助在山师的募款修建计划,虽不知后来如愿与否,其以诉诸潇湘胜景来形塑嘉禾人士对地方八景的认同,进而慷慨解囊,意图则十分清晰。

《疏林晚照》与《嘉禾八景图》对潇湘八景的灵活运用,在功能上皆逸出原来潇湘传统的表现范畴之外。从时间上看,14世纪左右这两则潇湘八景图的"新变"个案可能不见得能确定是此变的最早作品。例如"嘉禾八景"的那种以观看潇湘风景的方式新创地方胜景之做法,或许稍早在南宋时已见于"西湖十景",然因"西湖十景"具体图绘资料的阙如,详情不易掌握。同样的,如《疏林晚照》之宗教性运用也很难想象不曾在稍早的金代北方墓葬中出现。不过,跳开历史研究中对起源问题的探讨困境,《疏林晚照》与《嘉禾八景图》在14世纪左右在中国一北一南的同时出现,仍至少意味着这种变化运用在此时已有一定程度的流行。这个现象可以与潇湘八景渗入14世纪戏剧音乐的表现放在同一脉络中来理解,并且让人意识到其与宋迪初创时的文雅氛围已有差异,尤其是在通俗化程度的增加之上,特别引人注意。通俗化程度的提升一方面扩大了潇湘八景的影响力,但是同时也会对其传统表现形式之继续维持产生必然的冲击。[37] 14世纪以后此种通俗化的发展更甚,潇湘八景相关图绘的表现形式之变化更巨,皆因应各自情境变化而进行调整。当韩国与日本开始受到潇湘传统的吸引,进而图绘自己的八景图时,这种因时因地制宜的变化便扩大到整个东亚区域。

四、潇湘八景图的东传韩国与朝鲜八景图传统的初建

潇湘八景图东传高丽的时间很早,大约在12世纪初期,距离宋迪始创不过半个世纪时,高丽已经通过外交途径接触到这个当时在北宋上层社会中颇受欢迎的题材。上文《画继》中邓椿所赞美无流俗习气的画家王可训很可能是这个东传过程中的桥梁。据《高丽史》的记载,1124年高丽入宋使节团中有画局画家李宁,因画艺受宋徽宗赏识,命画院待

诏王可训等四人从之学画。[38] 王可训当时作潇湘八景既已知名,他与高丽画家李宁的接触,应给予对方一个对当时北宋末期各种流行的潇湘八景图,甚至原藏徽宗内府之宋迪八景图进行学习的绝佳机会。史书中虽未记载其中详情,12世纪初期在中国上层社会中流行的潇湘八景诗画通过如1124年入宋使节团的管道而传入高丽,此事之可能性极高,因此被学界普遍认为系高丽接触潇湘八景传统之始。李宁既在潇湘东传高丽过程中扮演了重要角色,他自己是否曾作八景图,却无史料可征。倒是他的儿子李光弼曾在1185年参与了国王明宗所主导的摹写高丽文臣应命制诗的潇湘八景画,这或许从侧面指示李宁家族拥有八景图绘的相关资料的可能性,其中如包括了一些来自北宋者亦不让人惊讶。明宗1185年所制之潇湘八景诗画也很值得注意。此举不但系高丽潇湘八景图在史上的首度记录,而且具体显示了高丽王室刻意仿效徽宗宫廷中诗画互动之作为。本事具载于15世纪前期成书之《高丽史节要》中,也有《高丽史》相似记载的印证,[39] 可信度很高,可惜所载简略,既未对此八景图作进一步描述,亦未及就应王命而制诗的文臣究竟为哪些人,其诗之内容如何等事有所交待。因此我们对于李宁、李光弼等高丽潇湘八景画的初始形象只能停留在十分朦胧的层次,它们是否与上文所试图勾勒重建的潇湘图式有关?研究者对之几乎束手无策。

　　高丽时代潇湘八景图的作品现已完全绝迹于世,留下来的只有文人李仁老(1152—1220)及陈澕(活跃于1200年左右)所写的两组《宋迪八景图》诗作。他们的诗作会不会是来自1185年的那次诗画制作?附在陈澕文集《梅湖遗稿》之《梅湖公小传》中虽采肯定态度,以为陈澕当时以稚龄参加,"亦作长篇,气格豪壮,与李大谏仁老诗俱为绝唱"。然而,"小传"撰写的时间晚至18世纪,所言以稚龄而参加如此重要的宫廷集会,似乎不太可能,学者故而对于陈澕之诗与1185年事的具体关联甚表怀疑。[40] 李仁老之诗亦如是,毫无资料可供确认其系属明宗命文臣制诗的部分。对这两组诗作的另一个看法是二人出使金朝时因见宋迪八景图而赋成。李仁老使金事在1182年,陈澕使金则在1209年,两人都到过中国,而在使金期间见到宋迪之八景图也有可能,[41] 虽乏进一步史料可供确认,且无法完全排除两人系据惠洪的潇湘八景诗而赋就的另种可能,此说仍然具有一定程度的吸引力。不过,如果李、陈二人的八景诗真的是针对他们在中国所见的宋迪画(或其有关作品)而作,那么这些诗作对我们最想知道的高丽潇湘八景图之早期样貌,也就无法提供什么帮助了。

明宗授意文臣与画家制作潇湘八景诗画一事意味着高丽潇湘八景图之初起与其宫廷文化存在着密不可分的关系。文臣虽然参与其间，国王才是主导，而其最主要的动机仍在于仿效较早的北宋宫廷之风雅气象，那显然是宋朝在东亚世界中一个最突显的形象。在此状况之下，早期高丽潇湘八景图的绘制会取法北宋的宫廷风格，似乎是理所当然。然而，这个推测虽然合理，却没有高丽的早期山水画作品可供验证，关心此问题的研究者只能从更晚的15世纪图绘资料中试图进行往上的回溯。在15世纪的资料中，世宗第三子安平大君（1418—1453）聚合文士与画家完成的《匪懈堂潇湘八景诗画卷》最引人注意。这个制作是1442年安平大君从明周宪王朱有燉（1374—1437）所刻的《东书堂集古法帖》（成于1416年）中，发现宋宁宗（1198—1224在位）的八景诗，故"而因想其景，遂令榻其诗，画其图"，接着又取高丽时代李仁老、陈澕之八景诗系之，"又于当世之善诗者，五六七言以歌之，学佛人两千峰亦诗之"，总共邀集了十九位当时朝鲜诗人题咏而合为一卷。此诗画卷现在只剩诗卷部分存于首尔的中央博物馆，图绘部分则已亡佚，仅能自文字中想象。[42] 不过，由诗卷中仍可知此1442年的盛会不但具有再生宋宁宗潇湘八景诗画之意图，亦可见安平大君加入高丽时代李、陈二人的潇湘组诗，作为其时名士题咏的先导，大有建立朝鲜自身潇湘诗画传统之用心，遥与1185年明宗之制相互辉映。在安平大君的心目中，李、陈二人的诗咏可能即被视为明宗文臣之作的代表，而他自己命画家所制的图绘应亦有意承继1185年者才是。安平大君当时最器重的图画署画员安坚在1447年为他绘制了《梦游桃源图》【图3-24】，即是以北宋11世纪末宫廷画家郭熙的风格语汇完成的，如视之为15世纪中期朝鲜宫廷山水画风格的代表，实颇为合理。[43] 那么，安平大君主导完成的八景图即使无法立刻归之于安坚，它之具有如安坚的郭熙风格，就可说是顺理成章的推断了。1442年安平大君此事如放在当时东亚文化的脉络中来看，还可有另一层意味。大君本人当时已为朝鲜文化界中之代表人物，其书法作赵孟頫体，尤闻名于国内外，当1450年明使倪谦入朝鲜时还特别求取手书带回中国，作为朝鲜文化高度发展之见证。[44] 安平大君一方面再现宋宁宗八景诗画，一方面祖溯高丽的明宗故事并重兴之，看起来正是展现其文化成就的有意之举。1442年在中国为明英宗正统七年，其时明朝之宫廷绘画虽仍承宣德之余势，维持着一定程度的

3-24　朝鲜 安坚《梦游桃源图》(局部) 1447 年 奈良天理大学中央图书馆藏

蓬勃，但对于宋代宫廷所好之诗画互动却少有兴趣，潇湘八景诗画的制作也未有引人注目的表现，相较之下，沉寂之态颇为明显。安平大君在此时行其盛会，不能不让人怀疑他内心存在着向中国宫廷竞胜的意图。

　　安平大君《匪懈堂潇湘八景图诗画卷》的图绘部分虽已不存，但传世仍有一些可定在 15 世纪中期的朝鲜八景图作品，可供理解安平大君如何建立/再兴其自身之八景诗画传统。在这些作品中，幽玄斋旧藏，上有"安忠"印的一套《潇湘八景图》和大和文华馆收藏的《平沙落雁》、《渔村夕照》双轴，因为仍保有来自郭熙风格的空间与空气描绘，被认为最为古老而定在 15 世纪中期，即安坚的活跃时段。由于现存大和文华馆的两件立轴上图像的安排与幽玄斋旧藏者如出一辙，大和文华馆的双轴应该是原为八景图的残留部分。虽然残缺，但原本这两套作品之间极有可能存在着密切关系，此亦已为学者指出。[45] 本文则希望在此基础之上进一步观察这两组朝鲜早期八景画的图绘方式与中国 13 世纪以前所发展出来八景图式间的同异，以厘测朝鲜宫廷运用八景图作山水画的一些考虑。

　　幽玄斋藏的潇湘八景图与中国原有的八景图式基本上还保留了必要的关系。浓重的烟岚水气、中景的主角位置以及焦点物象的处理，两者

3-25　朝鲜《潇湘八景图》之《山市晴岚》"安忠"印 幽玄斋旧藏 韩国坤月轩藏

都可见相通之处。如以《山市晴岚》【图 3-25】为例，山市在右方中景的安置即清楚地显示了它与王洪卷该景的关系，两者来自同一图式的可能性很高。然而，幽玄斋旧藏本此景在左方烟气迷漫之中者为远山，却无王洪本的广阔水面，显然对中国的图式作了修改。相类似的现象亦见于幽玄斋的《洞庭秋月》【图 3-26】一景。原来"洞庭秋月"一景的观赏对象有二，一为洞庭湖景，二为秋月之夜，不论以何者为先，有宽广的水域来呈现此独特意象似为必要之举。但幽玄斋本此景之水域却很局促，且被分割成几小片，似无视于原图式中水域之重要地位。另一幅《平沙雁落》【图 3-27】亦是如此，虽有雁落平沙，但沙洲已不在苍茫的大江之中。这些修改似乎意味着八景图式中的宽广水域对这位朝鲜的潇湘画家来说已非属必要。或许因为地理上的潇湘距离朝鲜太远，也不够具体真实，故而自然忽略了来自潇湘地景之大片水域元素的重要性？另

第三章　胜景的化身——潇湘八景山水画与东亚的风景观看　｜　105

3-26　朝鲜《潇湘八景图》之《洞庭秋月》

一个重要因素在于幽玄斋本的特殊形制。它们皆画在方形绢上，各幅长二十八点五厘米，宽二十九点八厘米，与王洪者之横幅画面差别很大，基本上不易留出大片的空白水域，否则必然挤压到其他物象的描绘空间。画家在此确实先行作了选择，小而方正之形制的选择让这位画家舍弃了八景图式中的大片水域。

牺牲大片水域还意味着画家对其他物象的较为关心。这便牵涉到朝鲜画家（或如安平大君的那些赞助人）如何理解潇湘八景的基本问题。回过头来再看幽玄斋本的小正方形制，它的尺寸在中国应属册页的规格，与现存中国14世纪以前八景图几乎全属横幅或手卷的形制大为不同。朝鲜画家在此为何选择这个特殊形制？从幽玄斋本与大和文华馆之《平沙落雁》、《渔村夕照》的亲密关系（讨论详后）来看，一个合理的推论是：幽玄斋本应为朝鲜画家作八景图的画稿，有时也称作画谱或画帖。

3-27　朝鲜《潇湘八景图》之《平沙雁落》

画家所使用的画稿通常来自对画作原迹的临摹、学习，进而缩小编辑成册，尺寸大约在三四十厘米，以供日后制作相关图绘时参考之用。幽玄斋本的八景图看来就是15世纪中某朝鲜画家学习、整理高丽时代所制，甚至是高丽画人学习中国制作的八景图资料后，缩制而成的一套样本。因为要缩制成三十厘米见方大小的图册，以便于携带、使用，画家割舍了原来八景图式中适合由横幅长卷处理的大片水域元素，而将重要物象设法排列在方形的构图之内。那么，在舍弃水域之后，哪些物象才是八景的主角呢？如看《渔村夕照》【图3-28】一景，画家显然最用心于描绘生动的渔村活动形象，然后在前后配上松树、山体与山棱线上的旅人。《平沙雁落》【图3-27】则以雁落为主角，而在前后配上近景坡岸、楼阁与远方的山体。如此的选择在在都表示了画家对八景的理解较为注意各景的主角物象部分，而较未及于各景标题完整形塑的意境，那是原来图

3-28　朝鲜《潇湘八景图》之《渔村夕照》

式中大片水域之所以不可或缺的道理之一。潇湘八景基本上是一种风景观看的框定，但是，如何框定却可随时空人文而产生变化。幽玄斋本八景图所展示的即为15世纪中朝鲜的不同框定，也可视为八景图的一种新体。朝鲜的潇湘八景图自此之后即偏重于以主角物象进行风景的观看与胜景的图绘，与潇湘意境的直接联系则产生明显降低的现象。

五、15与16世纪潇湘八景图在朝鲜的发展

幽玄斋本《潇湘八景图》不仅透露出朝鲜理解中国八景图的特殊角度，它之作为画稿的性质，也对15、16世纪朝鲜制作的八景图产生了不可忽视的一种框定作用。在现今保存下来的朝鲜山水画资料来看，15世纪中期以后的作品数量渐多，其中许多作品在其漫长的流传过程中虽然最后都演变成作者身份不明，主题标示不清的无名氏《山水》，但是经过学者依据如幽玄斋本这种标题仍存之宝贵资料的比对研究，皆可以重新取回它们潇湘八景图的身份。[46] 对于这些15、16世纪朝鲜山水画

的重新认识,不仅有助于我们对潇湘八景图这个主题在朝鲜发展的认识,而且就八景图绘模式与整个朝鲜山水画间关系的理解,也提供了重要的参考信息。

最能表现幽玄斋本画稿作用的资料当数现存日本奈良大和文华馆收藏的《平沙落雁》与《渔村夕照》二轴所代表的一套 15 世纪中期之八景图。由仅存的这二轴来看,这套八景图山水与幽玄斋本的物象安排十分接近。例如《渔村夕照》【图 3-29】一景在近景左方作渔村及渔人活动之描写,右方置入一较大之庄园等处理都大致相同,连中景水边山坡上三个行人身影,远景中央独立峰顶上之寺塔等较不常见的细节也皆一样。二者间最大的不同在于尺寸形制。图 3-29 的这件作品高六十五点二厘米,宽四十二点四厘米,高度超过幽玄斋本的两倍,已是一种直式长方形立轴的形制。从这个尺寸来推测,它原来可能裱成挂轴,或是立式屏风中的一屏,而非如幽玄斋本的画稿册的形式。虽然原传为安坚之归属不易从风格上的特征与品质得到确认,但这件《渔村夕照》立轴仍可看到安坚一系风格的表现,而且在从画稿扩大的构图处理中也清楚地注意呈现近、中、远景空间的差异,可以推定制作年代应去幽玄斋本不远,而且系由属于同一系统,可以接触且使用该画稿的画家所为。这位画家在扩充画稿为立轴时,显然有更清楚的作品意识。对他而言,渔村形象自是主题表现所系,大致上紧守着画稿的提示,但在上方远景的描绘上则予以更多空间的暗示,不止扩大了天空的比例,且在远山轮廓上作了层层后退的安排,并在最后抹上一层淡红的色彩,以呼应标题中的"夕照"之意。除了远景的调整之外,立轴垂直轴线的强调也值得注意。中景独立山峰与前景上有巨松的岩石遥遥相望,形成对上下轴线的有意提示,后者尤其是所谓李、郭风格的固定形象,熟悉郭熙《早春图》的观众必然可以立即辨识,那也可以说是立轴山水画最早发展出来的结构元素。

针对山水立轴垂直轴线的关心从另件原传安坚的《烛寺暮钟》【图 3-30】立轴作品中也可以观察到。此图标题"烛寺暮钟"显然来自八景中"烟寺晚钟"的变化,[47] 可能是原来八轴一套中的残存,但也不能排除自八景中变化而成独立山水立轴的可能性。它的尺寸高八十点四厘米,宽四十七点九厘米,比图 3-29 者更高,因此可以看到画家在垂直轴线上作了更有意识的调整,以因应其狭长的画面需求。其中最引人注目的是从立轴下方中央一直往上延伸至中段正中部位的奇矫崖

3-29 （传）朝鲜
安坚《渔村夕照》
奈良大和文华馆藏

体，它们是画中描绘得最为用心的焦点，不但细节最丰富，技法的变化最多，崖体石块的轮廓及分块亦刻意制造极度扭曲的效果，应是意欲引起观者惊为鬼斧神工之叹。如此中轴在经过一段烟气掩映之后，又在上方远景的高山段落进行延续，直立峭峰尤在顶部添加了怪异的变体，在淡墨染出之更远山体的衬托下，看来更显神奇。有趣的是，"烟寺晚钟"的主角物象"烟寺"却缩在中景右端一角，在中轴奇矫形体的强势主导下，几乎隐形不见。画得比较清晰而易吸引目光的寺院建筑倒是被安排在近景的崖顶之上，但无烟气笼罩，或许意在交待已经修改的标题"烛寺"。无论如何，这似乎意味着潇湘意象在图绘中把主角地位让给了奇矫造型的山体，如"烟寺"那样的意象已经降格成与舟船、桥梁相去不远的点景母题。从八景图绘的发展历史来看，这是否代表着朝鲜时代早期不同于中国的一个新变？如此向观众展现令人惊奇形象的山水画在

3-30 (传)朝鲜
安坚《烛寺暮钟》
奈良大和文华馆藏

15世纪后期于朝鲜的出现对当时东亚的山水画发展而言,又有什么代表性的意义?

如果将《烛寺暮钟》视为独立的山水立轴,其特殊表现实非孤例。现存纽约大都会艺术博物馆的一幅新标为《洞庭秋月》【图3-31】的山水立轴基本上也出现了与《烛寺暮钟》相似的状况。此轴高八十八点三厘米,宽四十五点一厘米,尺寸与大和文华馆立轴相去不远,原来归为安坚之作,最近虽有学者认为其画法与安坚出名的《梦游桃源图》有相通之处,故建议可以接受旧有的作者标名,[48] 然而,如果观者仔细分析此轴岩块奇矫造型的画法,似乎较之15世纪中之安坚更为强调轮廓的奇幻变化,将之订在与《烛寺暮钟》同时或稍晚的约1500年左右,或许较为合理。就它的标题重订为"洞庭秋月"一事,可以确实依据的线索并不多,至多就仅有前景烟气中一座较特别的建物,或可连结到洞

3-31 （传）朝鲜
安坚《洞庭秋月》
纽约大都会
艺术博物馆藏

庭湖畔城上的岳阳楼，余另有一泊岸之小舟与较大的水景，秋月形象反倒不易发现。不论这个新标题是否适当，这幅山水立轴的焦点已经移到垂直轴线上的山体，烟气中的前景则似乎只是配角而已。画中焦点的山体由中景的两块奇崖构成，再往上连接到高耸的山峰，造型奇特且有强烈的动势，尤其是中央的崖体，特出之以侧面角度以突显其奇幻而令人惊奇的轮廓，而与后方山峰左侧的怪异缺口互相呼应，共同形成一种逼人的幻奇形象。这些特异造型的山体使得整件作品的中轴取向更为突显，并在前景水涯烟气的对照下，产生一种似乎飘浮在空中的幻觉。如此特殊效果的山水画可说是《梦游桃源图》那种梦境般的，以仙境山水为基调的进一步发展。它固然还保留着中国李、郭派山水画的一些因子，但其奇幻倾向却与中国 14 世纪以后作李、郭风格之山水画存在着本质性的差异。[49] 如果将之视为朝鲜山水画自 15 世纪后逐渐形塑出来的自我特色，应属合理的论断。当潇湘八景的图绘与这股朝鲜山水发展的潮流相会时，潇湘意象也渐渐地被吸纳入其中，成为奇幻山水的部分。

除了将八景分别立轴化之外，16 世纪朝鲜制作的潇湘八景图还清楚地留下了喜爱屏风形制的现象。现存尚有两组屏风形制的朝鲜潇湘八景图，一为广岛大愿寺藏《潇湘八景图（附尊海渡海日记）屏风》【图 3-32】，另一为有金玄成 1584 年题诗的《潇湘八景图屏风》【图 3-33】，原为地方大名毛利家旧藏，今藏九州国立博物馆。因为附有日僧尊海亲笔书写的日记，可知大愿寺屏风是 1539 年日僧尊海奉大内义隆之命前往求取高丽版一切经时自朝鲜取回日本的作品，屏风裱装尚存原样，殊为难得。[50] 从这组屏风来看，分作八轴的八景山水除了维持上述立轴结构而扩充山体的垂直分布，时而突出岩块之特殊造型外，屏屏相连之际还作了构图上的搭配。这个结果会将原来只占构图半边的空白与隔邻的另半边空白合成一个较大片面积的水域，可以补救长形立轴各自水域表现受到限制的缺点。由于较早的立轴已不知是否亦为连成八扇屏风的形制，此种两两搭配的构图设计是否出现得更早，实无法确知。不过，这似乎在 16 世纪早期已经颇为流行。有金玄成题诗的《潇湘八景图屏风》也很清楚地作了这样的设计。这可以说是朝鲜人士将潇湘八景图绘到他们所喜爱的屏风形制时所作的一种图式调整。中国方面则几乎看不到作屏风形制的潇湘图绘。

以 1539 年为制作下限的大愿寺屏风高度为九十八点三厘米，比《烛寺暮钟》还要高出近二十厘米，各屏皆可视为一单独的直立式画轴，因此不难想象在制作时有必要因应这个长方形画面的需求，尤其是以较

3-32　朝鲜《潇湘八景图（附尊海渡海日记）屏风》1539年 尊海赞 广岛大愿寺藏

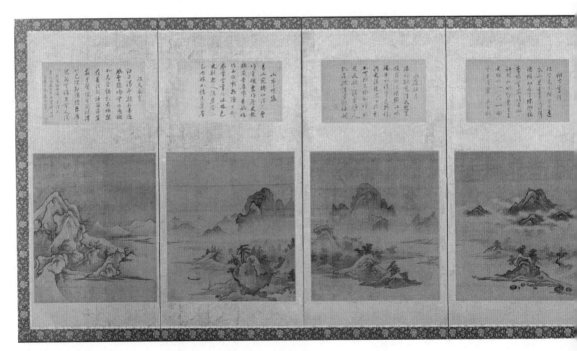

3-33　朝鲜《潇湘八景图屏风》1584年 金玄成赞 毛利家旧藏 福冈市九州国立博物馆藏

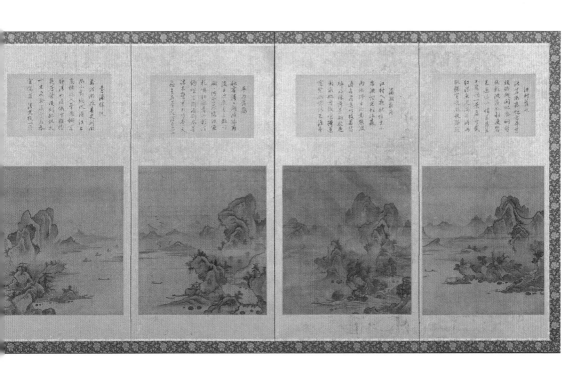

第三章　胜景的化身——潇湘八景山水画与东亚的风景观看

3-34 朝鲜《潇湘八景图（附尊海渡海日记）屏风》之"江天暮雪"

小的册页形制之画稿作基础时。大愿寺屏风应亦有画稿为本，虽无法百分百确认，但其画稿很可能颇为接近现存首尔国立中央博物馆的《潇湘八景图册》。如果比较两者的"江天暮雪"一景【图 3-34、3-35】，最前方巨岩加大树、中段崖体树木及屋舍、后方山体斜坡之交叉与谷中远树之安排，皆基本一致，只不过大愿寺屏风的画家进一步地依垂直轴线的方向作了由下往上的调整罢了。原来图册中的构图模式对于山水空间的深度表现实未有明显兴趣，反而重在经营物象由前至后一种左右交叉的平面性配置，大愿寺屏风的画家并未改变这个原则，而只将构图拉长，加大各个物象的倾斜角度，而使画面依垂直轴线而展现的交错动态更加突显。中央博物馆的《潇湘八景图册》原来亦归为安坚之作，现在经由

3-35 （传）朝鲜
安坚《潇湘八景图册》
之"江天暮雪"
首尔国立中央博物馆藏

学者仔细考察其笔墨已有"短线点皴"的画法，故而咸认应是16世纪初期安坚派画家的作品，与大愿寺屏风的实际制作时间相去不远。[51]它虽然也标名为潇湘八景，然与幽玄斋本相较，已有所衍化。除了保留"落雁"、"秋月"、"归帆"等八景中原来的主角物象可供辨识外，画法风格上已经不再严守李、郭派的范围，加入了较多朝鲜山水画15世纪以后接受的中国浙派山水的元素。这意味着潇湘八景画稿本身也在进行着变化，在它的过程中，被动地传承早期画稿的程度很低，反而自由地吸纳了朝鲜山水画中的许多新元素，而形成如中央博物馆本的八景画稿的新样。大愿寺《潇湘八景图（附尊海渡海日记）屏风》与九州国立博物馆《潇湘八景图屏风》两者都代表了来自于这种16世纪新样画稿之制约作用下的产品。

16世纪朝鲜潇湘八景图屏风在制作上与画稿传统的紧密关系还有另外一层意义值得特别注意，那便是朝鲜在地风景于此关系中的缺席。如果我们回到中国方面来看，类似14世纪中吴镇《嘉禾八景图》那种仿效潇湘八景来框定在地风景，形成图绘的现象，基本上不见于朝鲜的八景山水画中。高丽时代的文士们固然早已仿效潇湘八景的模式"发现"了在地的八景，如指称首都开城附近胜景的"松都八景"，[52]但是这个景观文化的发展似乎以文学题咏为主，少有形象图绘之搭配。换句话说，潇湘八景对朝鲜在地八景的启发作用主要在于概念层次，而未及于风景观看的形象层次。韩国在地八景与潇湘八景间的关系主要聚焦在"秋月"、"夕照"、"晴岚"、"暮雪"、"夜雨"等与时间气候相关的自然现象，再加上当地地理名称以示区别。"松都八景"中如"西江月艇"、"黄桥晚照"的标题便与潇湘中的"洞庭秋月"、"渔村夕照"呈现着这种符号性的引用关系，而在其主要的文学题咏中，原来以朦胧凄迷为主的潇湘意象则似乎为韩国在地景观逐渐取代，遂形成一个与潇湘八景有别的发展路线。韩国地方八景既自成一系，其形象也没有跨入潇湘八景图绘的系统之中。对15、16世纪的朝鲜人士而言，潇湘八景图似乎不以胜景图的性质为要，而属于理想自然意象山水画的一种。这大概是其潇湘八景山水画流行中在地风景一直未有涉入的主要原因。如此现象要等到17世纪以降"真景"成为朝鲜山水画中重要主题之后，才有基本的改变。

六、15世纪日本对潇湘八景图绘的接受与运用

潇湘八景图传到日本的确切时间不明，学者们大致都同意可能是在13世纪时随着中国渡日禅僧而在日本的禅林文化中出现的。[53] 牧溪、玉涧的《潇湘八景图》进入日本收藏亦在此同一脉络发生。这个潇湘八景图与禅林的渊源关系可以说是日本的特殊现象，尤其在与朝鲜之以宫廷、官员文士为推动主力的情况相比，更显突出。从许多方面来看，禅林中人在当时日本由中国输入文化物品的工作上扮演着最主要的角色，除了有渡日华僧之外，赴华日僧之人数也不少，双方除了宗教性的交流之外，其他文学、艺术的互动亦十分频繁。日本僧侣也因为掌握着驾驭汉语文字之能力，在此文化接触的过程中成为最佳的中介者。就潇湘八景这个项目而言，又因为在中国原来的发展中早就牵涉像觉范惠洪这种重要的禅僧在内，更加深了其中的禅门渊源。

日本现存最早的潇湘八景图是14世纪初由一位名叫思堪的画家所作之《平沙落雁》【图3-36】，它应该是原来八轴中仅存的一幅。思堪的身份及经历不详，但此画上有1299年渡日华僧一山一宁（1247—1317）的题诗，可以确定是在1317年之前就已经完成的作品。一山一宁的题诗除了赋予此画一个大致的年代外，也显示了这个潇湘八景图在

3-36 镰仓 思堪(印)《平沙落雁》 一山一宁赞 私人藏

第三章 胜景的化身——潇湘八景山水画与东亚的风景观看 | 119

日本发展初期与禅林的密切关系。[54]从画面上来看，画家思堪可能没有受过很好的绘画技巧训练，树石与山峰的处理都显得过于单调，物体之间结构关系亦乏交待，只将各个母题独立地安置在构图中的不同部位。他或许是禅门中的业余画家也说不定。不论如何，《平沙落雁》一图的稚拙表现却包含着丰富的历史信息。它除了作为日本室町时代水墨山水画发展初期的古老遗存外，还透露出当时由中国移植这个新画科时所经历的一些痕迹。画中各山水母题之所以呈现结构松散的现象正是一般被动地学习画稿的结果；学习者在起步阶段通常将注意力集中在各种物象的摹仿，无暇顾及个体间的结构关系。相较于画中树石山峰的单调平板，画中的落雁母题则显得颇为讲究，雁群不仅作了三个连续转折队形，而且近大远小，相当有效地借由雁群的飞行方向表现了一种空间的深度。但是，落雁母题的空间意涵却是孤立地存在画面中央，而未与左右山峰的处理有相应的搭配，因此无法更积极地说明落雁的来去究与山峰有何关系，甚至对雁落之处的"平沙"位置也交代不清。这些观察告诉我们，落雁确为画中主角，画家思堪因之自画稿中移来时最为用心，其他物象以及整体意境则仅属配角地位，并未得到充分的重视。《平沙落雁》一图所据的画稿为何，固然已邈不可得，但其雁群的技巧表现与居画面中央之特定位置皆与向来"平沙落雁"的图式相合，可见与画稿必有关联。至于画中其他母题搭配之缺乏一般章法，或可视为思堪的随兴之举，一方面透露出他的业余性格，另一方面或也表现了他面对画稿时一种不同的、可称之为不受规范的态度，这也不禁让人联想到禅门中破除表面规范的文化特质。思堪的这种态度到底有多少代表性？由于室町早期潇湘八景图绘资料除此单幅外几无留存，这个问题现在尚无法作更进一步的探讨。不过，思堪面对画稿时所表现的随兴态度似乎与室町时代较后期画人以一种自由的方式开展他们潇湘八景图绘的现象颇有相通之处，值得我们特别注意。

　　思堪的《平沙落雁》虽然只是幸存的部分，但仍可据以想象14世纪时潇湘八景图在日本五山文化中作为一个流行题材的状况。在那个以禅僧为主角的文化作为中，如潇湘八景这种来自中国的诗画课题一方面是表达回归自然的禅余墨戏，另一方面也是展现文化修养能力的手段。两者都具有某种强调"游戏"的倾向，因而产生对原来范式的刻意变化和巧妙运用。思堪的画看来稚拙，但也可说是对原来图式的有意变化，只保留了落雁母题，而将潇湘的绝美水景换成山水画中常见的坡岸之景,以对照、突出主角落雁之"岂止稻粱谋"的超越意象,那则是在一山一宁的赞诗中要表达的意涵。在如此的表意脉络中,落雁不再是自然界中单纯的候鸟,季节性的迁移只是谋求"稻粱"的生理需求,而成为画家与观者共同的心灵投射,改变了平凡山水的意涵。在这个变化运用中,落雁母题不但是观众视觉的焦点,而且是富含意义的形象符号,用来创造山水画的人文表现层次。思堪的其他七景图绘,现在虽已无法得见,应该亦有如此对主角母题的积极运用,而它们也成为山水画中得以自由运用的形象符号。14世纪为日本水墨山水画开始发展的阶段,与潇湘八景图的流行在五山文化圈中正属同步,八景中如山市、渔村、烟寺、归舟等景物形象的符号化此时便提供了山水画画面上所急需补充的形象内容,好似丰富诗歌内容层次的各有来源、各具文化累积的语汇使用,在画面上表达五山文化成员意欲超越俗世纠葛,回归自然本体的心志。

潇湘八景主角母题的符号化,或山水语汇化,即是推动室町潇湘图绘产生众所周知的"多景同图"特色之基本脉络。[55]由于八景原来就与潇湘地区特定时间、气候的风景观看相关,图绘时本以一景一图为常态,构图上是否连续或分割的考虑则只是次序的调整。日本室町的"多景同图"则取消了一景一图的原则,也意味着对八景时间条件制约的解除。在这个变化的过程中,八景的主角形象从原来的时间节气等自然环境条件中被抽离出来,成为以人文意涵为支撑的绘画语汇,因此得到了更高的、适合各种场合使用的自由度。一旦完成这个转化过程,来自不同景的标题形象便可以被自由地组合在同一画面中,随画家或赞助者的需求,以多景同图的方式作成四幅一组或对幅式的潇湘图绘。如此变化运用的现象可能在日本初接潇湘意象不久之后,即快速地出现于五山文化之中。禅僧雪村友梅(1290—1346)在他的《岷峨集》中便收了一组潇湘八景题画诗,诗中就是将"远浦归帆"与"渔村夕照"、"烟寺晚钟"与"山市晴岚"、"潇湘夜雨"与"洞庭秋月"、"平沙落雁"与"江天暮雪"两两相配,明显地系针对如此组合的四幅一组潇湘八景山水画而题。[56]另外,这四组匹配的最后两组明白地指向秋、冬两个季节,那么,前面两组会不会也有指向春夏季节的可能性?如果是的话,这四幅画就组成了一种四季山水的形式。15世纪中期以后,日本潇湘八景图绘常见与四季山水合流的现象,其源头大概就是如雪村友梅所题咏的双景一幅之八景作品。

多景同图的选择本身即是一种游戏，然而，此游戏的引人处还在于单一画面中如何融入多景的具体问题。雪村友梅所诗咏的画作可惜未能流传下来以供分析，我们不得不退求其次地依赖较晚的图绘来尝试复原制作那种多景同图潇湘山水的作法。15世纪后期的僧侣画家贤江祥启（活跃于1478—1506）所绘的《真山水图》【图3-37】便是一个不错的案例。此图明显地融合了潇湘八景中的四景在一个直立的画面中。"山市晴岚"出现在前景右侧，"渔村夕照"在中景，"远浦归帆"和"烟寺晚钟"则被置于远景之左右双侧。[57] 在这个安排之中，"山市晴岚"最合原来图式，依附在前景巨大松石之右方，十分醒目，可算是全画的重点。安顿好"山市晴岚"之后，画家选择以低平横列物象作平远的方式来交待中景以后的空间，"渔村夕照"等三景都是在此原则下搭配上去的。因为属于搭配，这三景都被简化至主角母题形象，"渔村夕照"剩下矶头岸边的曝晒渔网与离舟返家的渔夫，"远浦归帆"和"烟寺晚钟"便只留得归帆和烟寺，两者相对而横亘在渔村之后。对这三景的处理除语汇化之外，更有趣之处在于画家将代表渔村形象之矶头渔网拉成细长形状，延展至几与右方山壁碰触。归帆和烟寺似断实连，也形成另一横线，与渔村者作平行相望，另亦自然生出平远式的空间暗示作用。如此之物象结组安排，几乎与一般作立轴形式的山水画没有什么区别，只有当五山文化圈中成员在熟悉了潇湘八景的主角形象时，才能辨识出"渔村夕照"等三景的存在，进而赏玩这个潇湘图绘的变化之趣。换一个角度看，这也可说是一种将潇湘八景"隐藏"于山水画中的游戏，观者在辨识之际，除了"发现"潇湘之外，另亦展现了足以傲人的文化素养。

祥启本为镰仓建长寺之僧侣，曾在1478至1480年间前往京都师从将军的艺术顾问艺阿弥（1431—1485）学画，一般都认为他在此时也有机会观看并学习了将军家所收藏的一些中国绘画，其中即包括一件南宋夏珪所作的《潇湘八景图》在内。[58] 颍川美术馆的《真山水图》基本上就是使用了夏珪风格。他的潇湘山水画看来仍与思堪那个时代一样出自于五山文化的脉络中，在制成之后很可能也由画主邀请著名的诗僧为之赋诗。相应于图绘的多景同图游戏，此时之潇湘八景诗亦表现了游戏式的匹配。约和祥启同时的知名五山诗僧横川景三（1429—1493）曾记一友人持画扇来求题诗，扇绘虽称为潇湘八景，横川却识出"只有秋月、夕照、落雁、归帆四景耳"，故而决定以诗补其不足的四景。横川之诗可能写在画的上方或扇的背面，全诗作："景似潇湘四未成，以诗

3-37 室町
贤江祥启
《真山水图》
东京国立博物馆藏

补画意分明,江山日落雪为雨,只有钟声无市声。"[59] 它的末两句其实十分技巧,"江山日落雪为雨"以暮夜、雨雪之意象将"江天暮雪"与"潇湘夜雨"二景融合为一,接着,最后一句"只有钟声无市声"则未具体描述"烟寺晚钟"与"山市晴岚",然巧妙地以声音之有无暗示烟寺与山市之存否,其上接前句之夜雨意象,不但一点都不勉强,尚且另外赋予"只有钟声"的"烟寺晚钟"一个新趣。依横川之意,他的诗确及于画中所缺少的四景,以之补画,正是回到了潇湘固有的诗画结合传统。他的题诗故意不取各景一诗的正规形式,而将四景糅合在一首诗中,显然有意与绘扇作者之四景同图作法互相呼应,而且,他还将四景之指示浓缩在绝句的后两句,只以半首诗的篇幅即完成八景的补全,这就透露出横川与画家争胜的心态。如此的诗画互动可以说是此期潇湘主题表现中游戏性的最充分展演。虽然没有相配题诗的留存,我们仍可推想,祥启的《真山水画》就是在这种文化氛围中经过类似的操作过程所幸存下来的部分珍贵遗迹。

七、16世纪大画面潇湘八景图在日本之流行及其源起

多景同图的潇湘八景图绘在15世纪中后期的室町文化界中虽不能说是八景画的主流,数量上也不见得超过各景一图的作法,但实最能显示五山文化对这个中国主题的喜爱与游戏,因此也特别引人注意。与之相较,16世纪的日本潇湘八景图则另有表现,将这个中国胜景意象融入到生活空间之中,出现在大型的屏风与隔间的拉门(日本称之为"袄绘")上。它们与朝鲜的潇湘八景屏风的流行可能有些关系,但呈现上仍有特殊值得注意之处,尤其是创造了整个大画面的巨大山水空间,最为突出,为中韩现存潇湘八景作品中所未见,因此早为学界引为潇湘图绘日本化之指标。[60] 这个认识基本上固然不错,但对其所谓"日本化"的过程,却不宜只是强调其脱离中国之原型而取得可标示为"日本"的表现。如果将之置回当时制作与使用潇湘八景屏风或袄绘的文化情境中,"日本化"大致不会是时人的清晰意图,相对地,"中国"这个异域意象则以多元的方式显现在此原型转变的过程之中。对于这个大画面潇湘八景山水画的定位,因此仍值稍费篇幅进一步予以讨论。

若要对此大画面的16世纪日本潇湘八景山水图进行重新定位,在传世之作品中,相阿弥(?—1525)为大德寺大仙院方丈室所作之《潇

湘八景图袄绘》无疑是不可略过的资料。大仙院为京都大德寺第七十六世住持古岳宗亘（1465—1548）于1513年所建，其中方丈室中的东面四幅、西面四幅与北面十二幅山水画，据江户时期寺志记载，皆为艺阿弥之子相阿弥所绘。近年有学者注意到大仙院曾在1532至1555年间进行扩建，因此对北面十二幅是否为相阿弥原作提出了质疑的看法。[61]虽然如此，这个质疑在尚未得到学界共识之状况下，其余东西两面之作为相阿弥山水画代表作的意见仍被普遍接受。相阿弥此套作品之主题咸被认为是潇湘八景。[62]现在这八幅各长一百七十四点四厘米，宽一百三十九点四厘米的作品已由原来的袄绘改装成挂轴，但可据其构图分成两组，第一组四幅【图3-38】原在方丈室东面，分别描绘了渔村夕照、远浦归帆、山市晴岚，第二组四幅【图3-39】则原在方丈室西面，分别描绘了平沙落雁、洞庭秋月与烟寺晚钟。八景中另外的潇湘夜雨、江天暮雪两景则应出现在方丈室北面的那一组，但因残损后补之现象相当严重，可疑之处甚多，较少受到讨论。即使如此地不够完整，这件相阿弥的《潇湘八景图袄绘》仍然透露出丰富的历史信息。

首先为学者注意到的是相阿弥此作与中国画家牧溪《潇湘八景图卷》间的密切关系。不论是风中摇动之树木、水上小舟、舟中及岸上的小型人物，或是雾气中的岸边树林，以及渔村上夕阳余光照射下的空气表现等，都展现了画家对原藏在足利将军收藏中的牧溪原作曾经作过仔细的观察与学习。这对于担任将军收藏顾问及管理人的相阿弥而言可说再自然不过，他既有此特权亲炙这件名迹，也充分掌握了别人所没有的机会在自己的作品上加以发挥。除了牧溪作品之外，大仙院山水上远处的圆弧山体及墨点积成的树叶画法则为论者认为系对中国米芾、米友仁父子云山风格的模仿。足利将军收藏中虽然没有可以确定为二米真迹的作品在内，但相阿弥可能从其中一些元代作米氏风格的作品（如与高克恭相关者）进行学习，而与牧溪风格结合在一起。[63]不过，也有其他论者认为这些柔和山形与中远景树群的画法来自传统大和绘的模式，而与诸如《石山寺缘起绘卷》（石山寺藏）、《一遍圣绘》（清净光寺、欢喜光寺藏）、《山水屏风》（京都国立博物馆藏）、《华严宗祖师绘卷》（高山寺藏）等作品上所见者实相一致，因此可说是在当时"和"（日本）、"汉"（中国）区别艺术理念下一种新的"和"式水墨表现的作法。[64]后者的说法其实很有一种和汉融合的倾向，不再固执于过去和画系与汉画系泾渭分明的思考模式，很值得参考。然而，即使同意了中国牧溪的

3-38 室町 相阿弥《潇湘八景图袄绘》之东面 京都大德寺大仙院藏

3-39 室町 相阿弥《潇湘八景图袄绘》之西面

第三章　胜景的化身——潇湘八景山水画与东亚的风景观看

潇湘八景图绘并非是大仙院山水袄绘的唯一风格来源，相阿弥为何在居室空间的袄绘上舍大和绘的富丽色彩改取单色的水墨，并作出巨大而完整画面的潇湘山水画，却仍是一个让人忍不住要问的问题。

  大仙院山水袄绘以柔和的水墨所完成的巨大画面确实是一个引人注意的现象。它的各个幅面之间虽必须配合建筑结构之需求而有所切割，但其构图间却形成有意的连续，通过物象（尤其是坡渚）的切割与跨越幅框界线，并以中景水岸线与其上平行状云烟之重复出现，形成水平横向的连贯感，画家在这些多屏的切割之上实意在创造一个整体的画面。它在连贯之后所形成的远观下之平和而巨大山水空间，在整个东亚的潇湘八景图绘史中，几乎可说是前无古人了，不要说中国所保存的作品中没有足堪较量的八景图绘，连如广岛大愿寺八景屏风所代表的朝鲜系列式山水图绘，都因仍存各景独立成图之遗意，在整体感上无法与之比拟。那么，这个广大的潇湘意象会是相阿弥自己的独创吗？他有没有得到前人的启发呢？对这些提问，我们因为留存之作品所限，无法肯定地给予答案，但仍不妨就一些较间接的材料试图作一些推测。曾有许多学者试图从文献上来追溯这种大画面山水画的源头，指出《荫凉轩日录》在1458、1461、1462、1491诸年都在足利将军的不同居室空间中有潇湘八景袄绘的制作，意味着如大仙院的山水袄绘于15世纪下半已经存在的可能性。[65]禅僧横川景三在其《补庵京华别集》中也提到1483年足利义政将军移住新落成之隐所东山殿时，其中的常御殿室中便由御用画师狩野正信（1434—1530）"画潇湘八景于障子"作了室壁的装饰，横川等共八名诗文僧则为之各赋汉诗一首献上。[66]常御殿中的这些八景障子如果参考东山山庄建筑布局的重建研究，应该属于常御殿北面及西面可拆卸拉门上的袄绘，这似乎与大仙院山水袄绘的状况十分相近，两者间存在着某种传承关系的可能性，因此也极富吸引力。另外一些文献资料则指向大画面八景袄绘来自中国相关画作的可能性。据能阿弥之《室町殿行幸御饷记》，1437年足利义持为了接待后花园天皇，在御所的御泉殿中即布置了"御屏风·八景·曜卿"。[67]曜卿即为夏文彦《图绘宝鉴》中所记的刘耀，是一位14世纪中期善作马远、夏珪风格山水画之中国画师。[68]此为屏风形制之中国潇湘八景画在日本文献中的首度出现，而由其在将军接待天皇场合中所扮演的角色来看，这件刘耀的八景屏风在当时确实极受重视，可以视为15世纪时室町日本热衷追求南宋院体山水风格下的部分反映。[69]它如果成为后来日画家作屏风绘或袄绘时的学习对象,不能说没有可能。另外也有文献指向将军御府收藏中一些中国山水手卷作为源头的可能性。禅僧正宗龙统（1429—1498）在诗文集《秃尾长柄帚》中有《屏风画记》一文记及艺阿弥（1431—1485，能阿弥子，相阿弥父）曾根据将军御藏之"夏珪国本"的一件山水图卷作十二屏之《四季山水屏风》。[70]不过，对于艺阿弥如何将夏珪的手卷构图扩大成十二屏的山水结构，或者只是选取夏珪画上的母题予以重组，正宗龙统的报道并未提供进一步的线索，我们对于这件艺阿弥的《四季山水屏风》是否确已作出一个完整的通景大画面也实在无法肯定。上述所提诸文献资料在这点上亦都未明白指示，因此让这个大画面八景袄绘的溯源工作陷入胶着。

然而，上述文献资料的陈述还是大致为我们编织出一个大画面通景潇湘山水袄绘出现的文化脉络。文献中所提及的画家，不论是狩野正信或是艺阿弥，都属于为足利将军服务的艺术家，而他们的山水画所装饰的空间亦大部分为将军所使用的居室。类似东山山庄的常御殿内所布置的潇湘八景袄绘可以说是这些围绕着足利将军而制之作品的最佳代表。虽然常御殿的袄绘现已不存，但学者通过资料重建后仍可推想足利义政本人（及其访客）在天朗气清之日，坐此室中，身后环绕着八景山水，启门南望向庭园景致之情境【图3-40】。[71]义政此际看到的实是园中之水池，这片水景显然可以和他背后山水袄绘上的一片潇湘之效果相互呼应。如果从这个内外呼应的设计旨趣再行推测，狩野正信所制的八景袄绘很可能也呈现了一种广阔的空间，如系采用通景式的大画面，且以平远方式结构之，应该是最合理的选择。对于这个推想，现存东京国立博物馆的《足利义政像》【图3-41】意外地提供了珍贵的图像证据。此像绘义政中年貌，头戴冠，着正式黑色朝服，咸认为系他1485年出家前所制的寿像，时间大概与他命狩野正信制作八景袄绘的1483年相去不远。[72]画中义政坐于一组四屏的山水袄绘之前。由于只是作为像主的背景，这山水袄绘并没有被画家画得很清晰而完整，但还可以大致知其采马夏风格作了左右两边前景的松树、渔舟与楼阁，中间则以空白为主，加上一点隐于烟气中的楼阁，可能在稍远之后方尚有模糊的沙渚或远山。画家虽然未将袄绘全部呈现，而略去了最上缘的部分，但已足够让我们看出它确属通景式的山水构图，四屏之分并未使其各自独立。而且，它的景物安排亦以中央之水景为主，在左右两角前景的对照下，意图表现一个巨大而空旷的平远山水空间。我们固然无法进一步确认肖像

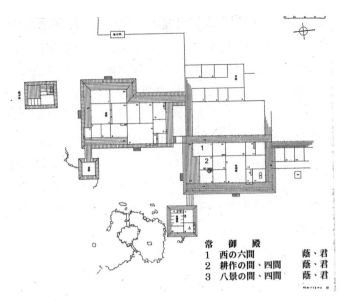

3-40 《东山殿复原图》(1～3 标示为本文作者后加)

画中的山水是否意在描绘东山山庄常御殿里的潇湘八景袄绘,但如果想象它们之间具有类似之表现效果,则一点也不让人惊讶。肖像画中的背景物件经常意味着像主心志之表达,画中山水的广阔平远空间正是义政所希企的超越尘俗之隐居世界,而那亦是他晚年投入许多心力在整个东山山庄所要建构的同一理想境界。

　　义政肖像画中的山水袄绘也让人想起 15 世纪五山文化圈中流行的,以楼阁山水为主题的诗画轴,尤其是在其平远式构图之表现上。在中国之山水画中平远构图最能彰显画家表达空间深度之意图,潇湘八景图绘的早期形象也以平远的方式来表示潇湘的浩瀚。在 15 世纪之京都,此种山水图式亦出现在禅僧经常赋诗其上的书斋隐居图之中,但简化成前景隐居隔着空白水面而与远方低平远山遥遥相望的三段式组合。作于 1437 年左右的《江山之隐图》(或称《江山夕阳图》,东京,私人藏)便是作如此处理。值得注意的是,赋诗其上的诗文僧经常对此种楼阁平远兴起与西湖有关之联想。如《江山之隐图》上瑞岩龙惺题诗即云:"山光水色映楼台,寺似西湖更有梅,两岸钟声振清梵,夕阳僧与钓船回。"[73] 如此的反应直至 15 世纪中后期都还常见于类似的楼阁山水图中,其中天游松溪所作之《湖山小景》【图 3-42】即可作为代表。松溪本人生卒、经历不详,只知是 15 世纪中继相国寺

3-41 〔传〕室町 土佐光信《足利义政像》东京国立博物馆藏

画僧周文的画人，亦善以马夏风格作山水。《湖山小景》也似《江山之隐图》，以马夏风格作左下角之巨岩大松，讲究的楼阁则处其右，以桥与中央坡岸相接，岸边二渔舟泊靠则点出楼阁中隐士的出世心志。几抹远山附带着平行后退的坡渚被安置在画面右上方，提示着空间的空旷远意。此图之上方还有东福寺僧翱之慧凤（？—1464/65）写的《湖山小景记》一文。文中特别详述了他本人在宣德末正统初期间担任赴明使节时在中国游西湖的记忆。[74] 翱之慧凤以其西湖记忆来作为《湖山小景》一图意旨的说明，正如瑞岩龙惺为《江山之隐图》的题诗一般，意味着这种有着空旷平远景观之楼阁山水与西湖意境间存在着密切的关系。足利义政肖像画中的山水袄绘其实也可视为这种平远构图楼阁山水的通景拼接或放大，由此而言，它的画意应亦与《湖山小景》的西湖之思有关才是。

以《江山之隐图》与《湖山小景》为代表的15世纪楼阁山水向来被认为是与将军关系深厚之相国寺派画家通过中国元代画家孙君泽及其后进者作品而习得的南宋宫廷山水画风格。南宋宫廷之山水画本来即与

3-42 室町
天游松溪
《湖山小景》
京都国立博物馆藏

西湖风景息息相关，相国寺派画家们的楼阁山水会以西湖之思为隐居内涵，实不难理解。不过，这个西湖之思并未仅止停在想象、比拟层次，还具体地落实在武家与禅僧共同建构的庭园文化生活之中。在14世纪中期之后，得到幕府大力支持的禅宗寺院开始带动新的庭园建筑，其中最有指标意义且影响最大的是国师梦窗疏石（1275—1351）所设计的西芳寺庭园。该园在本堂之外有池，池边有琉璃殿之两层式殿阁建筑，与其他建物间有廊相通，并使用了新引进的中国建筑元素，标志着与旧时代不同的禅寺庭园景观。此园完成后极受统治上层喜爱，三代将军足利义满即曾在1382年在此举行红叶之会，他的北山山庄（义满卒后改名为鹿苑寺）之庭园亦刻意仿效之，其中最出名的地标金阁即意在西芳寺的琉璃殿，也建在水池之边，开窗、门扉及斗拱等都使用了所谓的"唐样"【图3-43】。西芳寺庭园亦是足利义政东山山庄庭园的范本，其银阁建于池边，也采同一模式，虽然具体之建筑风格与金阁稍有不同。[75] 这些名园的池边建阁格式其实与当时之平远楼阁山水画如出一辙，都指向一种有水景的隐居空间；再加上楼阁形象本身都具有明显的

3-43　金阁寺实景　2009 年 方令光摄

唐风，此几乎可视为针对同一理念而作的两种不同艺术形式之表达。楼阁山水图中的楼阁描绘固然可以直接习自如孙君泽等人的作品，但有时亦来自于实际庭园中的殿阁建筑。例如《江山之隐图》前景水际楼阁上的开窗作连续圆弧之拱门形式【图 3-44】，正是如义满金阁三楼所见【图 3-45】，两者间的密切关系不言可喻。

3-44 （传）室町 周文《江山之隐图》楼阁细部 约 1437 年 东京私人藏

　　由此观之，《足利义政像》中的山水袄绘不仅可视为相阿弥大仙院山水袄绘所现宽广平和大空间的前行样式，而且还可上溯至 15 世纪早期已经开始流行的平远楼阁山水，并以当时新兴之有中国元素之禅宗式庭园景观中的隐居行为作脉络性的说明。在此之中，足利将军的角色至为重要，义政的东山山庄固以梦窗国师之西芳寺庭园为法，但也有刻意模仿祖父义满北山山庄之意，那是作为一个权势已衰的义政企慕其祖黄金时代的心理反映。[76] 他肖像画中的山水、东山山庄常御殿的潇湘八景袄绘，以及东山山庄池园的建筑，动用了不同的艺术家，完成了不同形制的作品，但都环绕着他的隐居理念，指向如西湖那样广大而美好的理想世界。1513 年建的大仙院之主人古岳宗亘虽非幕府将军，但其布置显然留有仿效东山山庄的影子，主持方丈室中装饰工作的相阿弥亦是将军身边"同朋众"的一员，扮演着实际沟通、传递幕府将军与禅寺僧侣艺术品味的角色。[77] 相阿弥所作的大仙院方丈室潇湘八景袄绘因此可

3-45 金阁三楼之开窗

以视为东山山庄常御殿八景袄绘的禅寺版。虽然一为将军隐所，一为禅僧居室，然两者皆具有同一种追求平静超越尘俗的隐居理念，并以如西湖之广阔平远为此理想世界的形象，通过居室中的障壁画来作为观想的手段。两者间的不同只在于风格细节之引用，大仙院的山水使用的是僧侣画家牧溪为主的云山一系母题及笔墨，并以乡间的渔村、山居代替了属于南宋宫廷风格的楼阁形象，似乎有意识地将后者留给武家权贵作为代表他们隐所的象征。类似于大仙院的大画面山水袄绘后来在禅宗寺院中一再地出现，例如狩野松荣（1519—1592）所作的聚光院《潇湘八景图袄绘》【图3-46】即其中代表。狩野松荣为正信之孙，系16世纪中期狩野派的主导；聚光院则为京都大德寺的附属寺院，1566至1580年代间由地方大名三好义继建来为追思其祖先之用。[78] 三好一家为足利将军式微之后诸多有权势的武家之一，他所赞助的松荣袄绘位于聚光院中接待室（称为"礼之间"）之西、北两面，当这些武士权豪坐在室中，

第三章　胜景的化身——潇湘八景山水画与东亚的风景观看 ｜ **135**

3-46 安土桃山
狩野松荣
《潇湘八景图袄绘》
京都 大德寺聚光院藏

身旁围绕着巨大的潇湘山水，他们代替了将军的角色，在禅寺的建筑空间中继续建构着一种超越而出世的理想世界意象。

八、潇湘八景图与日本风景的观看

　　大仙院或聚光院的大画面山水袄绘应该说是16世纪室町日本制作潇湘山水图绘中最为引人注目的明星。其他一景一图、多景同图的立轴、手卷或图册仍然以不少的数量延续自过去的传统，其中亦不乏佳作。只不过，相较之下，如大仙院、聚光院等的通景大山水对八景之运用显得更为自由而弹性，或者，甚至可说是将八景之代表母题隐藏得更为巧妙，将之更充分地"融解"至广大的平远山水之中。在此充分的融入之余，新的母题物象同时被加入，例如大仙院山水画中的瀑布与聚光院山水画中的水边岩洞都非八景原有。它们的添加意味着一种对通景山水画面所需之丰富性的更积极态度。在此态度之下，八景之代表母题便以一种代表"唐物"的文雅身份成为观赏这一片平远美景的起始切入点，引导着观者进一步去发现在远观之下全景山水仍未曾忽略的丰富内容。最后完成的通景平远山水形象以及其中表述的隐居出世之意固然是

目标所指，但是，潇湘八景却是这个意义生产过程中不可或缺的催化剂。从潇湘八景图绘之史而言，这可说是八景原来"框定"作用在16世纪日本时空中的新诠释。

以潇湘之八景为切入以导出画面山水表现之价值，这对于新题材之进入山水画领域尤其有利。在室町水墨山水画中，日本实地风景在16世纪时开始明显地与"唐物"中的中国山水一样，成为具同等价值之绘画对象，即可由此理解。如上文所论，八景创制之初实为潇湘风景之八个最佳效果的框定。在潇湘之外的他地风景，如果也能符合这些框定，便可取得等同于潇湘的价值，成为潇湘的化身。中国14世纪时吴镇新定的嘉禾八景，基本上即循此而来。日本室町时代亦有仿效潇湘胜景而定的风景框定，如近江八景、大慈寺十景等皆是。[79] 而就图绘表现而言，16世纪中出现的大画面日本胜景描绘竟与上文所述之潇湘八景山水袄绘存在着一种密切的关系，便十分值得注意。它们两者间的关系究竟如何具体落实到图绘制作之上？这可说是观察潇湘八景引导日本在地风景观看与呈现的绝佳机会。

最能够表现实地风景与潇湘八景图绘间亲近关系的作品当数传为能阿弥所作的《三保松原图》屏风【图3-47】。这是一件六扇式的屏风，

3-47 (传)室町
能阿弥
《三保松原图》
兵库 颍川美术馆藏

以水墨在纸上绘出现在静冈县三保地区的沿海风景,并施以少量的金泥,整体呈现出如大仙院相阿弥山水袄绘一样的广大平远景观。原来虽传为能阿弥所制,但实无可靠的证据。学者从风格上判断,咸认为是相阿弥之后的相阿弥派画家所为,这可以从屏风左边云烟中的寺院描写,几乎像是直接取自大仙院山水的"烟寺晚钟"部分,得到证实。[80] 该寺院即指清见寺,在图上与右方三保海滩上的一片出名的松林景点隔水遥遥相望。除清见寺外,屏风上尚有许多物象都与大仙院的潇湘景物十分接近。例如清见寺前方一处有栅门的村落即取自大仙院东面第一屏的"渔村夕照"的渔村,而松林右上方远处骏河湾中的两点归帆,也是大仙院山水中"远浦归帆"的借用。这些明显的潇湘物象在《三保松原图》上的引用,除了显示出其与大仙院山水袄绘间的传承关系外,也透

露了画家积极运用潇湘景观来引导欣赏三保松原风景的意图。画中呈线状水平横亘在中景的"松原"固然是屏风的主角,但几乎完全被包围在潇湘诸景意象之中,它本身的线状水平也与其他平沙、坡岸与远景的层层横向延伸之远山共同组成连串平行物象,成为有如潇湘之浩瀚平远整体中的一个环节。在一般的胜景图绘之中,地标性的景物总是单独地霸占着表演舞台的画面,而三保之松原在此屏风中则不然,不仅没有突显其主角地位,还刻意地融入到周围的一片潇湘之中。换句话说,当面对着这件屏风山水,观众只有通过潇湘八景才能看到三保松原风景之美。

其实,三保松原之景原是日本名胜富士山风景的部分,经常在富士山图绘中出现,但仅止于扮演着配角的位置。现存一作传为雪舟等杨绘的《富士三保清见寺图》【图 3-48】可以视为这种图绘的代表。此作

3-48 （传）室町 雪舟《富士三保清见寺图》詹仲和赞 东京永青文库藏

　　虽有雪舟款，并题有中国明朝文士詹仲和对富士山所赋的赞诗，学者泰半认为是在雪舟卒后据其富士山实景图所作的摹本，而由禅僧了庵桂梧1512年入明之时在宁波请詹仲和题赞。[81] 詹氏的赞诗称赞了富士山的雄伟美丽，并咏叹其仙女失去羽衣的神话传说，很合宜地回应了日客向他介绍扶桑胜景的美意，也作为来自中国文雅圈的品赏认可，有点类似中国高僧在日本僧侣肖像上题诗写赞的作用。而在这样的富士山写真画上，清见寺也出现在左下方，其右则是骏河湾与松原，松原亦作低平线状，但较短而未延展，都只能算是上方中央堂堂而立富士山的配角。在与此种富士山图绘相较之下，学者立即可以意识到今日所见之《三保松原图》应属原来成对屏风的残存，另外一只已佚屏风之上必定尚有富士山形象的描绘。果真如此，《三保松原图》屏风就是另只屏风上富士山主景的前导，旨在引导观众以潇湘的观看进入富士山的品赏之中。如此的品赏过程显然不同于雪舟的直接写景，亦不见于詹仲和的赞诗之中。

　　然而，通过潇湘来观看富士山风景的作法，并非独见于《三保松原图》而已，16世纪前期关东地区画家式部辉忠另有《富士八景图》（静冈县立美术馆藏）系列作品也作出了呼应。此作共计八幅，作立轴，画之上方有常庵龙崇（1467—1536）之题辞，故可推知必成于1536年之前。画虽作八幅，但构图接近，皆以富士山居中，再于下方安上不同的配景，意在描写在不同季节、不同时间及不同视点观看富士山之景，正如常庵龙崇在第七幅题辞中所言："富士山之逐时随处容色不恒者必

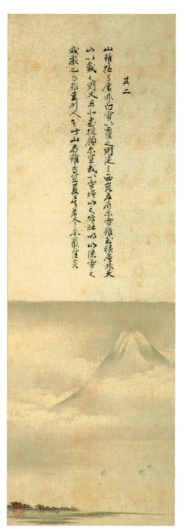

（左）
3-49　室町
式部辉忠
《富士八景图》之二
静冈县立美术馆藏

（右）
3-50　室町
式部辉忠
《富士八景图》之五

矣。"如此观看而得者实重在富士山容貌之变化，因此也就会蓄意去修改一般人心目中对此山的刻板看法。例如第二幅画【图3-49】作雪景中的富士山，题辞中即特别指出"以雪增山之雄壮，以山添雪之威严"，认为此山之冬景最佳，大大胜过地方人士向来珍爱的夏景。但是，题辞中虽然说明了富士冬景容貌之所以成为观看的选择，却丝毫未提及画中圣山之下的配景，那一处数抹平坡加上两只扬帆舟船的水景，明显地借用了潇湘八景中"远浦归帆"的意象。其实，潇湘八景的个别意象一再地出现在式部辉忠的这件作品之中，如其第五幅【图3-50】，富士山下亦配上潇湘的"平沙落雁"，可见画家确是刻意为之，绝非偶然。如此与潇湘八景的结合,一方面是为了增加八个画面表现的变化,另一方面则意在以潇湘的江湖意象对照并丰富富士山的出世绝胜。常庵龙崇在总结他的观感时说:"凡天下说八景者多,而分一景为八,未有如此图者,盖新意也。"[82] 他所谓的新意,当然指的是"分一景为八",将一般以潇湘为典型的八景作了新变。这个"分一景为八"的新变,概念上虽来自山景四时的"容色不恒",图绘时却依赖潇湘已定型的归帆、落雁等框定来作引导。由此观之,潇湘八景便成为"观看/发现"富士八景的必要介面。通过它的中介,富士八景不但得到"有如潇湘"的价值提升,而且由于两者的结合,成为潇湘在日本的化身。

九、余论

富士山的意象在16世纪之后益发受到日本画家的青睐,最后在现代初期成为日本国族主义的象征,这又是一段曲折的历史,非16世纪初时如式部辉忠者所能预知。不过,式部辉忠的《富士八景图》以及阿弥派画家之《三保松原图》在16世纪初中期的出现,却向我们展示了一个值得注意的日本实景山水画起始阶段的现象。在那个发展过程中,来自异国的潇湘八景意象对在地胜景的观看确实起了不可忽视的作用,而作为潇湘化身的意涵也为在地胜景之成为日本水墨山水画所重视题材的发展,提供着必要的理解。从东亚地区整个潇湘图绘的历史来看,这个16世纪的日本现象并未见于朝鲜,也与在中国的状况不同。此意味着潇湘意象于各处在地化身之形塑,必然与其各自之历史发展、文化脉络相互密切嵌合不可。日本实景山水之取潇湘为风景观看之必要手段,确实与潇湘意象在其以唐物为尚的鉴赏文化史所累积之价值感息息相关。这种条件或许即是如富士山的日本实景山水得以出现在潇湘之历史大舞台的重要因素。然而,随着文化情势的转变,17世纪以后东亚绘画圈中的各处在地胜景图绘逐渐不再仰赖潇湘八景的典范,改以另一种奇观的方式各展其姿,而那也正宣示着潇湘意象在东亚文化史上的逐渐退位。

从东亚的角度观之,潇湘意象之得以在中、日、韩三地间广泛地传布,得力于八景图绘在形象上的具体可学,而在此传习至新变的过程中,八景图绘乃以一种小型画稿的形式扮演着关键性的角色,向没有潇湘体验经验的人们提供想象及再现的依据。在东亚世界之诸多共有之文化意象中，潇湘在这一点上可说最为突出，也最能展现因画稿之助而来的图像在文化意象形塑上的重要性。由韩国与日本的发展情况来看，画稿之作用也可部分地说明各地潇湘化身形象之所以不同。学者已经指出韩国与日本作者至迟至16世纪在图绘潇湘八景之时，确曾清楚地意识到他们各自所据风格之"古典性"，在韩国，那是通过如安平大君的那种王室收藏而认知的中国北宋华北系之李、郭山水风格，而在日本则是环绕着将军收藏的南宋宫廷马夏以及僧侣牧溪、玉涧之山水风格而累积来的。[83] 虽然都称之为潇湘八景，形貌却各有变化，这完全可归因于传习所据画稿之风格系统不同所致。而对于这种因画稿传习而生之古典性的不同态度也很值得注意。韩国人士对此古典性的维持显然较为在意，并善用其与中国的持续外交关系，随时吸纳了中国元、明之后对李、郭风格的新诠释，[84] 并将潇湘视为理想山水世界的同体。室町日本则因将军收藏"御物"的文化地位备受尊崇，夏珪、牧溪等潇湘图绘作品成为15、16世纪御用画家创作取材之对象时，一方面有如画稿，另一方面则为过去荣光的象征，后者尤为潇湘八景图以大画面平远山水形制进入居室空间的根本动机。这种潇湘八景的室町化身不仅遥指它们的学习典范，甚至以新的风格形式超越了原典范的格局，并固着为空间的永久性装饰，似乎亦意在突破珍贵御物于日常使用上的实际限制，不但追仿足利义持接待后花园天皇的盛事，且以前人无法想象的方式，将此古典的梦想落实到生活空间之中。或许正是由于潇湘八景图的崇高地位，它也在16世纪涉入日本在地胜景的观看之中，成为重要的推手。这些现象皆为中、韩潇湘意象发展所未见，并积极丰富了东亚潇湘文化的多元表现。

第四章 人物的来往
——雪舟入明及当时北京、苏州画坛之变化

明永乐十九年（1421），朱棣（1402—1424在位）正式将北京定为首都。这个时间距离日本僧人雪舟（1420—1506）入明，只有45年的间隔。在这45年间，随着朱棣放弃了原来朱元璋（1368—1398在位）建立明朝时的锁国政策，更积极地拓展中国与邻近诸国的外交关系，北京再度扮演着东亚整个区域中政治中心的角色。其过程表面上看来似乎十分顺畅，而且它之作为国都，也一直延续到今天的中华人民共和国。但是，从文化的角度来看的话，北京的地位在这期间则悄悄地产生了一些变化，非常值得研究者注意。伴随着这个变化而生的现象，则是距离留都南京不远的江南文化城市苏州的崛起。苏州在文化上的发展，后来甚至有凌驾北京之势，尤其在艺术上更见清楚，形成了与北京抗衡、并立的局面。过去，研究者大都以社会经济在江南之高度发展来说明苏州之崛起。[1] 这虽然是一个重要的因素，但是，却无法具体说明为何苏州会发展出一个与北京颇为不同的文化，以及此差异之表现究竟有何值得注意之历史意义的问题。

在中国之历史发展中，国都之兼具政治与文化中心，向来是个常态。唐代的长安、北宋的开封、南宋的杭州，乃至元代的北京大致都符合这个规律。由此观之，明代的北京虽自1421年起便维持着政治中心的地位，但在文化上却逐渐失去其重要性，至后期甚至显得无足轻重，这不能不被视为一件奇怪的事情。尤其从绘画史的方面来看，北京在15世纪中期以前，还有着蓬勃的宫廷绘画的发展，其成就无疑地超越其他地区，但后来其光辉却几乎全被人称之为"吴派"的苏州绘画所取代。[2] 造成这个结果的直接情况是：北京宫廷似乎在16世纪以后

不再有重要的创作活动，而被吸引到北京的来自各地的画家，在数量上也越来越少。这实是一体之两面。如果推究它的原因，北京宫廷内部对绘画艺术需求的降低，应该是一个合理的推测。但是，奇怪的是：世宗（1521—1566在位）以前的几个皇帝，如宣宗（1425—1435在位）、宪宗（1464—1487在位）、孝宗（1487—1505在位）等，都有喜好文艺的美名，他们难道不想持续地维持宫廷绘画的荣景，甚至开创出新的局面？[3] 这似乎没有道理。然而，如果宫廷内部需求没有明显的降低的话，各地的画家为什么不再积极地往北京集中呢？这个现象又是如何地发展的呢？

如果仔细观察16世纪以前北京宫廷绘画的概况，我们可以发现一个重要的线索：北京不再是画家追求事业的第一选择，其中又以苏州画家表现得最为明显。而以时间上来说，15世纪的中期则是这个发展中最为关键的时段。雪舟入明之时，正是处在这个发展的转折点上。他的前往北京，其实也可以视为中国定都北京以来众多画家齐集京师的行动模式的一部分，但在时机上却错过了它的黄金期。在他停留北京约两年的时间中，他是否也感觉到北京画坛的内在情势的变化？这是个值得思考的问题。在处理这个问题之前，北京宫廷绘画的实况究竟如何，特别是在雪舟最关心的山水画部分，实有必要在此先予厘清。

北京宫廷绘画的出现，是15世纪东亚艺术界中最为重要的大事。北京成为帝都虽始自1421年，但朱棣的营建工程大约进行了十年之久，而在此营建过程中，绘画的需求量应该很高，如果推测自1410年代初期开始，北京即聚集了大量的画师参与建都的工作，这可能不算过分。他们的数目，今日虽然无法确知，但由穆益勤的《明代院体浙派史料》一书所搜集的文献资料来看，有名字可考的，"为时所重"、"名动公卿间"的重要画师即有十五人，[4] 如果再加上其下较为次级的诸多画师，这个宫廷绘画队伍之庞大，仍然不难想象。此时在宫廷之中，虽无明确的"画院"组织，但在这些画家的蓬勃活动之下，一个极为兴盛的宫廷绘画格局已然清晰展现。从历史的进程来看，这是距离南宋杭州于13世纪中结束其画院之后，再接着元朝统治时对绘画不特重视的近百年低迷期，[5] 几乎历经了150年之久的空白后，宫廷绘画再度以令人惊艳的身姿登上文化的舞台。它对艺术界的震撼，也很容易想象；许多有绘画能力的人继南北宋时期之后，纷纷再度前往帝都，寻求在宫廷中服务的机会，并以之为他们事业的巅峰。其中得偿宿愿者甚至可以得到如镇抚、千户的职位，获得接近皇帝的机会，且以能在作品钤上"日近清光"的印记，引以为荣。[6] 如此的待遇，恐怕连素以受到奖掖、尊重著称的北宋徽宗（1100—1125在位）画院的画家们都无法享有。

永乐（1403—1424）以来，在北京宫廷活动的画家来自四面八方，但最主要的地区应属原来在南宋与元代画风相对兴盛的浙江、江苏、福建诸地。他们不一定出自职业画师的背景，也有来自有仕宦经历的家族，例如宣德时期（1426—1435）颇得皇帝重视，而官至锦衣卫千户的谢环，便是出自浙江永嘉书香望族，除绘事之外，亦以学行著称。[7]他在1437年为内阁大学士杨荣等人作《杏园雅集图》（镇江博物馆藏）时，[8]自己也着官服，置身公卿之中，可见他的确也能自在地参与高级文官间的社交，不像后来的画师会因身份而受到排斥。永乐年间来自福建的武英殿待诏边景昭（约1354—1428）的位置可能也很高。他在宣德元年十二月被罢为民，罪名是收受贿赂而向朝廷推荐了两名记录不佳的官员。[9] 边氏之因贪纵得罪，也间接地说明了他原来在宫廷中的地位，实在非比寻常。他在永乐年间曾与来自江苏无锡的中书舍人王绂（1362—1416）一起为宗室周宪王朱有燉（1379—1439）绘制了《竹鹤双清》（北京故宫博物院藏）。由他所书题识的写法来看，主导全作的实是边氏本人，后世美术史书中极为推重的文人画家王绂所扮演的，恐怕只是副手的角色。[10] 这也可以让人感受到两人间地位的高下。

具有文人背景的王绂虽为中书舍人，职务上似是掌理文书，但明初任此职者亦有画家，为宫廷提供绘事上的服务应也是他的任务之一部分。他在1413年随朱棣至北京而作的《北京八景图卷》（北京，中国历史博物馆藏），其实不是单纯的写景纪游，而是为了配合朱棣准备由金陵迁都北京而作的宣传。[11] 他因此也可算是较广义的宫廷画家中的一员。王绂之以其书画技能在北京宫廷中求发展，应该不是江南文人中的特例。稍后的马轼，出身上海地区，文献上说他"读书负经济，精于占侯"，应该也是文人背景。马轼的正式官职是"司天博士"（另有称"刻漏博士"），为掌天文历算的技术官员，但显然也为宫廷作画。[12] 他传世的画作之一《归去来辞图卷》（沈阳，辽宁省博物馆藏）是与李在（？—1431？）、夏芷合作的，那两人都是宫廷画家。像王绂、马轼这种例子，在15世纪前半的北京宫廷应该不少才是。

苏州的画家沈遇（1377—1458后）应该也属于王、马此类型，至少他早年曾经试过在宫廷中求发展，并得到太子的赏识，但因私人健康原因返回家乡，后来成为当地以沈周（1427—1509）祖父沈澄为首的文人圈中之主要成员。[13] 沈遇存世的唯一一件巨幅作品《南山瑞雪》【图4-1】在风格与画意上都很值得注意。此画作于沈遇八十二岁的1458年，虽已进入苏州文人山水画开始成型的时段，但在画风上却与之完全不同。如与完成于同年的刘珏（1410—1472）《清白轩图》【图4-2】相较，沈遇完全未使用刘珏的那种出自元末四家的画法，倒反而远溯南宋的马远、夏珪，以坚硬的线条与皴擦来作树石，并以如北宋郭熙（约1000—约1090）的三段式构图来处理雪景中的世界。[14] 这种风格表现，令人想到戴进（1388—1462）所作《春冬山水图》【图4-3】中的《冬景》一画。戴进卒于1462年，当时应尚在杭州活动，不过，他在宣德、正统（1436—1449）时期确曾在北京宫廷服务，虽然不能如谢环之得皇帝宠用，但颇多高级官员都与他相交，声望颇高，所以他的画风也很有影响力。[15] 苏州的沈遇极可能也受到他的影响，而在《南山瑞雪》中呈现了类似的画风。除了形式之外，这两件作品在画意上也有相通之处。戴进的《冬景》山水除白雪覆盖的山体外，尚以前景之一队行旅与中景幽谷中之楼阁，标示出寒冬中的生意。这也是沈遇《南山瑞雪》的意旨，除了行人与山中楼阁的呼应外，画家自题的"瑞雪"也意在强调对未来富饶生活的期待。

　　这种风格与画意的山水，是否反映了北京宫廷山水画的某种情调呢？要回答这个问题最大的困难在于如何将宫廷画家的公务作品与其接受私人委托者作明确的区分？因为当时宫廷画家除特殊状况外，并未被限制其在外之活动，吾人今日所见诸画作中，因此必定包括了他们为私人所作的作品在内。如何确定某件画作确为宫廷所用，遂必须再从款识及画意内容同时着手，方能有些进展。这在人物画方面比较容易，如商喜的《宣宗行乐图》（北京故宫博物院藏）就一定是宫中所用。而黄济的《砺剑图》则也可由其具官职的署名与旧签题为"独镇朝纲图"，确认其在朝廷空间中所扮的角色。[16] 但在山水画部分则较为麻烦。弘治时期（1488—1505）王谔所作之《江阁远眺》（北京故宫博物院藏），因其上有"广运之宝"宫廷钤印，可以确定为宫中之画，但此种由南宋册页扩大而来的构图，也可在14、15世纪一般的民间职业画师作品中见到，不见得能代表宫廷山水画的特色。[17] 如果从宫廷形象塑造之需求来推想，一种以贤人高士为主角的叙事性山水画倒是十分适合宫廷使用的作品。刘俊的《雪夜访普图》（北京故宫博物院藏）即在山水中叙述

4-1 明 沈遇
《南山瑞雪》
1458年
台北石头书屋藏

4-2 明 刘珏
《清白轩图》
1458年
台北故宫博物院藏

4-3 明 戴进
《春冬山水图·冬》
山口菊屋家住宅保存会藏

宋太祖(960—976在位)访赵普故事,画家还在画之左下方正式地题上他的职位"锦衣都指挥"。由此例或亦可推知传世戴进的若干作品也与宫廷使用有关,例如《三顾茅庐》(北京故宫博物院藏)、《商山四皓》(同前)、《渭滨垂钓》【图4-4】等都属此类,不仅尺幅较大,而且能契合朝廷优礼高贤的形象。文献上说戴进在宣德初被荐入宫廷时所进呈的作品为"四季山水四轴",其中秋景为"屈原渔父",冬景则为"七贤过关",看来那正是他揣摩宫廷所需而制的"高贤山水"。[18]更值得注意的是:这四件"高贤山水"还与春夏秋冬四季搭配,成为一种更富寓意的四季山水。这可能不是戴进的发明,而系明初宫廷新创之模式。现存日本彦根城博物馆之《四季山水图》【图4-5-1~4】应即为此宫廷新模式的传衍。它的四季山水中所配上的故事依序为"东山携妓"、"茂叔爱莲"、"渊明归去"与"雪夜访戴"。此四画题亦见于传

4-4　明 戴进《渭滨垂钓》台北故宫博物院藏

4-5-1　明《四季山水图·东山携妓》滋贺 彦根城博物馆藏　　4-5-2　明《四季山水图·茂叔爱莲》滋贺 彦根城博物馆藏

4-5-3　明《四季山水图·渊明归去》滋贺 彦根城博物馆藏　　4-5-4　明《四季山水图·雪夜访戴》滋贺 彦根城博物馆藏

世宫廷画家的单幅作品，如周文靖有《雪夜访戴》（台北故宫博物院藏）与《茂叔爱莲》（日本私人藏）二轴，戴进的《东山携妓》今虽不存，但仍可于沈周之摹本（美国翁万戈藏）中窥见其原貌。

　　除了结合高贤题材的山水外，上文所及戴进《春冬山水图》那种配合季节呈现理想庶民生活的作品应该也是宫廷中常见之物。如与南宋的楼阁边角小山水相较，这种山水画回到了北宋的大观式构图，强调着中轴主山及巨树的连贯结构，并依序在前中后景中穿插行旅、渔人、农庄、村店以及标示胜概的堂皇楼观，意欲展现政治清明状态下的黎民世界。正如陆深（1477—1544）在题戴进的一幅《雪村晚酤图》中所云："凭谁致此好气象，必有明君与贤相；……未歌三白呈祥瑞，先兆六符开太平。"[19]这种画中山水基本上无关自然现实，季节中的景物全是组构此太平气象的符号。不止戴进的《春冬山水图》可作如是观，李在的若干大幅山水画亦是此画意的表现。旧传为郭熙之《山庄高逸》【图4-6】实是宣德、正统时宫廷画家李在之作，虽有郭熙的笔法及母题，并在山体的串连上效法着北宋的蜿蜒，但却更多而突显地在构图中布置着那种太平气象的符号。我们虽然不能排除这种太平意象山水也为私人收藏的可能性，但其为宫廷布置所喜，且在符号之使用上有愈趋丰富之倾向，此则可以推断。

　　不论是高贤，或是太平气象，北京宫廷山水绘画中的自然景观在此饱含政治画意的运作下，被矮化成论述的背景。虽然时与四季风景相配合，甚至再启用四景连作的形式，但随着季节变化的自然现象对观者所生的吸引力，不再是这种山水画绘制的主要动机，代之而成主力的则是配合宫廷形象营造的功能性考虑。从形式上说，它们再度复兴了北宋以来的大观式山水，但在画意上则有了值得注意的不同发展。前者固然也一直带着理想政治次序的意象，但它的表达经常被隐藏在自然的次序之下，而通过一种"发现"的过程为观者所"感悟"；15世纪前半的北京宫廷山水画则更直接地操作山水形体的符号，呼应着行旅、渔人、村店等人事细节，组合成一幕幕的理想生活的场景，最后共同搬演出一出歌颂太平盛世的好戏。

　　北京宫廷山水画的表现，可以理解成呼应着北京之作为帝都的兴旺气势而生的。不过，北京的气势不幸在其成为帝都后未满三十年就遇到了挫折。1449年，英宗（1435—1449；1457—1464在位）在对抗蒙古的战争中轻率地决定亲征，但在土木堡兵败被俘，蒙古军队进而挟皇帝

4-6 明 李在
《山庄高逸》
台北故宫博物院藏

第四章 人物的来往——雪舟入明及当时北京、苏州画坛之变化

入犯，进逼北京。此时北京之震撼，可想而知，甚至有放弃北京迁都南方之议出现。此事幸赖大臣于谦筹划主持，皇弟景帝（1449—1457在位）继位，北京逃过一劫。[20] 但至1450年英宗被放归后，北京却在两个兄弟皇帝并存的尴尬状态中，政局显得暗潮汹涌。英宗果然在1457年复辟成功，朝中又是极度动荡，"夺门"有功者升官加爵，景泰旧臣如于谦则下狱被杀；"夺门"的斗争又延续了几年，直到1461年太监曹吉祥被杀后，才算大致结束。[21] 就是在这十二年的政治动荡中，北京的文化情势有了改变。

来自苏州的大臣徐有贞（1407—1472）在这段时间的遭遇，很有指标性地透露着政治动荡而生的文化效应。徐有贞为1433年进士，多谋略而积极进取。土木之变时南迁之议即他所提，后来英宗复辟之规划亦出自其手。复辟既成，有贞权倾一时，但不过三个月，却因同参与"夺门"之另两名权贵石亨、曹吉祥斗争失败，被发戍云南，直到石亨败后，1461年才获释返家。[22] 徐有贞的经历可谓极为戏剧性地呈现着当时北京政局的急遽变化，而每一次变化，牵连的人都很多。这当然会让人对前往北京宫廷谋求发展的意愿，产生负面的作用；对于原来在北京宫廷中工作的人而言，未来更是充满不确定的变数，因此也可能提高了提前离开的可能性。如此的状况，自然对北京的文化活力产生伤害，宫廷绘画在当时如说大受影响，甚至完全停顿，亦是十分可能的推测。

苏州虽距北京颇远，但地方人士对北京宫廷的动荡事态，似乎颇有掌握。当徐有贞被放逐至云南之际，在苏州的沈周马上有诗《送徐武功南迁》赠之，诗中有"天上虚名知北斗，人间往事付东流"二句，以同情的口吻安慰他的乡前辈不再计较官场的虚名。[23] 其实，他也知道徐有贞的积极性格，不会轻易地放弃复出的机会，那二句诗与其说是在安慰有贞，还不如说是在抒发他自己对北京政治不堪闻问的感触。在这段时间中，江南在北京发展的士大夫有好几位都回到家乡，其中与沈周友善的即有夏昶（1388—1470）、刘珏两人。夏昶系在1457年英宗复辟后不久即自太常卿的高位自请退休，虽是已届七十高龄，但恐怕也与当时整肃于谦群党有关。[24] 刘珏原在北京刑部任职，后迁山西按察司佥事，但不过三年即弃官归，于1458年返回苏州。他的"弃官"不知何故，但总与政局之不符理想脱不了关系。[25] 夏、刘二人与徐有贞的具体状况有别，但都因政治而离开北京，他们这几个个案对江南，尤其是沈周周遭的苏州文人圈而言，传达着一个有关北京宫廷的负面形象。

这个北京宫廷的负面形象正好强化了当时苏州部分人士隐居不仕的生活取向。在这种人士中，杜琼（1396—1474）以儒行见称，并且兼长诗画，为沈周之老师，在15世纪中期的苏州士人中可算是领导人物。他出身名门，早负声望，但不事科举，不求仕进，虽在1434年、1437年两次被地方官以"贤才"向朝廷荐举，但都坚辞不受。[26]他的朋友陈宽（沈周师）、沈恒（沈周父）、沈贞（沈周伯父）等也都类似，选择着一种拒绝北京的家居生活。对他们而言，1449年后北京宫廷的动荡不安，无非印证着他们原来选择的明智。

杜琼的山水画也呼应着他的生活抉择。他的传世作品不多，其中作于1454年的《山水图轴》【图4-7】很有代表性，也向观者展现了一个新的方向。此画上有他自题，言其创作前后情境甚详：

予尝写此境为有趣，适陈孟贤、郑德辉二公相访见之，孟贤曰：此幅可，郑公盍求诸。德辉略无健

4-7　明 杜琼
《山水图轴》
1454年
北京故宫博物院藏

羡之色。孟贤强之，乃启言，予不敢靳也。德辉廉静寡欲，于物无所嗜好，使王维、吴道子复生，亦无所爱，此其所以能养其德也。夫以心之玩好，乃学者之病。观于德辉，则有以警于人人哉。

此题识中有几点值得注意：一为画家作此山水时毫无功能性的考虑，只是"写此境为有趣"，不是为回应任何他人之请求而作。再者为画作与受画者的关系完全是偶然的。郑德辉与陈孟贤都是杜氏在1448年于苏州结文社时的社友，[27] 可谓相当亲近，但是郑德辉并不是原来赠画的对象，而且本来也无意于求画，只是因为陈孟贤的怂恿，以致"意外"地成为画作的拥有者。这种偶然的关系可说与在宫廷绘画中的"必然"关系完全相反。杜琼在题识上就其作画动机与画作归宿作此清楚交待，显然是刻意为之，而且很可能是有意识地在突显其创作行为不同于职业画师，尤其是那些表面上令人羡慕的北京宫廷画家。

《山水图轴》在风格上也确实与宫廷山水画上所见极为不同。它基本上是在描绘一个平和的隐居与周遭的环境。其尺幅不大，山体亦不雄伟，当然也没有宫廷山水画中常见的高贤故事，或是作为太平气象符号的行旅、渔人、村店与楼观，随处分布在画面之各个位置。它的点景人物很少，只在前景桥上画隐士及童仆，并在树下藏屋舍一角，作隐士读书其中，以此来代表隐士生活中的平常活动。这两个活动由于没有什么具体的现实目的，因此让隐居显得闲适而超越。其背后的树石山水，也呼应着这个基调，无论是线条或形体，都精心地保持平缓而柔和。如此风格的源头应该是明初苏州文人最为喜爱的元末王蒙（约1308—1385）的"书斋山水"。它尤其与王蒙的《葛稚川移居图》【图 4-8】和《具区林屋图》【图 4-9】接近的程度最高。这两张画都是王蒙为友人日章所作，一作于日章移家隐居之际，另一则作于日章定居于具区山林屋洞附近之时，都有对隐士生活中那些无所营求的活动的描写，[28] 正如杜氏山水一般，只不过王蒙的细节较多而已。两者在利用红叶树妆点画面的作法亦有相通之处，尤其是《山水图轴》的前景红树，恐即直接承自《具区林屋图》。对王蒙而言，这与日章隐居的实景无关，而系某种追仿唐画的"古意"手法。杜琼的红树也与作画的季节无涉，因其绘制的时间应在农历正月上元节前不久的冬季之中，红树之设因此更可能系意在继承王蒙的"古意"，让这个隐居更添加一层超越现实的意涵。

不过，王、杜两人之隐居山水毕竟仍有些差异。日章寻得隐居所在

4-8 元 王蒙
《葛稚川移居图》
北京故宫博物院藏

第四章 人物的来往——雪舟入明及当时北京、苏州画坛之变化

4-9 元 王蒙
《具区林屋图》
台北故宫博物院藏

的林屋洞区，本即太湖附近之名胜，道教中人视之为洞天福地，能卜居于此，自然教人羡慕，故而王蒙所画山水，亦不忘表现其奇胜之景，甚至使之有如仙境。[29] 与此相较，《山水图轴》中之境界则显得平淡"无奇"，似乎只是寻常处所，不欲向人作任何的炫耀。这是隐士杜琼在选择平淡生活之中，自我体会之"趣"。如此的隐居山水，既是杜琼自己的写照，也可以持之与同调的社友分享。

1458 年夏天刘珏在归家之后所作的《清白轩图》【参见图 4-2】，也有同类的表现。它也是刘珏隐居生活的写照，呈现着包括僧侣在内友朋来访的情景。14 世纪以来的江南隐居，似乎已与陶渊明（365—427）《归去来辞》中所强调的"田园之乐"不同，[30] 而比较侧重表现对与世隔绝之平静生活的追求。在如此的生活中，同道友朋的来访，成为唯一可被允许的与外界的联通，而那也同时是隐士督促自我修行不可稍息的外来助力，它遂成为平静隐居生活的合法部分。对它的图像表现，王蒙时尚未十分流行，但至 15 世纪中期的这个时候起，这个题材便以高频率的方式，出现在文人的隐居山水中。刘珏的《清白轩图》在这新潮流中，可以说是扮演着推动者的角色。

《清白轩图》中除了以王蒙风格绘出的山体外，中央部位的水阁屋舍实是全画的重心。屋内几乎没有陈设，只有主人与僧侣对坐草席之上，另外一人则在栏边向外之山水眺望。这种安排与刘珏本人希望借此图绘传达的"清白轩"意象，大有关系。所谓"清白轩"者，原是刘珏在北京刑部任职时，以操行洁清自励自警，"凡夤缘请谒，一切谢之"，而为居所所取之号。[31] 归家之后，朋友虽依习惯皆仍用其旧职相称曰"签宪"，但刘珏自己则持续号其居所为"清白轩"，显然对其居官时的操守廉洁，颇为自豪，并期待友人以此视之。图中清白轩的简朴，正合他的意向；其周围山水的平淡清雅也合适地加强这个氛围。在栏边眺望的文士，明显的是刻意之作。那可以是指当时在座的其他友人（据画上题诗看，当日在座访客除西田上人外，尚有沈澄、沈恒、薛英与冯篪），也可以是隐士主人自己，交待着他在清白轩中平日进行的，对外无所求，坚守洁行的活动。刘珏自己画上题诗的末联云："清溪日莫遥相望，一片闲云碧树东"，即说明着栏边人物所要表达的意象。这可以视为刘珏对其隐居的自我期许，也可以说是他的自我宣传。

访客之所以成为清白轩隐居生活的要素，也与 15 世纪中期苏州文人的实际动态有关。尤其是到了 1461 年徐有贞返家之后，苏州文人间

4-10 明 刘珏
《烟水微茫》
1466年
苏州博物馆藏

的互动，因为有了这些名流的加入，而得以有更活跃的发展。他们之间的集会、结伴互访的机会明显大增。例如1464年徐有贞与夏昶、杜琼、陈宽等人会于云岩山，并作《云岩雅集志》，即其中较为引人注意者。[32] 这种集会经常有图搭配，如1469年刘珏、祝颢、周鼎与沈周等人同集魏昌居处，沈周之《魏园雅集图》（辽宁省博物馆藏）便是为此而绘。[33] 1466年刘珏、徐有贞结伴共访沈周在相城的有竹居，当时刘珏就画了《烟水微茫》留赠给沈周【图4-10】。从画上徐有贞题记知道，他们这次拜访沈周隐居作了许多事，除了饮酒、赋诗外，还一起观赏了沈家的古代书画收藏。观者或者会期待画中将要出现如《杏园雅集图》那样充满这些活动的场景，其实不然，刘珏的画完全没有出现这种人物活动，只画出烟水微茫中的一些田亩，以及代表水竹居的一点简单屋舍而已。或许对他们三人来说，那些友朋欢聚同乐的场面，并非最需要被记忆的部分，更值得纪念的倒是那些活动背后的平静而超俗的精神状态，那既是有竹居的真正内涵，也是访客从主人那里分享到的,也共同证成的人文价值。由此观之,此时苏州的隐士们确实选择、发展出一条与北京宫廷山水画完全不同的艺术道路。

以杜琼、刘珏为主而逐渐发展确立的苏州隐居山水画,无论是在形式上或画意上,皆是有意地在"拒绝"北京宫廷的既定轨道。这在1460年代已经十分清晰。但是,在苏州以外地区,恐怕尚未能立即感受。当时全中国最有声望的画家,仍要数方在1462年于杭州去世的宫廷离职画家戴进。连苏州的杜琼在约1460年时为诸家之艺作评论时,也说:

> 戴文进作画通诸家,一一臻妙。初居北京,以画见重,无所荐达,晚乞归杭,名声益重,求画者得其一笔,有如金贝。[34]

这种评价应在当时普遍得到认识与支持。相对地,苏州文人山水的声名大约要再等约二十年,沈周逐步取得全国性的地位之后,才有取而代之的发展。日本禅僧雪舟入明,从宁波登陆,其实目标仍在北京宫廷。在他的艺术之旅中,苏州并未出现在他预定的行程中,这是十分合理的推断。

雪舟在中国时,曾用心地学习、研究了山水画的"古典",这是许多研究者已经仔细讨论过的。[35] 不过,还有一点值得补充,那便是雪舟对北京宫廷山水画究竟进行了什么认识的问题。雪舟自己在1495年《破墨山水图》(东京国立博物馆藏)上的自序曾提及:

> 余曾入大宋国,北涉大江,经齐鲁郊至于洛,求画师,虽然挥染清拔之者稀也,于兹长有声并李在二人得时名,相随传设色之旨,兼破墨之法今,数年而归本邦也。

由此文字来看,似乎他只是向李在等宫廷画家学习了"设色之旨"与"破墨之法",而且他关心的也只在此二点上而已。但是,明朝宫廷山水画的特色绝不仅止于此二事,对于宫廷所重视的画意部分,雪舟的认识又是如何?他在宁波金湜家所留的两幅画——《三笑图》与《商山四皓图》,[36] 虽已不知实貌如何,但由题材来看,正是宫廷绘画中常见的"高贤"表现,这可以让吾人推测雪舟确曾对此部分有所注意。另外,他在访问北京宫廷期间所作,后来进入光泽王府收藏的《四季山水图》四幅【图4-11-1~4】也透露出重要的信息。这四幅山水在构图上

4-11-1　室町 雪舟《四季山水图·春》东京国立博物馆藏　　4-11-2　室町 雪舟《四季山水图·夏》东京国立博物馆藏

4-11-3　室町 雪舟《四季山水图·秋》东京国立博物馆藏　　4-11-4　室町 雪舟《四季山水图·冬》东京国立博物馆藏

4-12-1 室町 雪舟
《四季山水图·春》（局部）"行旅"

4-12-2 室町 雪舟
《四季山水图·秋》（局部）"酒店"

4-12-3 室町 雪舟
《四季山水图·冬》（局部）"山村"

4-12-4 室町 雪舟
《四季山水图·夏》（局部）"楼阁"

的整合性很高，整体形成一个以中央为主，左右对称的安排。每幅各自亦基本上为中轴式的结构，尤其夏、秋二幅之主山更是堂堂居中，前景大树虽分作马远、夏珪式的弯曲姿态，但主体皆占中央位置，完全不像早年有"拙宗"印记的几件学自南宋山水册页的结构，而更接近明初宫廷山水画所复兴的北宋大观山水。[37]这四幅季节不同的山水，虽然景物各异，但画中都可见段落分割丰富，连续感颇强，自前至后，次序分明。这种画面上各部位的搭配处理，可能也与他对宫廷山水画的观摩有关，在其中，李在的大幅山水对此就有最突出的表现，其画中任何部位，几乎没有不被善加利用的（如图4-6《山庄高逸》）。[38]如此在画面上从事逻辑性的铺陈，就北京宫廷山水画之需求看，并非企图创造空间幻觉，而系意在提供其他母题符号一些便利的舞台，好进行其画意之叙述。雪舟《四季山水图》亦是如此。他所取用的母题，包括行旅、酒店、山村、草亭、水阁与楼阁、佛塔等，也都是宫廷山水中习见的符号【图4-12-1～4】；依循着画面的引导，这些符号点出一幕幕场景，依序展示该季节的美好生活，也传达着一种最符合宫廷所需的太平气象。由此看来，雪舟在北京宫廷中不仅学习了设色、破墨或构图等山水画的形式技巧，对于相关符号语汇之运用，及对政治正确的画意之表达，皆有所注意，并在实践上颇见心得。

值得注意的是：雪舟《四季山水图》中表现的宫廷式太平气象的画意，在他返日之后的山水画中逐渐消退，不再扮演醒目的角色。在著名的《秋冬山水图》二幅【图4-13】中，虽仍以山水之四季为题，而且其旅人、屋宇等母题也保留了一些，但数量已减少，且符号性大为降低，只作为季节一角景观中连系各个构筑块面间的指引。这两幅山水的画面也极小，甚至可以说：小到不适于承载类似太平气象那种有关理想政治的大论述。它从表面上看似仍承袭自《四季山水图》，但实在画意上作了大幅度的改变，基本上放弃了北京宫廷的主调，而将全部的关怀重新置于自然的深度观照之上。对雪舟这位禅僧而言，北京宫廷所在意的太平气象，毕竟没有太大的意义罢。

雪舟虽亲至大明京师，在宫廷中观摩了那里的绘画，但在返日之后，则不再继续依循北京宫廷绘画的轨道。这也是一种对北京的"拒绝"。他在中国时虽无缘亲见，并深入了解苏州地区隐士山水的发展，但他们的拒绝北京，竟有出人意料之外的相通之处。自此之后，至少在山水画的发展上，北京的宫廷绘画便不再扮演具分量的角色。

4-13 室町 雪舟《秋冬山水图·冬》东京国立博物馆藏

第五章 画史知识的传播
——夏文彦《图绘宝鉴》与雪舟的阅读

一、前言

　　以中国、韩国、日本为主所构成的"东亚",虽然是个较晚出的地理概念,而且在20世纪初的使用脉络中,又多少夹杂了复杂的政治意涵,造成其负面之形象,但从文化层面来说,中、韩、日三地之间的交往互动,确为于史有据,视之为一个相较于其他区域有较高内在凝聚力的整体,应对其内部一些互有关系之发展现象的理解,可有正面而积极的作用。近年中国与日本学界颇有以汉字为此区域内通用之文字,而径称之为"汉字文化圈",并倡议以此代替"东亚"之概念。这个主张实亦有历史事实为其依据,不失为可行的方案。但是,如果考虑到日本自8世纪起,韩国自14世纪始,皆已有其本土之书写文字系统,汉字不过是与之并存的文字之一,是否一定占有较为主要的位置,实仍需由许多不同角度予以评估、探讨,如果径以"汉字"之使用来作此区域之文化概括,合适与否仍不得不让人感到有所迟疑。所谓的"汉字",虽然也可"中性"地使用,但似乎多少仍显示其中国起源的性质;"汉字文化圈"会不会仍予人"汉文化中心主义"的联想?这也是让人不得不小心处理的疑虑。相较之下,作为地理概念的"东亚",虽有一些历史包袱,似乎更有机会逐渐建立其"中性"的形象,且能有较大的"空间"来容纳汉字以外的文化互动现象之讨论,而不至于衍生过于依赖文字使用的一元解释。本文所要处理的山水画在此区域内所形成的凸显形象,即是此种在汉字之外,多元而具同等重要性之形塑"东亚"的文化表征之一。[1]

山水画在东亚的发展，显示着一个与欧洲绘画发展历史颇不相同的模式。在这个模式中，山水画在不同时代间的传递、不同地区间的交流，不仅依赖着"图像实体"的作用，而且"画学文本"也扮演着同等重要，甚至可说不容忽视的角色。所谓"图像实体"在此过程中的重要性，比较不须多加说明，但特意加上"实体"二字，系要强调其可为人们亲眼见到的、具有实体存在的性质。它们可以包括实存的绘画作品，在创作、学习过程中使用的稿本、小样，甚至在一些实用性物品上可见的装饰用图像等。因为这些资料的"实体性"，它们除了可作为人们的"观看"对象外，亦是画家及其他广义的观众（包括收藏家、评论家及一般观众）所可拥有、转让、交换的物件。相较于"图像实体"，"画学文本"显得更为多元而不易让人感到能"具体"掌握。除了皆是以文字形式书写下来的资料外，所谓"画学文本"特别要指称所有有关绘画之历史、理论、技法等之文本，包括针对历代画家之传记、作品之记载、价值之品评，以及相关理论、故事等的各种不同的书写。它们固然因赖文字而存，也有一定程度的实体性，但其内容基本上是一种并不诉诸形象的"知识"。如果较诸"图像实体"因直接诉诸视觉感知，而在艺术的传递、学习过程中具有无法取代之工具性优势，"画学文本"所提供的则是一种超越形象之外的，关乎绘画一门艺术人们所累积的，对于价值体系、历史发展、技术传承、人物掌故等等的某种程度的完整认识。它们在人与人间、时代与时代间、地区与地区间的传递，虽不直接诉诸形式，却对人们在图像之理解及运用上架构着必要的思考脉络，而且对于人（尤其是创作者）与群体、当下与历史间关系的斟酌，提供着不可或缺的参考资料，以及更进一步的方向指导。换句话说，"画学文本"的知识关系到人们在绘画世界中自我定位的形塑。这个自我定位不仅牵涉到人们的各种有关艺术价值与历史的抽象思考，而且还十分具体地作用到人们如何选择某些特定作品来进行观看、学习、收藏或论述等行为之上。它因此甚至可以说是图像在实质地开始进行传递过程之前，所必须经历的前一段思考过程。只有同时兼顾这前后两种不同形式的"过程"，绘画在时间上或是空间上的传递才得以顺利完成。

"画学文本"在东亚画史发展上不可忽视的重要性，却在20世纪以来的现代研究中令人惋惜地未能得到与图像同等的重视。这个现象之所以发生，实与美术史这门学科之逐渐脱离东亚的原有学术传统，倾向仿照西方模式建立其学术规范有关。如果回顾一下20世纪初期中国的绘画史著作，例如郑昶（1894—1952）所撰之《中国画学全史》，不但以"画学"为名，而且在各时代之论述中特立"画学"一节讨论其所有相关文本，可谓尚有旧学之遗风，然而自20世纪中期以后的画史论著里，这种写法便逐渐不再受到专业的美术史学者采用。不论是在中国还是日本，美术史学在当时都算是一门新兴学科，而其成立的过程中，西方的影响一直扮演着主导的角色。在这个基本上向西方学习的过程中，西方在20世纪初期所建立之美术史学，尤其是其中的风格史学中所带有之浓厚的"科学性"取向，便也成为它在学术领域中立足的主要凭借。这种"科学性"的性格主要表现在仰赖对于可以"客观"掌握的视觉图像的分析来进行历史的理解，艺术在时间或空间上的传递、互动关系，也被化约成"可见"的形式上之相关性来处理。如此之取径，虽然有效地完成了它的阶段性任务，让美术史学在东亚地区建立了一个具备严格规范之学术领域的现代形象，然而，它是否能适切而完整地说明东亚绘画的发展历史，却不得不予以慎重地考虑。[2]

　　当研究者将画史依着形式关系进行说明之时，其实意味着他相信其研究所涉之相关人员间确实共同分享着对该形式的视觉经验。如果没有这个前提的存在，不同时空中形象间所显示的任何同质现象，就只能说是巧合，而缺乏值得探讨的"关系"。然而，这个前提之真确性，在中国与日本的画史中却不见得是个无须质疑的事实。即以艺术形式在时间与空间的传递而言，具体的作品是确保此传递得以进行的载体，它是否可为相关人员亲眼得见的"可及性"的问题，便成为影响此传递成效的变数。当东亚的绘画自10世纪以后逐渐确立以卷、轴形式来作呈现以来，它们的"可及性"比起较属公开展示的壁画而言，可说产生了大幅度的降低。除了宗教性的寺观壁画之外，大多数这种卷轴画作在完成之后，即在便于收放、保存的物质形制设计的配合下，进入某种程度的"收藏"状态，而大大地减少了被多数人观看的机会。这种"可及性"的限制，对于时间与空间距离越远的观者而言，就越形增加。一般而言，对这种作品只有少数具有特殊因缘条件的人们才有机会见及。如果画史中作品与作品间，或画家与画家间的形式关系必先以此"可及性"为前提的话，研究者在求证上便经常因为缺乏对此种"观阅"确实发生的具体"记录"，而感到困难。在此情况之下，研究者只好退而求其次，先假设画家即使无法亲见某些他所学习的作品，也可通过其相关摹本、粉本或小样等不同程度的"类原作"来进行其工作。但是，这个假设也碰上了同样的"可及性"的问题。为了要消解其疑虑，它也必须要"推测"这些"类原作"应该具有较高度的流通性，且能突破原作在传布时所面临的困境。这一连串的假设，表面上似乎相当合理，而且，少数幸存下来的"类原作"之样本仍保存于公私收藏之中，这又似乎印证着它们在图像之学习、传布过程中确曾起过作用的高度可能性。[3] 不过，由于这些"类原作"的样本毕竟留存的数量有限，在时代及类型分布上所呈现的状况也比较零散而不够全面，遂使我们对此传布过程的实况仅能获得一些局部个案的了解，是否能据之推衍而得一更全面之掌握，实尚待未来之努力。

除了形式关系研究本身之限制外，过度仰赖它的结果也有后遗症。其中最值得注意的是它压缩了画学文本之历史地位被充分探讨的空间。画学文本所提供的知识其实对于画家所欲追求之历史定位至关紧要，有时甚至还超越了他所能掌握的图像实体的作用。16世纪末时董其昌（1555—1636）企图掌握其心目中最高典范王维（701—761）的风格时，实无王维原作可以倚靠，一些间接摹本类的"类原作"也只是徒增其困扰而已，最后他最关键的依据则是11世纪米芾（1051/52—1107）在《画史》中评论王维"云峰石色，绝迹天机，笔思纵横，参于造化"的这一句论述。[4] 董其昌的个案对于我们重新检视画学文本之历史重要性确实十分具有启发性。以中国之状况而言，这对于13世纪以来出版文化蓬勃发展之后，画学文本与绘画发展间如何互动的探讨课题，尤其显得极为紧要。这个时间点，正好也是中日之间艺术交流继8世纪之后另一个高峰期的起始。从这个时候开始，由于中国出版文化的提升，画学知识的可及性也升级到一个前所未有的新层次。研究者很容易可以想象到这些有关绘画的文字论述如何接触到更多的读者，而且在画家与其观众间引起更大的回响。如果比较它与图像的效力，或说有几倍或数十倍、上百倍的差异，也不算夸张。

从这个角度来看，在13至15世纪间中日绘画发展的脉络中，夏文彦（约1312—约1370）的《图绘宝鉴》一书便值得特别注意。《图绘宝鉴》出版于1366年，可说是当时一本最为精要的中国绘画全史，提供了一千四百七十八个自3世纪以来至14世纪中国画家的传记，也介绍了一些重要理论。这本书甫自出版，即拥有不少读者，并且传到日本，其时间不晚于15世纪初期。然而，相对于它在市场上的成功，《图绘宝鉴》作为一个跨越海洋、沟通中日的艺术文本，它的重要性却少为近代学者所注意。[5] 本文即希望由重新检视《图绘宝鉴》的编辑与出版出发，观察它如何成为一本成功的画学参考书，又形塑了读者何种画史知识，并探讨这些知识在中国与日本的绘画发展上所起的作用。

二、作为画学参考书的《图绘宝鉴》

在中国传统学者的眼中，《图绘宝鉴》所得到的评价实在不高。20世纪初的书目学者余绍宋（1882—1949）在其经典之作《书画书录解题》（1932）中便抨击夏文彦此书在第一卷理论部分根本毫无新见。它的内容基本上"剽窃"自北宋刘道醇（约1028—约1098）的《圣朝名画评》（约1057）、郭若虚（约1041—约1100）的《图画见闻志》（1074）以及元代稍早汤垕（约1262—约1332）的《画鉴》（1328）等书。他也指出夏文彦在处理第二卷以下的画人传记部分时，系由前代如唐代张彦远（815—876）之《历代名画记》（847）、北宋《宣和画谱》（1120）等画史书中取材编次，但"原书体例如何，绝不顾虑"，且在录列时，先取一书，"不问其分类如何，依朝代顺次迻录"，录毕再取它书"依样顺次录之"，"所录之书愈多，则其间分类愈复，分种愈复，则时代错杂愈甚"。余绍宋因此论定《图绘宝鉴》只不过是"但求省事，苟且成书"的草率之作，并且对其在后世之普受欢迎，感到大不以为然。[6] 余氏对于此书体例不严、时代失序的恶评，确有所据，不能不说是《图绘宝鉴》的瑕疵。它的另一个缺点还可见于夏文彦在搜收画家时的遗漏。清初收藏家高士奇（1642—1704）即批评其未收入元初的重要画家何澄（约1217/18—1309后），藏书家黄丕烈也指出其在画梅专家中独漏在南宋时制作《梅花喜神谱》的宋伯仁（约1201—约1274）。现代学者陈高华另外发现了《图绘宝鉴》也没有录入元代画马大家任仁发（1255—1328），而任氏又与夏文彦一样，都是松江人，这个遗漏让人不禁质疑起夏氏对当代画坛的了解程度。[7]

然而，即使存在着上列的种种缺失，《图绘宝鉴》之广为流行，却也是个不争的事实。根据夏文彦于1365年的自序，此书原来只有五卷，至1366年"新刊"时则增加《补遗》一卷，除画论部分外，卷二以下共收三国至元画人传记一千四百八十条（含《补遗》及《续补》，如计入原书重出条目则为一千四百九十九条）。这个五卷本的至正原刻在明初时经过数次重印后，至16世纪时已模糊不堪使用，遂在1519年有苗增出资重刻全书之举，此即所谓的"正德本"。正德本《图绘宝鉴》较至正本多一卷，系苗氏请吴麒、韩昂等人所增编的明代画人传记，共收一百三十六人。此新编的卷六明代部分在正德本的滕霄序中称之为《图绘宝鉴续编》，但刊行时全书仍称《图绘宝鉴》而未改。正德本新增的卷六至明末清初时续有多次增补，参加工作的人士甚多，惜因资料不全，已无法尽知其详。不过，我们大致可以确定的是在1672年冯仙湜所刻借绿草堂本出现之前，已至少有毛大伦在杭州出版的增补六卷本，将明代画人的部分从正德朝补全至崇祯朝。毛大伦刻本后来成为冯仙湜借绿草堂本的底本，而它的卷六亦有所增广；在现存的诸多借绿草堂本系统中即有一版本在卷六罗列了二百六十四个明代画家，几乎是正德本的两倍。借绿草堂本除了增补卷六外，还加编了卷七与卷八，将画家收录的范围扩大至清初时期，其人数在各本所现不一，最多者达到五百零九人。[8] 这些在明清时代一再进行的增补工作，虽然在品质上受到了后世学者更负面的批评，不见得对夏文彦原来的五卷本《图绘宝鉴》之学术价值有所提升，却反映了《图绘宝鉴》在出版市场上绝无仅有的高度吸引力。其他的画史名著，包括《历代名画记》、《宣和画谱》在内，都未出现过这种一再续补、重新出版的现象。夏文彦《图绘宝鉴》在市场上似乎已经建立了一种近乎"经典"的形象，这应该就是驱使后世出版商及编者不停地推出"修订版"的最主要原因。

《图绘宝鉴》之所以能长期地广受欢迎，并非偶然。如果将此书放回14世纪中期的文化脉络来看，它其实可说是当时第一本有关画学的百科全书。这是它成功的第一个原因。在它之前的画学论著，只有唐代张彦远的《历代名画记》具有类似的完整性，但该书所收画家只及于中唐，后来北宋的刘道醇及郭若虚等人虽皆有意继承，但却别成一书，没有汇成一编。至于宋徽宗（1100—1125在位）敕撰的《宣和画谱》，虽亦是规模浩大，具有画学全史的企图，但基本上为皇室之收藏目录，清楚地随其收藏标准而对画家名单有所取舍，因此在完整性上也不免有所欠缺。反观《图绘宝鉴》的编辑，它在完整性的照顾上确实显示了较明显的企图。它的卷一虽仅有十六页，但涵盖了"六法三品"、"三病"、"六要"、"六长"、"制作楷模"等创作相关理论，"古今优劣"的史评，"粉本"、"赏鉴"的鉴赏知识，以及实用性较强之"装裱书画定式"的收藏注意要点。虽然正如论者所评，这些条目的内容全部来自前人，没有创见之功，[9] 但从另一个角度看，夏文彦的汇集工作已顾及绘画由创作至收藏整个过程的各重要面相,并自前人文本中选择了有代表性的文字,可以视为当时所累积历代论画知识的节要版。自卷二至卷五的画人传记部分则是全书的主体。卷二只有五十五页,从《历代名画记》、《图画见闻志》、《宣和画谱》等书辑入五代以前画人三百二十二人。卷三则有八十一页,从《宣和画谱》、《图画见闻志》、《圣朝名画评》、《画继》等书辑入北宋画人四百六十人。这二卷在共计一百三十六页的有限篇幅中收入了北宋以前画人七百八十二人,虽然在数量上较其所引用诸书所列人数的总和为少,而且并未在已有之认识上提供新的资料,因此向来不为学者认为具有可观之学术贡献,或足以取代其所引用诸书之价值,但就其使用之方便性而言,却不得不承认其确为当时读者快速查阅、掌握北宋前画史知识的最佳工具。《图绘宝鉴》的卷四共有五十六页,收入南宋与金朝画人三百六十八人。卷五则有二十八页,收入元朝画人计一百八十六人。这两卷在合计八十四页的篇幅中,共收画人五百五十四家,如果再加上《补遗》中此时期的五十三人,则可达六百零七人,分量约与前两卷相去不远。这四、五两卷的南宋金元画家传记的取材源头较不清楚,可能系杂抄多书编辑而成,由于其中若干书早已佚失,《图绘宝鉴》这后半部两卷遂成为后世学者研究12世纪后半至14世纪中期中国画家的主要史料根据之一,其价值可谓已得大致肯定。[10] 不仅是对于后人,对于当时的读者而言,《图绘宝鉴》的这个部分应该也是获取近、当代画史资讯的最便利渠道了。

总合观之,《图绘宝鉴》以五卷的精简篇幅,却总共收录了近一千五百个从晋唐以迄元代的画人传记,可谓当时可见画史书中最为完整者,更由于它又颇便于查考,这对一些并不熟知绘事之一般读者而言,应该算是一部极佳的基本参考书,可供他们在必须涉入绘画相关之论述活动时立即上手使用。在《图绘宝鉴》出版后不久的洪武年间(1368—1398),当时谪居在安徽凤阳的郑真便经常利用《图绘宝鉴》来取得有关画家的资料,以便于为他人收藏的画作书写题跋。例如在为人跋五代画家周文矩(活动于961—975间)画《琉璃堂图》时,便记云:"按松江夏氏《图绘宝鉴》:周文矩,金陵句容人,事江南李氏,为翰林待诏。"他另为人题元初画家钱选(约1235—1307前)之《山居图》时,也使用《图绘宝鉴》而记云:"舜举号玉潭,宋景定间乡贡进士,画青绿山水师赵千里。"[11] 郑真所取用的这些内容,皆属画家之基本资料,并不深入,但这似乎已经符合他当时之需求了。郑真虽是元末明初极负盛名的文人,但他实不以知画著称,对古代,甚至近期画人,显然所知不多,在此状况之下,《图绘宝鉴》一书便可即时协助他完成书写题跋的工作了。类似的现象亦可见于当时与郑真齐名的宋濂(1310—1381)身上。宋濂经常为人题跋书画,而且在入明之后曾经饱观内府之书画收藏,在这方面的知识看来远比郑真丰富,但他也使用《图绘宝鉴》作为参考。例如他在《题龙眠居士画马》一作时所下的评断:"画如云行水流,固当为宋代第一。其所画马,君子谓逾于韩幹者,亦至论也",[12] 便是取自《图绘宝鉴》卷三的"李公麟"(约1049—1106)条。[13] 该跋中尚提到师法李公麟的两人:"丁晞韩、赵景升虽极力学之,仅仅得其形似,而其天机流动者,则无有也。"这两人在画史上实较不为人所知,宋濂亦是自夏文彦书中之卷三末条(作丁晞颜)及《补遗》卷中之"赵令畯"条得知其与李公麟画马之关系。[14] 不仅对于早期画家如此,对较为难得之南宋院画家资料,宋濂亦是相当倚赖《图绘宝鉴》一书。他在《题梁楷羲之观鹅图》一跋中云:"梁楷,东平相义之后,善画人物鬼神,学于贾师古。宋宁宗时为画院待诏,赐以金带不受,挂于院中而去,君子许有高人之风。"[15] 其主要内容,甚至遣词用句,皆来自夏文彦书卷四的梁楷传记。[16] 他又根据此传所记之梁楷与贾师古的师徒关系,批评他人"又谓其师法李公麟"的说法"皆误矣"。由此来看,宋濂对于《图绘宝鉴》确实极为信任,除了肯定其为"至论"外,有时还用来更正他人之错误说法。这些来自知名文士如郑真、宋濂者的支持,必然对《图绘宝鉴》之作为画史参考书的形象之提升大有帮助,并且也具体而微地显示了它在出版之后受到文化界积极接受的盛况。

虽然在编集上偶有缺失,无法为之避讳,但《图绘宝鉴》一书在作为画史参考书的功能上,确比稍早时出版的其他画史书更具优势,这完全是因为它自我定位之清晰所致。如果与夏文彦引用过的汤垕《画鉴》来予比较,《图绘宝鉴》的这个特殊定位便很清晰。汤垕此书初稿撰于1328年,后于1330至1331年间于北京与任职于奎章阁的柯九思(1290—1343)讨论,并有修改而成全稿。此书稿于汤氏卒后(约在1331—1332间),由张雨(1283—1350)所得,经其删补、制序后镂版刊行。[17] 汤垕出身于镇江的学问之家,其《画鉴》一书所记之画颇多,始于三国而迄于元初,大致以目见之作为依据,立论颇有见地,也提供了不少画史知识,但它的目标却在于提供他个人长期的鉴赏经验,作为收藏者的指导之用。他的意见经常十分具体，例如将周昉与张萱的美人画风格之区别归结到有无"朱晕耳根"一点上。他也不吝于将自己累积的心得与读者分享，例如云及米友仁（1074/75—1151）为宋高宗（1127—1162在位）作鉴定，常为迎合上意而作不实的陈述，"而题识甚真，鉴者不可不知也"。书中尚有《杂论》部分则另针对收藏行为列举了一些原则性的建议，除了批评近人盲目地"贵古而贱近"，鼓励藏家重视宋代的山水花鸟，"但取其神妙，勿论世代可也"外，他还对收藏品的形制选择有所指示："收画若山水花竹窠石等作挂轴，文房舒挂，若故实人物，必须得横卷为佳。"[18]如此的文字充分显示了《画鉴》一书所设定的读者群实是那些收藏家或是有志进行收藏的社会上层人士，其中包括元文宗（1328—1332在位）在内的元朝皇室成员，当时正颇为积极地投入此领域，可能就是本书最想吸引的对象了。汤垕之所以北上大都与柯九思讨论《画鉴》内容，或许正是希望借之谋求类似"鉴书画博士"之职位？！无论是否如此，《画鉴》一书在读者设定上确有明显的限制，有别于《图绘宝鉴》之作为一般性的画史参考书。夏文彦虽在其书卷一的《赏鉴》一节中取用了六条汤垕意见，但基本上是一些"看画之法"，未取其鉴定要方，而在画家传记条目中引用汤书时，对其鉴别心得之文字也都删去不用，这些取舍也可显示夏书之不欲只作鉴定的定位。

三、一本画史参考书之编撰

除了汤垕《画鉴》之外，夏文彦在编撰之时所引用的画学文本甚多，几乎囊括了当时所能搜集到的，其源头之众而广，可说是其作为一本成功画史参考书的另一因素。由此而言，夏文彦之作为编者，应该算是十分有见地的善用了当时所汇集的画学知识之资源，其中首先值得注意的是自南宋以来所出版而流通者。中国的画学文本虽然在唐及北宋之时可能已有出版刊行，但是在13世纪以前流通的程度并不高。只有到了13世纪之后，受惠于整体出版文化之提升，以南宋都城杭州为主的出版业才积极地重新出版了这些画史书籍。即以设在杭州睦亲坊的陈道人书籍铺而言，在13世纪中叶左右，就出版了唐代张彦远的《历代名画记》、朱景玄（约785—约848）的《唐朝名画录》、五代荆浩（约880—约941）的《笔法记》、北宋黄休复（约954—约1021）的《益州名画录》、刘道醇的《圣朝名画评》、《五代名画补遗》（1060）、郭若虚的《图画见闻志》、米芾的《画史》及南宋初邓椿（约1109—约1183）所著的《画继》（1167）等重要书籍，其中大部分皆为今日所知该书最早的刻本。[19] 此陈姓出版者的确实身份不甚清楚，有陈思、陈起及起子续芸等诸说，其书铺名称及地点亦不尽相同，是否分属不同的主人，尚不易厘清，亦有学者认为"道人"为杭州当时鬻书人之通称，不必专属某人。[20] 无论这些画史书籍是否为同一个陈姓书铺所刊行，我们至少可以确定杭州此时坊间之私人出版商对于画学文本的刊行表现了高度的兴趣，这无疑地使得画史、画论的相关知识在可及性上大为提高。夏文彦在编撰《图绘宝鉴》时所使用之资料，许多即来自这些南宋所刊行的书籍。如果没有这些13世纪以来的出版物作基础，夏文彦工作之难度必定提高许多。另外，南宋杭州出版界对艺术相关书籍之出版也不仅只限于绘画一类，书法部分也颇有值得注意的发展。上文提及之出版商陈思甚至在此历代书学文本刊刻之基础上，自己另行编辑出版了《书小史》、《书苑精华》的简便书史参考书。[21] 由此而言，《图绘宝鉴》此一画史参考书之编撰，也由继承南宋之出版文化而来。

  在取用这些已流通之画史知识时，夏文彦必定需有取舍，尤其是遇上资料不一致时。《图绘宝鉴》中颇有一些"异说并陈"的写法，值得思考其作为参考书性质时予以注意。例如在写北宋人马画家郝澄时记其"作道释人马，笔法清劲善设色，尤工写貌"，其中"清劲善设色"之评即直接取自《宣和画谱》，"尤工写貌"亦出于同书。[22] 按《宣和画谱》一书有1120年徽宗的御制序，可说是记载郝澄的一手史料，作为资料主要来源，自是十分合理。而且，《宣和画谱》一书"乃当时秘录，未尝行世"，至元初因抄本盛行于士大夫赏鉴家之间，遂有大德六年（1302）杭州吴文贵刻本之出版。[23] 夏文彦之得以使用《宣和画谱》，自然也得利于吴文贵刻本行世之助。不过，他也注意到《画鉴》中却有不同的评论意见，故在此条目后半录云："《画鉴》载曾见澄画马甚俗，不过一工人所为，殊无古意。二说未知孰是，当质诸博古者。"由此可见夏文彦虽重《宣和画谱》之权威，却也未受其所囿。

  《宣和画谱》对北宋画家之记载向来为人所重，但它也有因其成见，刻意将一些知名画家黜之谱外的现象。这些画家，包括"世俗多以蜀画为名家，是虚得名"的由蜀入宋名家高文进在内，各类共计二十人，其之所以不入谱的理由亦皆载明在各门之叙论中。夏文彦显然不认为他的参考书应该采取与《宣和画谱》相同的立场，故对谱中所黜之画家二十人，全部另自《圣朝名画评》、《图画见闻志》及《画史》等北宋画史书中取材补入。夏文彦在作此种编辑时，行文基本上是博采众家糅合而成，但有时亦可见其对资料原始价值之重视。他在撰写后蜀画家孙位时，便未取其常用之《图画见闻志》或《五代名画补遗》中的条目，而直接向较早的《益州名画录》中取材。《益州名画录》有1006年李畋序，成书较郭、刘之书皆早，且专记蜀地画家之事，自为唐末至宋初四川画家资料之首选。唯此书在13世纪之前似乎颇为难得，连南宋初邓椿撰写《画继》时，虽"尝取唐宋两朝名臣文集，凡图画记咏，考究无遗"，且亲至四川考察当地收藏，但也没有读过《益州名画录》。此书至13世纪中陈道人书籍铺的刻本行世后，才得较广之流通。黄休复对孙位之评价很高，列之为最高等的"逸品"，并极称其超越凡俗的幽人性格及精彩的画迹，最后尚提及他后来改名为"遇"之事。孙位之改名，颇为宋代论者所重，郭若虚在《图画见闻志》中甚至径称之为"孙遇"。夏文彦在撰写此条目时，之所以决定不取郭若虚写法，应该是因为对黄休复一书史料价值的肯定所致。不过，夏文彦此条亦不仅止于依赖黄休复所提供的资料，他对于孙位改名之事，另又引1098年李廌（1059—1109）之说云："《德隅堂画品》载位为蜀文成殿下将军，后遇异人得度世法，故名遇云。"这个补充显然是为了呼应原来黄休复所记孙位的特异性格，并作为其"逸品"之另种表达方式。[24] 如此之条目编写过程，颇能让人感受到夏氏在编撰此画史参考书时的积极心态。

《德隅堂画品》一书在宋元之时可能没有刻本刊行，夏文彦所用者应属抄本形式。这些抄本相较之下不易取得，而夏文彦对这些相关画史抄本的充分运用，就其《图绘宝鉴》之完成，也起了十分重要的作用。近藤秀实曾指出《图绘宝鉴》中对宋末画僧牧溪（？—约1281）之评语"粗恶无古法，诚非雅玩"，应是参考《画鉴》与《画继补遗》二书文字综合而成。[25] 他所举的《画继补遗》一书为庄肃（约1237—约1306）所编，成于1298年，共辑录南宋画家八十四人，对后世掌握南宋一代画史，尤其是宫廷绘画部分，提供了重要的资料。庄肃之书的成就主要应归功于他家中的丰富藏书以及他个人对于南宋宫廷绘画的过人阅历。他的藏书楼名曰"万卷轩"，位在松江之青龙镇，据说有八万卷的藏量，为元初南方的最大藏书。[26] 这对于他编撰《画继补遗》应该提供了优秀的条件。至于他的绘画收藏，也颇为可观，被周密（1232—

1298）著录在《云烟过眼录》之中，他因此也对其他同道之收藏有所了解。当他在写南宋宫廷画家李唐（约 1070—约 1150）条目时，便利用了自己收藏的《胡笳十八拍》与乔篑成家藏的《晋文公复国图》作为资料，为宋高宗之重视李唐画艺提供直接的观察证据。[27]《画继补遗》的内容虽有如此为后世学者所重的质量，但其成书之后似未立即刊刻，只以较少量之抄本流传，而且，知道的人似乎也不多。以博学著称，编书甚多的元末明初学者陶宗仪（约 1316—约 1402）在为夏文彦一书作序时，提到《画继补遗》处，居然只记"不知谁所撰"，由此亦可想象此书在当时之难致。[28]

除此之外，夏文彦在撰写南宋画家部分时，尚多引用数种元代所成的画史书。在《图绘宝鉴》中十分突出的玉涧（若玢，活动于 13 世纪中叶）传，可为一佳例。此条文字共计一百二十五字，在全书中属于分量特重者，但细察全文，却可发现全来自稍早时吴太素（约 1290—约 1359）所著之《松斋梅谱》。《松斋梅谱》中的玉涧传如下：

> 僧若玢，字仲石，号玉涧，务州金华人，著姓曹氏子。九岁得度受业宝峰院。幼颖悟，学天台教，深解义趣。受具为临安天竺寺书记，遍游诸方，或风日清好，游目骋怀，必摸写云山，托意声画〔图〕外。求者渐众，因谓："世间宜假不宜真，如钱塘八月潮、西湖雪后诸峰，极天下伟观，二三子当面蹉过，却求玢道人数点残墨，可耶？"归老家山，古涧侧流苍壁间古胜作亭，扁曰：玉涧，因以为号。专精作墨梅，师逃禅。又建阁对芙蓉峰，〔号芙蓉峰〕主。自悔沉痼于山水墨竹，是误用心，尽欲屏去。一日，游山桥，见古木修篁而爱之，枕藉草上，仰观尽日，复为好事者写其奇崛偃蹇之状，殆宿习未易除耳。尝题所画竹云："不是老僧写出，晓来谁报平安。"集名《玉涧剩语》，字古怪如其画，时称三绝。寿八十。有《竹石图》、《西湖》、《潇湘》、《北山》等〔图〕传于世。[29]

此段文字较长，可说是现今所仅见玉涧传记的最早且最详细的记载，其下加底线者即夏文彦所取之一百二十五字，虽删节约一半的篇幅，但仍保存了其中最精华的部分。夏文彦对《松斋梅谱》之取材，有时亦不见得如此倚重，遇有他书可参时，仍会有所斟酌取舍。例如在写牧溪传时，即略去了今日学者可能会感兴趣的得罪贾似道的记事，而转向汤垕与庄肃所提供的资料。[30]但是，对牧溪风格所作的概括："皆随笔点墨而成，意思简当，不费妆饰。"则是因他同时参用的《画鉴》与《画继补遗》中缺乏对风格之交待，而回头直接录自《松斋梅谱》。《松斋梅谱》一书的作者吴太素，本人也是画家，专工画梅，但在中国画史中并不知名，连《图绘宝鉴》亦未收其姓名，或许显示了夏文彦对此人的陌生。《松斋梅谱》一书在中国知者也极少，早被列入佚书，只有四个抄本留存日本，至1970年代岛田修二郎发现后，才为学界所知。据岛田的研究，此书在写成后并没有刊刻，它在早期的流传，包括传至日本者，应该都赖抄本的形式。[31]夏文彦与《松斋梅谱》的密切关系，由此来看，也正说明了他在汇集诸书时，对未刊稿资料的高度重视。

四、《图绘宝鉴》的制作

作为一般性的画史参考书，《图绘宝鉴》的另一个成功处在于它的普及性。它在1366年所出的至正刊本在中国之版本学上通常著录为"巾箱本"，它的板框高度为十八厘米，宽度为二十二点八厘米（全叶），每页为十一行，每行为二十字。这样的形式如果与台北故宫博物院藏之李壁注《王荆文公诗》这种一般认为较讲究的南宋士大夫私家刻本相比（其板框为二十乘以十四点三厘米，每页七行，每行十五字），不仅字多而小，书的尺寸也小得多，可以说是一种较小型的刊本。[32]版本学中所称之"巾箱本"始见于北宋之时，常用来印刷出版医书一类的书籍，南宋之时诸如《事文类聚翰墨全书》的科举考试用参考书，也有以此种较小形式刊行的。由于用料节省，出版成本可以尽量压低，售价因此亦得以下降，出版量也可以随之提升。《图绘宝鉴》在出版之时，采用此种形式，应该也有类似的考量。如果再进一步仔细观察《图绘宝鉴》一书版面的安排，常见有传记结尾数字作双行小字缩在行末的处理【图5-1】。[33]这显然是刻意地在避免行数之增加，或许也已经先缩减了前文的字数。有的时候，如果某行所余空白仍多，也会将极简式的传记接在下方，以充分利用留白空间，避免浪费【图5-2】。这些现象都可以理解为在不影响条目清晰的前提下，兼顾刊刻经济成本的考量所致。经过如此的设计与控管，全书的总页数应有所减少，正文部分仅有二百三十八页（加上《序》、《总目》、《补遗》及《续补》，则共计

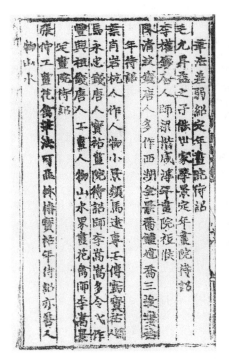 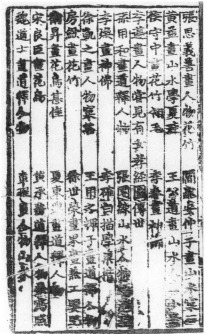

5-1 元 夏文彦《图绘宝鉴》内页 至正版明初重印本 上海图书馆藏

5-2 元 夏文彦《图绘宝鉴》内页

二百六十八页），不但用纸少，雕版的开销也多有节省。我们不难想象这个至正版的《图绘宝鉴》因此能有较低的售价，且又便于携带查考，而在市场上普受欢迎的情况。

不过，《图绘宝鉴》的刻印也并非一味地务求节省，它也有刻意用心强化其对读者之吸引力的策略。夏文彦之将杨维桢（1296—1370）所写序文刊在卷首的讲究，便很能说明这个面相。杨维桢为当时南方文坛之名流，稍早时曾为夏文彦的书斋写过一篇《文竹轩记》，提及夏家先世早有收藏，文彦本人则"蓄书万卷"，且"蓄画凡百十家"，可见杨维桢本就对夏文彦颇有所知。再加上杨氏本人文名既高，又乐于为各种出版书作序，在其《东维子文集》中颇多收录此种序文。例如在1340年代，便为知名的顾瑛（1310—1369）"玉山草堂雅集"唱和诗赋之刻版发行作序，也曾为曲家周月湖所编，收入当代关汉卿（1230—1280）、贯云石（1286—1324）等人作品的《周月湖今乐府》之"绣诸梓以广其传"作文引介。他的这些序文除了应编者之请而作外，也有为一些他称之为"好事者"的出版商而写的。其中《苗人〔氏〕备急活人方序》一文的对象是当时余姚医学录苗仲通所编的医书，文中除了对苗氏无私之济世心志予以表扬外，尚称"是书一出，备医经之未备，识医流之未识，使天下不幸抱奇疾有对疾之证，对证之药，不重不幸为妄庸医之所杀，是不大可庆欤！"如此文字读来已似书商之广告宣传了。[34] 杨维桢之《图绘宝鉴序》一文系由陶宗仪转托，是否有出版商介入，不得而知，然其文末云：

> 梁武作《历代画评》，米芾作《续评》，非神识高者不能。士良〔夏文彦〕好古嗜学，风情高简。自其先公爱闲处士以来，家藏法书名画为最多，朝披夕览，有得于中，且精绘事，是编之作，足以知其品藻者矣。视萧、米第未足多让也。

亦可见其宣扬本书权威性之意。[35]

其实，杨维桢将夏文彦与梁武帝（萧衍，502—549在位）、米芾相提并论不免有过当之嫌。梁武帝之论评，向来受人重视者为几篇有关古代书法的文字，鲜少有人注意他对绘画的品评。张彦远在其《历代名画记》卷一之《叙画之兴废》一节中提到梁武帝与其他如姚最（537—603）、谢赫（约457—约549）几个人都有"画评"之作，杨维桢所谓的梁武帝《历代画评》应即指此。不过，梁武帝此作在张彦远看来，只是"浅薄漏略，不越数纸"，属于"不足看"的等级。[36] 而且，梁武帝《历代画评》自唐后久已不传，杨维桢显然只知其名而未闻其详，以之来恭维夏文彦，可能只是因为对方的帝王身份罢了。至于米芾的《续评》，也非当时的正确知识。他指的《续评》应是米芾《画史》一书，此书在13世纪中期已有杭州陈道人书铺的刊本，对杨维桢这种文艺才士，又号称有万卷藏书的人来说，应非难得之书。但米芾之作《画史》并非意在接续梁武帝或任何其他人之《画评》，杨维桢称之为《续评》，或许只是为了制造一个萧、米、夏一脉相传的印象而已。无论如何，杨维桢的《图绘宝鉴序》一文，如与他为出版商所写的其他一些文宣性质的序文相互参照，确有明显近似之处。

善于为人美言宣传，并出之以看似博学广闻之文辞，并非杨维桢序文的唯一长处，他特立独行的书法风格在手书付梓之后，更成为吸引读者注意力的妙方。至正版的《图绘宝鉴》将杨维桢序文按原迹雕版置于卷首，显然是刻意之举。这种将序文作特别处理的出版手法，并非《图绘宝鉴》的首创。前文提及之南宋刻本《王荆文公诗》便有当时儒学大师魏了翁的序文，也是按手书原样雕版印出，以加强其精心制作的形象。[37] 杨维桢的书法较之魏了翁而言，更在艺术风格上有过人之表现，其出自古代八分书的狂怪草书在当时早已成为南方文士社群追逐的作品，不仅独幅作品成为收藏的对象，以之而书写的题跋也大量地出现在当时诸多藏家所收古今书画作品之上，成为珍贵之配件。杨氏为《图绘宝鉴》所提供之序文，亦依此著名的书风题写。该文全文不长，连标题共计四百三十字，却占去卷首十二页之多。虽然其风一如往常之险怪，然细察此序之书，却少有杨氏草书作品中常有之大小极端变化，以及字形跨行交错的现象，[38] 相反，却以相当谨慎的步调，以每行八字或九字（只有少数几行为七字或十字）铺排在各行中。由全文中仅有约十个字之笔画略微超出界栏外，其余皆谨守界栏之规范的现象来看，杨维桢当时应是直接在有界栏的纸上书写，这也意味着他很清楚出版者将会直接以此手迹付梓。换句话说，杨维桢在此不但提供了一篇序文，而且还包括了一件他的书法作品。

《图绘宝鉴》的出版者本即深知杨氏序文的双重价值，故在雕版复制杨序之时，其态度显得极为精谨，对于保留、重现杨氏书法之风神可谓尽了最大的力量。以图 5-3 所示之局部来看，不但字形尺寸超大，为正文字形的四倍，应是直接摹自原手书，保留了原样，而且由第二行"气"字的开张结字、第四行"海"字的连绵转折，还可见其对原书结构之忠实，在第一行"傅"字末笔之转圈、第三行"张"字末笔的急顿、"壁"字左右部分间的牵丝与第四行"渡"字末笔之蚕头等的细部处理，也都精致地重现了原来的笔墨细节。如此精致的雕工，可能非一般等级的书肆刻工所能为，而必须求之于精制法帖的高级匠师，当然，这也意味着加倍的工时与经费。《图绘宝鉴》的出版者看来并没有计较这部分的花费。他在杨维桢序文上的精心雕制，也意味着他为该文所付出的成正比数目之润笔经费。这些都该算是他为提升《图绘宝鉴》对读者之吸引力所作的进一步投资。它的成果似乎有效地压制了书中正文部分的节约形象，而在普及与精美之两个考量间取得一种平衡。

《图绘宝鉴》之作为一般性的画史参考书，它所设定的读者群其实并非一般平民，而基本上还是社会上的有闲阶级。对于他们来说，此书价格是否真的低廉，应非唯一的考虑，兼顾着精致品质的书籍制作在此一定也扮演了重要的角色。杨维桢的序文，不论是其内容还是形式，都

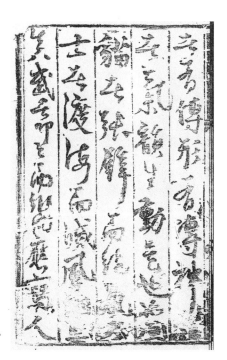

5-3 元 夏文彦
《图绘宝鉴》
杨维桢序文（局部）

符合这个需求。而且，杨序之制作精美也容易让人误以为出版者有着不计成本的热忱，其实，它只不过占全书的一小部分，随后的夏文彦自序便不再以同一手书上版的模式制作，除改用正常字形外，只在尺寸上比正文稍大约二分之一，那是为了不让字体大小在杨序与正文间显得过于突兀而设计的过渡。由此观之，杨序之置诸卷首，不能不说是《图绘宝鉴》全书在制作经费控制之原则下，所采用的最可行而有效之"包装"。

五、《图绘宝鉴》提供的画史知识与题跋文化的运作

由于普受读者欢迎，《图绘宝鉴》所提供的画史知识因此也可能产生可观的影响作用。尤其是在南宋与元代的画史、画家传记部分，因为根本没有相似性质的出版品可以与它竞争，《图绘宝鉴》的重要性也随之大增。它所提供的知识，最值得注意的有两个部分。第一部分是对南宋以来画家之较为客观而广泛的评述，尤其是在南宋宫廷画家部分，因为在南宋当代文士文集中甚少有关他们的记载，而被视为具有无可取代的价值。另一个部分则为书中对画家风格传承的留意。[39] 这基本上是延续了张彦远以来重视"师资传授"的画学传统，但是相较之下，夏文

彦在编撰此书时，显然持有一个更强烈的建立"系谱"的历史意识，总要将画家的师承列明，甚至溯及更前代的大师。如此之时间纵向关系的建立，一方面是出于对风格形式的观察，另一方面也有对主题表现类型的注意。

《图绘宝鉴》对南宋宫廷画家的重视，从后世深受文人品味成见所囿的画史观来看，确实颇为特殊。论者在对《图绘宝鉴》全书进行观察之时，总不忘提醒读者夏文彦的文人立场，诸如他在编写牧溪时引用了庄肃与汤垕文字所作的"但麄恶无古法，诚非雅玩"结语，便因之而一再被征引。[40]这固然不能予以否认，但是，这种现象在书中并非经常出现，而且也应考虑牧溪在夏文彦心目中的地位确实不高的可能性。如果与汤垕或其他14世纪的文人批评家相较，作为画史参考书编者的夏文彦虽然也显示出对文人画家有所善待的倾向，但对重要的非文人画家，特别是南宋的宫廷画家，则也有相对客观的对待，并不必使之居于文人之下。前文提及之玉涧传的处理，篇幅甚至还超过南宋最重要的文人画家米友仁，便可透露出夏氏对僧侣画家在品评上的相对客观处。这与玉涧之名完全没有出现在《画鉴》一书中，恰形成一个强烈的对比。至于宫廷画家的部分，李唐无疑是夏文彦心目中的首要人物，其地位等同于僧侣画家中的玉涧。对于李唐，汤垕也有所知，但只表示过一点勉强的许可，[41]夏文彦在书中则以超过米友仁传的篇幅作了介绍：

> 李唐，字晞古，河阳三城人，<u>徽宗朝曾补入画院</u>。建炎间，太尉邵渊荐之，奉旨授成忠郎画院待诏，赐金带，时年近八十。<u>善画山水人物</u>，笔意不凡，<u>尤工画牛</u>。高宗雅爱之，尝题长夏江寺卷上云：李唐可比唐李思训。[42]

对于夏文彦所写的这个李唐传，过去学者特别注意的是李唐在建炎中以八十高龄重入画院之事。铃木敬以为这个记载可能有误，提议南宋宫廷绘画活动应至高宗绍兴二十年后方才恢复，李唐之再入画院亦当不早于此。[43]夏文彦的这段记载究有何据，现已无法确认，是否有所误记，也不无可能；不过，他明确地提及李唐之复入宫廷服务是得到太尉邵渊的推荐，这倒值得注意。姑不论此人是否实为参与1161年真州之役的侍卫步军司左军统制邵宏渊，李唐之得到某有力武官的推荐，很可能是事实，而且很能说明为何李唐能立即受到日理万机的皇帝的重视，并得到高宗本人亲题"李唐可比唐李思训"的最高荣耀。换句话说，夏文彦的此种写法，正是在凸显李唐在整个宫廷绘画中的高度重要性。当然，他的评价也曾受到庄肃的影响，在上方引文中部分下加底线者，即系夏氏直接取自《画继补遗》的文字。[44]不过，夏氏在取用之际，还特别补上"笔意不凡"及高宗的赞辞，这便让他对李唐地位的肯定显得比庄肃更为强烈。

除了李唐之外，宁宗朝（1194—1224）画家夏珪作为继李唐之后的宫廷绘画，尤其是山水画方面最重要大师的地位，亦是在《图绘宝鉴》中确立的。对于夏珪，夏文彦除提供一些基本讯息外，另就其画艺作了全面的评论云："善画人物，高低酝酿，墨色如傅粉之色，笔法苍老，墨汁淋漓，奇作也。雪景全学范宽。院人中画山水，自李唐以下无出其右者也。"[45]如此高评价的文字，是否有前人著作之依循，现已不可确认，然而，有一点可以确定的则是：夏文彦的"夏珪"条目完全没有采用庄肃的意见。庄肃虽号称赏鉴，且对李唐也颇为支持，但对夏珪却很苛刻，不但评他"画山水人物极俗恶"，而且还针对他在当时的声誉，予以"滥得时名，其实无可取"的批判。[46]夏文彦虽然经常取用庄书的意见，但在此之立场则完全相反，除了具体地以夏珪笔墨之苍老淋漓来支持其"奇作也"的评价外，尚另以其雪景可溯至北宋初之范宽，来强化他作为李唐后一人的历史定位。我们几乎可以说，夏文彦的"夏珪"条目不但没有选用庄肃所云"极俗恶"、"滥得时名"的酷评，而且还针对之进行了反驳的论述。

夏文彦的夏珪定位，不仅代表着庄肃等少数文人鉴藏家以外的另一种意见，并且以其较强的传播力，有效地强化了这个极正面的形象。如此一个来自《图绘宝鉴》的夏珪形象，在14世纪末15世纪初的文化界中，便经常在鉴赏活动中以题跋文字的形式现身。明初洪武、永乐年间的知名文臣王璲（1349—1415）曾为一件夏珪的《烟江叠嶂》作跋，跋文中除直接引用夏氏"李唐以下无出其右者"的文字外，在论述夏珪风格时的遣词用字，如"用墨如傅粉"、"浓淡酝酿，出于自然，真奇笔也"，也都是源自夏文中或由其转化而来。[47]这在当时显然不是孤例。现存美国 Nelson-Atkins Museum of Art 的夏珪《山水十二景》残卷上可见有同为明初诗人邵亨贞（1309—1401）所书之题跋。邵亨贞跋文之后半段"惟雪景更师范宽，自李唐之后，艺林可当欸步矣"，虽与夏书中文字稍有不同，但两者间的传承关系实毋庸置疑；至于前半段作"笔瀍苍古，墨气明润，点染岚烟，恍若欲雨，树石浓淡，遐迩分明，盖画院中之首选也"，则亦是夏文中"笔法苍老，墨汁淋漓，奇作也"文辞用意的铺陈。[48]夏珪此件山水画作现虽只存四段，但各段上仍存宁宗之标题，并有皇室藏印，可知是夏珪在宫中的应诏之作，不但印证着《图绘宝鉴》中"夏珪"条目内对其风格之描述，也久为学者引为夏珪山水画之杰作，并视之为继李唐之后宫廷山水画的代表。[49]邵亨贞的题跋适当地引用了夏文彦的意见，并书写于卷后，成为画卷的一部分，可说是对此画的历史定位所作的第一个正式宣示，而他的这个宣示，到今日仍为美术史家评价此作时的重要凭借。

邵氏在《山水十二景》上的题跋自然也对此作之属夏珪亲笔提供了判断，但是，在作此鉴定之时，他却丝毫不提画上南宋皇室的书题与钤印。相反，王谷祥则在1562年的第二个题跋中特别指认南宋皇室钤印来推断此系夏珪的进呈之作，以彰显他作为鉴赏专家所具有的能力。这个差异让人不禁怀疑邵亨贞是否了解那些皇室题字与用印在鉴定上的重要性？或者，他是否真正具有鉴定古画的能力呢？即以元初的鉴定专家周密而言，在他《云烟过眼录》一书中便记载了许多古代作品上宋徽宗、高宗的题字与用印，以印证它们的古老与价值，对他而言，那些正是他所不能忽略的绝好资料。如与周密和王谷祥相较，邵亨贞便显得不像是老于鉴定的"行家"，而只是一个有声誉的文士，被画主邀请来提供题跋罢了。由此，我们也不难想象邵亨贞在执行这个题跋工作的程序：首先，他为了要完成自己所不擅长的鉴定步骤，他先使用了参考书，在《图绘宝鉴》中找到了有关夏珪的论述，接着再以画上所见之形象、笔墨表现来与文字上对其风格的描写相对照，下一步则根据此对照之相符与否，来作真伪、优劣的鉴定判断。换句话说，参考工具书中的文字知识取代了鉴定家的"专业"经验累积，而在题跋工作之执行上扮演着重要的角色。此现象若从题跋文化之发展来看，实具有值得注意的意义。

中国之题跋文化具体呈现在绘画作品的赏鉴活动中，大约可说在11世纪时已相当蓬勃，而至《图绘宝鉴》出版时的14世纪中期，逐渐达到第一个高峰。在这段期间内虽有一些细微的变化，但从题跋的内容来观察，基本上有两种类型。一种是唱和型的诗词，另一种则是品评型的论述。前者大致上系以对画面主题及其描绘的歌咏为主，作者基本上以不具备画学"专业"知识的文士为核心，只有在少数特殊状况下，作者因对画家有所认识，才会在诗词中附带予以赞美。这一类型的题跋例子极多，常见于历代文士之文集中，传世作品上亦不乏其例。它由于限制性较低，只要具备诗词之基本能力即可，参与的可能性较高，自然数量可以极大，而且特别适合雅集这类的社交场合。事实上，14 世纪时最重要的皇姐大长公主（约 1283—1331）的雅集中，诸文士所制作的题跋便全属此型，没有例外。[50] 第二型的题跋则以对画作的鉴定与品评为主，绝大多数出之以非韵文的短篇散文形式，执笔者大部分为具备画学专业知识、技能或对绘画品鉴有可观经验累积之人士。由于所需具备之条件较高，非一般文士所能为，它通常必须求托于少数专家之手。以 14 世纪初期的文化界而言，当时能提供这种题跋服务的最佳人选应是出身赵宋宗室，本人又精绘事及鉴藏的赵孟頫（1254—1322）。赵孟頫的题跋内容经常充满了他人所不及的经验及知识。在一卷原归为吴道子（约 685—758）所作，但经他更名为武宗元（？—1050）的《朝元仙杖》（现藏美国纽约王季迁家族）上，赵孟頫的题跋就交待了他的有力依据来自一件他亲眼所见的，有着北宋黄庭坚（1045—1105）题识之武宗元《五如来像》，故而可以得到"此图是虞部〔即武宗元〕真迹，《宣和〔画〕谱》中所载《朝元仙仗》是也。与余所见《五如来像》用笔政同，故不敢以为吴〔道子〕笔"的结论。[51] 赵氏此跋作于 1304 年，当时他对古画的知识及鉴定经验已是无人可及，可说居于绝对权威之地位，这也就形成了该跋的至高说服力，即使读者对于他所引证的武宗元《五如来像》一无所知，也不至于有所影响。如果与赵孟頫此跋相较，邵亨贞为夏珪《山水十二景》所作之跋，虽属同一类型，但内容之专业性却大有差别。这实是一个值得注意的状况。

邵亨贞题跋之出现，代表着品评型题跋在 14 世纪后半期以来的增加，它一方面显示了《图绘宝鉴》这种画史参考工具书刊行之后所起的作用，另一方面也意味着中国题跋文化的变化。在此时期题跋文化之运作中，品评型题跋之所以增加，基本上是因为像邵亨贞、郑真、宋濂、王璲这些取得画学基本知识之士人的扩大投入所致，而像赵孟頫那样的专家，大致上仍属少数。这个成员质量上的变化，从其需求面来看，也意味着在文雅社会中绘画品鉴活动的增加，以及古画流通量的大幅度提升。前者可从现存元明文集中普遍出现题画文字之现象中感受到此趋势的发展，且已有若干研究从题画文学之角度予以讨论。[52] 后者则为与其一体两面之事，或亦可说是促成品鉴活动增多之根本原因。古画流通量之大增在此时期历经两次重大的波动，两次都与政权的更替有关。第一次发生在宋元交替之际，南宋（包括金）宫廷收藏以及权贵（如贾似道）所保有的大批藏画全数散入民间。[53] 第二次是元明交替之际。元代宫廷对于绘画收藏之态度虽不似两宋积极，但自文宗以下也逐渐聚集了可观之作品，它们的散出自然对古画之流通产生一定程度的影响。再加上明初皇帝对收藏行为并不热衷，甚少有前代大搜天下图画之举，且对富室巨家极不友善，动辄谪徙，也造成许多旧藏的破坏，提升了古画的流通率。[54] 经过这些波动，古画不仅被观看、品鉴的机会增加，易手之际重新品鉴的需求也大为提升。而由对象作品之数量分布来说，元人之作当然占相当大的比例，南宋宫廷绘画在散入民间之后也成为珍贵价高、引人瞩目的一大部分。邵亨贞所跋的夏珪《山水十二景》即原是宫中秘藏，外人无缘得见，而近期才"问世"的珍奇之物。

由此角度言之，《图绘宝鉴》之出现与此题跋文化之变动，实具有一种互为因果的密切关系。它一方面可说是在此题跋文化蓬勃发展之脉络中应运而生；另一方面也可说是此题跋文化产生变化的推手。它所承载的画史知识，尤其是其中最重要的南宋与元代的部分，既是题跋文化运作中新参与成员的凭借素材，也依赖着这个特定的方式转化出另一层次的"实用性"价值，而争取到被广泛传播的更多可能性。它们两者之间可谓互相成就了对方。

六、《图绘宝鉴》及一些宋元画的传入日本

《图绘宝鉴》与14世纪后期以来题跋文化的紧密互动，不仅关系到南宋至元画作在中国境内的历史定位，而且也对隔海的日本如何看待这段时期的中国绘画，尤其是日本原来并不熟习的水墨山水画，起了重要的作用。《图绘宝鉴》在出版后不久，至迟在15世纪初时已有刊本传入日本。虽然它可能不是日本最早见到的中国画史书，也不见得是接触中国画史的唯一出版物，但它传入日本的意义却因与一批中国的宋元水墨山水画作之东渡同时发生，而显得特别值得重视。

在出版后作为最方便而实用之画史参考书的《图绘宝鉴》，既在中国文化界中普受欢迎，很自然地也吸引到一些赴华日本僧侣或文化商人的注意。他们之中究竟在何时由何人购买了此书而带到日本，现已无迹可寻，不过，可以肯定的是：《图绘宝鉴》在15世纪初期前已传入日

本。根据海老根聪郎的研究，京都东福寺僧侣歧阳方秀（1361—1424）在 1420 年注《中峰语录》时已经引用此书。[55] 另外禅僧万里集九（1428—？）在《梅花无尽藏》、龟泉集证（1424—1493）在《荫凉轩日录》之"1493 年 6 月"条中亦皆提及，可见《图绘宝鉴》在室町时代的文化圈中不但颇有一些读者，而且需求量似亦不小。[56] 但是，《图绘宝鉴》一书绝非一个孤立的采购目标，它必须与作为文化奢侈品的中国绘画作品的搜购结合起来看，或者更严格地说，后者在日人赴华的任务清单上应该还居于更优先的位置。虽然缺乏元明之际这些日僧（或商人）的活动记录可以依赖，我们仍可想象他们可能在何种状况下接触到《图绘宝鉴》并使用之以达成他们的文化行为。当这些来华日人开始在宁波、杭州或北京等城市中寻找"高级"（相对于寺院中仪式所需的宗教绘画而言）的绘画作品时，他们也进入了当地的艺术市场运作之中。面对着各种作品／商品充斥的这个艺术市场，买卖双方本都需要有一些辅助工具让交易能尽快地在"高级品"的共识基础上进行，对于来自外国的买方而言，更有如此需求。《图绘宝鉴》应该就是其中的重要工具。它一方面是卖方向那些外国买家介绍作者、提高价值感的依据，另一方面也是日本买方在交易中认识、选择作者，判断作品价值，甚至是在赴华之前接受委托，在中国市场中寻找收藏作品之凭借。如果说《图绘宝鉴》在日本僧侣／商人在中国购买高级绘画作品的交易行为中，为双方扮演着一个"指南"式的中介角色，可说一点都不为过。

经由《图绘宝鉴》之"中介"而购入日本的宋元画作，当时为数必不少。即以山水画而言，今日所见日本收藏中仍有若干作品可以确定是在 14 世纪末、15 世纪初之时传入的。其中京都相国寺所藏、传为元代画家张远所作的《寒山行旅》【图 5-4】，以及京都大德寺高桐院所藏、有李唐款的《秋冬山水》双幅【图 5-5】，与浅野家旧藏、传为夏珪作的《山水》【图 5-6】等，即为其中代表，可以用来说明它们在此移动过程中所伴随的画史意义。相国寺所藏的那幅雪景山水，因为画面中央上方有该寺住持绝海中津（1336—1405）的题诗，且该诗即绝海诗文集《坚蕉稿》中标示为伏见亲王（即荣仁，1351—1416）所藏画作的题画诗，可见此山水画在 1400 年左右时已在亲王家，传去之时或许还在稍早，但已无记录可查。[57] 另外两件作品传到日本的时间虽也同样不甚清楚，但大致上可以推测在 15 世纪时已在日本收藏之中。浅野家本旧藏的《山水》应是与台北故宫博物院的夏珪《溪山清远》有关之

5-4 （传）元 张远《寒山行旅》京都 相国寺藏

另一长卷的段落，据学者近年的推测，很可能是京都五山僧侣正宗龙统（1429—1498）文集中《屏风画记》所提及幕府将军家"夏珪国本"之所指。[58] 这样看来，浅野家本的这段夏珪山水或许是在《溪山清远》出宫后，为文化界重新认识并制作复本流传之过程中，因着某种不明机缘而卖入了日本。至于高桐院的李唐山水则只能推定其东传日本的时间上限应在14世纪末至15世纪初的元明之际。高桐院的李唐山水现在虽是以双幅的形式存在，分别称为"秋景"与"冬景"，但原本应为两块绢拼成的一整幅山水。根据一幅传为颜辉所作的《山水》【图5-7】来看，这位14世纪后期或15世纪初期的画家，不论其是否为颜辉，很清楚的是在直接摹仿后来高桐院收藏的李唐山水，而当时该画则尚未被切割成两幅。如果由此进一步推测，高桐院的李唐山水或许是在这摹本完成之后，经15世纪某次的日本遣明船而东渡吧？而其被分割成两幅也可能是在离开中国之后才发生的吧？这件李唐作品在东渡之后可能即为当时掌控日本对明贸易的九州大内家所有，高桐院寺中旧传此画系由其初代住持玉甫绍琮（1546—1613）辗转得自大内义隆（1507—1551）之赠予，或许便与此渊源有关，可惜这传说尚未能获得具体文献之证实。[59]

虽然这三件宋元山水画东渡日本的时间皆属推测，但仍可以说都是在《图绘宝鉴》流行之后，其所承载画史知识得到广泛之传播情况下所发生的。它们三者正好可作为中国山水画史中"李唐—夏珪"系谱在宋元发展中存在的具体作品例证，而这个系谱的建立则是《图绘宝鉴》中所提供的重要知识。对于这三件山水画在李夏系谱中的位置，通过这个

5-5　南宋 **李唐**《秋冬山水》京都 大德寺高桐院藏

画史知识传播的协助，在当时的中国鉴赏界中应已不成问题，并且在近年的研究中逐渐得到了现代学界的确认。高桐院的李唐山水虽与台北故宫博物院所藏的李唐名作《万壑松风》在笔墨风格上有一繁一简之别，但它的左右两部分在重新组合后，却可发现与《万壑松风》极为近似的山体结构，如视为李唐另体风格之代表，确有其说服力。[60] 事实上，夏珪《溪山清远》长卷便是由《万壑松风》及高桐院山水所代表的两种李唐风格的综合体，既有前者结构坚实的山石造型，而且以后者自由简率又丰富的水墨刷染的方法，来呈现山水中雨后的空气与质感。浅野家本的夏珪山水虽摹自《溪山清远》，但在近景的物象上作了较多的安排，

5-6 （上）（传）南宋 夏珪《山水》浅野家旧藏 东京 畠山记念馆藏
　　（下）南宋 夏珪《溪山清远》（局部）台北故宫博物院藏

在画面上端也添了几层低平而向后延伸的远山，多少改变了原本长卷中各段空间变化的趣味，然而，整体而言，这个后出的仿本作为夏珪风格样貌的"类原作"之有效性仍可成立。[61] 相国寺的雪景山水，由此李夏系谱来看，便可视为其在元代之作例，显示着后世所未注意到的部分流行状态。此画在20世纪早期曾被归为朝鲜之作，后来高居翰（James Cahill）指出它之简率笔墨描绘，与高桐院山水颇有相通之处，故以为应回归至相国寺原有的标名，定之为元代张远之作。[62] 据《图绘宝鉴》所载，张远是14世纪的华亭专业画家，以南宋的马远、夏珪风格之山水见长，"潜补古画，无出其右，临模亦能乱真"。[63] 张远作品存世极少，其中有款而可信之《潇湘八景图》（上海博物馆藏），果然出自夏珪《山水十二景》，正可印证《图绘宝鉴》之说。[64] 上海博物馆所藏的这

5-7 （传）元 颜辉《山水》藏地不明

个手卷虽然没有使用如相国寺山水所见的简率水墨风格,但若仔细观察两作中的简笔远木之画法,仍可说是颇为相近,归为同人所为,也可接受。相国寺山水的主题内容可能正如上博卷一样,也与"潇湘八景"有关。绝海中津的题诗前两句作:"江天落日弄新晴,雪后峰峦万玉清",极易令人联想到八景中"江天暮雪"一题;而且,现存此画前半段之中景作沙渚上下降之群雁,也符合八景中的"平沙落雁"之意。如此来看,相国寺山水原来或许是由张远另一件《潇湘八景》长卷切割出来的段落,它与上博本之不同则只是笔墨的繁简之别而已。不论如何,它与浅野家的夏珪山水、高桐院的李唐山水三者所共同形成的序列,正足以比拟留在中国的李唐《万壑松风》、夏珪《溪山清远》及张远《潇湘八景》所代表的李夏系谱。它们并在东渡日本后成为向日本艺术界印证这个系谱真实性的视觉资料。

我们固然无法确知以这三件作品为代表的宋元山水画在日本如何进行画史认识之具体形塑过程,但是,值得注意的是它们在李夏系谱中所具有的"象征性"的代表意义,并不会因为时空条件的限制而受到影响。即使它们未曾同聚一处向观者展现这个系谱,以15世纪时日本艺术界对"唐物"的高度兴趣,通过摹写、缩临等各种传播途径,它们所代表系谱之具象成型,其实也不难想象。对于这个系谱形象之形塑而言,高桐院山水等几件作品是否真能传达李夏等人艺术之精髓或绝艺,实际上也不是需要争论的问题,即使是如浅野家的夏珪摹本也以"类原作"的身份,而具有"象征性"的代表意义,在系谱中扮演着原作所应占有的地位角色。这种现象虽与现代的真伪观严重抵触,在当时却不足为奇,原来在中国之宋代宫廷收藏中亦常见之。传世若干宋徽宗时所作的晋唐古画摹本,当时也是用来填补历史传承中的空档之作。[65] 当日本收藏界开始进行中国画之收集时,也承续了中国的这种作法,并在其现实条件的配合或限制中,努力以各种原作与类原作共同建立其收藏之完备性。上述几件宋元山水画即是在此脉络中被赋予定位,并形塑着一个可供掌握的李唐、夏珪系谱。由此观之,这些李夏系山水画在日本之位置,与《图绘宝鉴》中所提供的李夏系谱知识两者之间,可谓形成一种互为因果的关系。《图绘宝鉴》不只是一种普遍性的购买指南手册,它的系谱知识也引导日方进行有系统的系谱收藏,而对系谱收藏完整性的欲求,又反过来借《图绘宝鉴》之助在中国市场中寻找特定的收藏目标。它的结果不仅是系谱收藏价值之提升,也造成《图绘宝鉴》知识权威性之更形确立。

七、雪舟与《图绘宝鉴》中的云山系谱

《图绘宝鉴》的画史知识不仅直接作用到 15 世纪日本对中国绘画的收藏运作上,而且也具体影响及室町时代山水画的创作发展。这个部分的作用可说在被称为"画圣"的雪舟(1420—1506)之水墨山水画上显示得最为清晰。它们二者之间关系的展示,也是环绕着《图绘宝鉴》中的系谱知识而来,但不是仅只聚焦在如"李唐—夏珪"那样的大师间形式风格的传递,而加入了更多对主题的关心。这种对画史中"主题传统"的重视,本属中国绘画史学中的原有重点,[66] 夏文彦在《图绘宝鉴》中亦有所继承,其中又以他对"云山"主题所形塑系谱的建构,最值得注意。

"云山"主题系谱之受到夏文彦的重视,并不能简单的说是理所当然。由今日的角度看,《图绘宝鉴》中最值得珍惜的一个部分即在 13 世纪的南宋画史,而此中山水画方面的主角,除了李唐为首的院体之外,必定还得包括文人画家所新创的云山墨戏不可。而如众所周知,云山这个主题的山水创作始自两宋之际的米芾、米友仁父子。对于他们两人的评介,实常见于南宋与元代的文人著作中,夏文彦之前的画学论著也有所论述,[67] 有关他俩的知识,在 14 世纪时已非稀罕,《图绘宝鉴》似乎不过是依样葫芦罢了。其实不然。米家父子之引人瞩目,实有多种原因,泰半与其特立独行有关,却少因其云山作品之故。事实上,对于米家云山这个主题下的风格典型,除了在南宋时文人圈中有部分流行外,到了元代初期起,在画坛上并未受到主要画家的青睐。不要说是宫廷内外的专业画家对之视若无睹,连最具族群意识的文人画家也反应冷淡。赵孟頫一生中尝试过包括董源(?—约 962)、巨然、李成(919—967)、郭熙(约 1000—约 1090)等多种古代大师风格的新诠释,也致力过隐居、树石、青绿等各种主题典型的复兴,唯独对米家云山毫无兴趣。[68] 只有一位出身西域背景的色目官僚画家高克恭(1248—1310)曾以米家云山为基础作其山水。他现存上海博物馆的《春山欲雨》确实在云山的安排及笔墨上,都追随着如米友仁《云山图》【图 5-8】的作法。但是,即使如此,高克恭的米家云山风格山水在当时却不一定普受好评。他的北籍友人,亦为画竹名家的李衎(1245—1320),便曾一再批评他的山水画"秀润有余,而颇乏笔力",促其改弦易辙。高克恭的《云横秀岭》【图 5-9】则可说是高氏改变之后,达到李衎"树老石苍,明丽洒落,古所谓有笔

5-8 南宋 米友仁《云山图》(局部) 纽约大都会艺术博物馆藏

有墨者"要求的杰作,[69] 但此时米家云山的平淡风格已被换上北方山水传统的巨嶂气势,只留下了烟云母题以及少量的米家树点,完全丧失了原来米家云山草草而成的"墨戏"特质。《云横秀岭》的重返北方山水传统之改变,意味着高克恭的"云山"作品已经有意识地脱离米家的范畴;而以"笔力"取代"墨戏"所追求的"有笔有墨"之境界,实亦属来自10世纪荆浩《笔法记》中的名言,[70] 那也是中国山水画中北方传统的源头。由此言之,以《云横秀岭》为代表的高克恭之云山,恰正是米家云山之相反。当年米家父子之所以发展他们平淡天真的云山墨戏,其实是出于与整个北方山水传统的对抗,刻意反其道而行;现在高克恭又将云山与北方山水重新结合,岂非完全颠覆了米家云山的原意?!如果由此推之,要将高克恭的云山作品的成就直接归到米家父子,恐怕也不会得到他本人及同时期评家的认可;事实上,除了李衎之外,赵孟𫖯也从未以米家的源流来赞美高氏的山水画。在此背景之下,当读者在《图绘宝鉴》中看到夏文彦对高氏的记载:"善山水,始师二米,后学董源、李成,……怪石喷浪,滩头水口烘琐泼染,作者鲜及"时,[71] 便可注意到他对二米与高克恭间的传授关系,确有刻意凸显之意。

夏文彦或许不是第一个确认高克恭与二米传授关系的人,但他的《图绘宝鉴》却是传播这个"印象"的关键。当郑真在为友人所藏的一

5-9　元 高克恭《云横秀岭》台北故宫博物院藏

件高克恭《越山图》作跋时便记道:"按松江夏氏《图绘宝鉴》云:米元章山水本出董源,而天真发露。后二百余年,高公彦敬实得其笔意。"[72] 此正显示了郑真确是由夏书中得到这个系谱知识的。另一位与郑真同时的刘仁本也在一件米友仁的《青山白云卷》上题云:"世之图青山白云者,率尚高房山〔克恭〕,而又多赝本,殊不知房山盖学米氏父子。"[73] 刘仁本之言一方面指出高克恭云山作品在 14 世纪中叶之广受喜爱,另一方面也显示着高克恭系出二米的知识在当时尚属"新知"。刘仁本此跋虽不知写于何时,但他卒于 1367 年之后,时已在《图绘宝鉴》刊行之后,其由之获得此系谱知识,实大有可能。《图绘宝鉴》所传播者当然不止是高克恭与二米的关系而已,更重要的实是由二米开端以来的整个云山系谱。夏文彦在书中对米芾的记载较短,但对米友仁则极为重视,分别从《画继》、《画鉴》等书摘取了重要文句编成其传,其中"烟云变灭,林泉点缀,草草而成,不失天真,意在笔先,正是古人作画妙处",来为其"成一家法"作说明,正透露出他以米友仁为云山系谱大宗师之立场。[74] 除此之外,夏文彦也在卷四、卷五之宋元画家中列举出诸如水丘览云、许龙湫、霍元镇等较不知名的云山画家,来为这个系谱在米友仁之后的传承状况作个交待。[75] 如此一来,高克恭便可显得像是此系谱的殿军,更突出地表示了它的重要性。如果从另一个角度来看,这个系谱的建构也可视为对高克恭云山的溯源工作。高克恭既为色目高官,位至刑部尚书之职,权势声望之高,恐怕连赵孟𫖯都无法比拟,他的"青山白云"山水画会引起时人争相仿作,当然不难想象。对于如此引人瞩目的"高克恭现象",就画史的编撰而言,确实有需要加以解释。夏文彦将之纳入云山系谱之中,并标举其与二米的传授关系,虽不见得完全合乎史实,但也不能不说是一个相当高明的策略。

经过《图绘宝鉴》之传布,云山一系山水画的制作到了 15 世纪之时自然又有了更蓬勃的发展。除了姚绶(1423—1495)、沈周(1427—1509)几个画人可说是由文人一侧接续了这个文人色彩颇为清晰的系谱外,其他多位宫廷画家及职业画师竟也竞相投入其中,这不能不说是一个值得注意的有趣现象。在 1982 年发现的淮安王镇墓(葬于 1496 年)中出土了二十五幅明初绘画,其中即有七幅作"云山"主题。[76] 它们的作者除何澄(活动于 1403—1449 间)为士人官员外,谢环、李在(?—1431?)、马轼都是重要的宫廷画家,黄希谷、李政则为画史无记之地方职业画师。论者尤其对于宫廷画家中的谢环、李在也以米家

5-10 明 李在《云山图》江苏 淮安市博物馆藏

的简率笔墨作此种云山，感到十分地惊讶。他俩所作的云山墨戏，基本上颇为接近，都是将米友仁山水化约成几个要素，再予以组合，不仅在构图上，且在所谓米点的运用上，都似出于同种模式，看来已有相当程度定型化的现象【图5-10】。这大概也可说是云山图之所以得到广泛流行的必经过程。在这过程之中，高克恭虽仍是云山系谱中一个响亮的名字，但他独树一帜的云山风格似乎已被淹没在定型化的米家墨戏之中，罕见有人注意了。

这正是日本画僧雪舟等杨到中国时所见的画坛状况。雪舟在1467年随使节团入明，1469年归国，在中国停留的时间恰与收藏着谢环、李在《云山图》的王镇之活动期相近。[77] 雪舟在归日后不久的1474年作了《仿高克恭山水图》【图5-11】，其上即有跋云："予尝南游，看中朝名手画，以彦敬为师者多矣，尔来予亦从一时之好，凡画山水则为效颦于彦敬"，并举出："吴兴夏氏士良曰：高彦敬笔意，作者鲜及"，作为自订绘画的目标。这个跋语现存虽只是一件可能为17世纪所作的摹本，而且是否与现所见画本直接有关，尚不能完全无疑，[78] 但该跋在17世纪时即被认为流传有序，而且，它有关高克恭的记述，也与雪舟友人呆夫良心（？—1477）在1476年所撰《天开图画楼记》中讲到他"不翅兼备其众体，看画临模，莫不咄咄逼真也，……扫出云山，惊动人之耳目者，西域画者之孙高彦敬之亚也"，[79] 有若合符节之处，其内容之真实性应可相信才是。这件幸存的雪舟自跋对于了解他在中国的学习经历而言，实在有不易取代的高度价值。它不仅明白地显示了雪舟确对《图绘宝鉴》颇为熟悉，而且在中国时还亲自见到云山图系的流行样态。雪舟由之而作的1474年山水之原貌究竟如何，即使无法由山口县立美术馆的这本画卷上得到完全的掌握，但仍可推测其泰半不致离王镇墓中所

5-11　室町 雪舟《仿高克恭山水图》1474 年 山口县立美术馆藏

5-12　江户 狩野常信摹
雪舟《流书手鉴》东京国立博物馆藏

出李在、谢环者太远，可能也会诉诸某种定型化的米家云山格式。事实上，今日从17世纪后期画家狩野常信（1636—1713）的《流书手鉴》中仍可见一幅摹自雪舟仿米友仁的扇面【图5-12】，其上所作前景与远山以云层分隔的云山模式，便十分接近王镇墓出土的李在《云山图》。如此现象充分地提示了雪舟依循着《图绘宝鉴》云山系谱引导，由高克恭上溯米友仁风格的高度可能性。

然而，《图绘宝鉴》对雪舟的作用尚不仅止于此。夏文彦在云山系谱上的建构对于雪舟之认识南宋僧侣画家玉涧，进而形塑两人间的关系，亦产生了巨大的影响。相较于高克恭而言，《图绘宝鉴》之云山画家传记中玉涧的出现，显得特别值得注意。玉涧在书中的传记作：

僧若芬，字仲石，婺州曹氏子，为上竺寺书记。模写云山以寓意。求者渐众，因谓："世间宜假不宜真，如钱唐八月潮、西湖雪后诸峰，极天下伟观，二三子当面蹉过，却求玩道人数点残墨，何耶？"归老家山，古涧侧流苍壁间占胜作亭，扁曰："玉涧，因以为号。"又建阁对夫容峰，号夫容峰主。尝自题画竹云："不是老僧亲写，晓来谁报平安。"[80]

这篇玉涧传的内容，如上文所述，大致取自吴太素的《松斋梅谱》，但在删去吴太素原记有关画梅竹的大部分后（除了保留末句的题画竹诗外），便显得较为注重玉涧在"模写云山以寓意"的艺术成就。虽经过一番删节，此传全文仍占七行的篇幅，算是全书中的长篇之作，在全部近一千五百个传记中，只有九个画家得到这种特殊待遇。

夏文彦为何如此独钟玉涧，不得而知，但这并未在中国读者中引起特别的关注。相反，雪舟对《图绘宝鉴》中玉涧传的反应则大有不同，这可能与玉涧在当时日本收藏界、文化界中早享大名有关。[81] 不论其原因为何，雪舟的相关资料在在都显示了他不仅对夏文彦书中玉涧传的文本极为熟悉，而且一生行事也都刻意效法传中玉涧之所为。例如玉涧"建阁对夫容〔芙蓉〕峰，号夫容〔芙蓉〕峰主"，雪舟也曾画《芙蓉峰图》，在入明时请求四明文士詹僖为之题诗，此举实在于借之以追想玉涧风范。[82] 玉涧的芙蓉峰位于杭州西湖边，他的建阁以对，当然是意在整个湖区美景，不仅芙蓉峰而已。雪舟虽然无缘在西湖边置产定居，但他在由中国回到日本后，即在"丰府西北之隅，刱作一小楼，题榜曰天开图画"，[83] 此亦意在仿效"芙蓉峰主"之建阁。这个"天开图画楼"的名字来自北宋诗人黄庭坚写景的名句，南宋宫

5-13 室町
雪舟《天桥立图》
京都国立博物馆藏

廷中亦常引之表达对杭州附近美景的赞叹。根据呆夫良心的《天开图画楼记》，雪舟此楼"沧海接前，群峰连后，孤城左耸，二水右流"，如此之选址看来也有摹拟杭州西湖景观之意。由此推之，雪舟之"天开图画楼"不仅有将造化美景尽收画中的意味，实亦另有将玉涧画阁重新于其日本居所予以再现的想象。

玉涧传记中特引其对世人"宜假不宜真"的棒喝，无疑是在直指云山图绘的本意，实不在"数点残墨"的皮相，而在提醒众人所"当面

蹉过"的,如钱塘八月潮、西湖雪后诸峰的那些"极天下伟观"。这个近似禅宗公案的训示,显然对雪舟个人起了深远的作用。他的入明之举,据同行的呆夫良心之说,实欲在"历览乎天下之名山大川",[84]这不啻可视为对玉涧"极天下伟观"训示的实践。不仅如此,他在归国之后所进行的漫长东游历程,虽然不能排除可能有其他现实目的存在,[85]但此日本画史上确属前无古人之创举,其艺术上之动机也必须在这个脉络中来予以了解。如果这样来看,雪舟晚年的巨作《天桥立图》【图5-13】,

5-14 南宋
李嵩《西湖图》
上海博物馆藏

也可说是怀抱着玉涧典范而创作的。"天桥立"位于今日本京都府宫津市，以其海边岛屿胜景号称日本三景之一。雪舟之图中寺社位置细节看来与实景尚可直接对应，应属其旅途中的写生之作。但是，雪舟在绘景之际却又明显地使用了南宋画家李嵩（1166—1243）《西湖图》【图 5-14】的图式，几乎可说是采用了李嵩观看西湖的方式来观看，并展现天桥立的景物。[86] 另外值得注意的是《天桥立图》上方与《西湖图》颇为不同的远山处理。李嵩亦将西湖周围的环山横列在画幅上方作为远景，但是，相较之下，雪舟的远山则添了更多的云霭，致使多数远山只剩部分山头，而与其下之云气共同组合成一虚无飘渺之境。这个远景图绘方式之不同，是因为实景的缘故吗？从今日所摄之该地风景图片【图 5-15】来看，飘渺的远山大概不是一个突出的实地视觉经验。那么，雪舟《天桥立图》的飘渺远山应该是来自"云山"系谱山水的启发吧？！由此言之，雪舟绘制此图之际，不仅只以观看西湖之方式施之于天桥立的景观，也以云山典范与实景山水融合为一。他之所以如此，显然与玉涧传记有关。玉涧既以"西湖雪后诸峰"为"极天下伟观"，说他曾以其云山风格图绘西湖及其诸峰，亦不难想象。雪舟是否见过如此的玉涧《西

5-15　天桥立全景

湖图》，今日已不可得知，然而，这却无妨于雪舟将自己的《天桥立图》比拟为其想象/记忆中的玉涧《西湖图》。从这个角度来看，《天桥立图》这件"数点残墨"与"天下伟观"兼具的山水，或许可说是雪舟自认最为符合玉涧本意的云山图了。

八、结语

通过《图绘宝鉴》的玉涧传记文本，雪舟认同了玉涧，也为自己在包括玉涧在内的云山系谱中找到自己的位置。换句话说，《图绘宝鉴》所传布的画史知识，不但为日本的中国画收藏提供了某种历史的架构，而且为如雪舟之创作者的艺术形塑着一种画史关怀，并在其中寻求自我定位。这对此后山水画在日本的演进来说，无疑是一个极为重要的发展。

雪舟之自拟为玉涧或自我形塑为玉涧在日本的再生，并不意味着他便无意识地成为中国山水画史的一部分。他在云山系谱中将自己与玉涧相连接，而未取云山的源头米家父子，即表明自主的选择。他的这个选择在他于1495年所作的《破墨山水图》【图5-16】就分别以图像及文字两种形式表达得十分清晰。《破墨山水图》以简笔交待云气中掩映的山水，但只分别取前景及远山之部分，余皆大半省略。这分明直接来自当时已为足利将军家收藏的玉涧《潇湘八景图》【如其中之《山市晴岚》，图5-17】，也证明了雪舟祖述玉涧画风的态度。[87] 有趣的是：本轴另有雪舟本人的自序，说明此画系应其徒宗渊（1786—1859）之请而作，并述画法源流云：

> 余曾入大宋国，北涉大江，经齐鲁郊至于洛，求画师，虽然挥染清拔之者稀也，于兹长有声并李在二人得时名，相随传设色之旨，兼破墨之法兮，数年而归本邦也，熟知吾祖如拙、周文两翁制作楷模，皆一承前辈作，敢不增损也，历览支倭之间，而弥仰两翁心识之高妙者乎。

这段序文因为雪舟亲自提及他在中国曾向李在、长有声二人学习，而广为论者所重。[88] 不过，这两位中国画家实未为后来的雪舟所重，他反而回头追溯他在日本与如拙（活动于1394—1428间）、周文（活动于15世纪前半）两人的传承关系。从表面上看，这似乎颇有日本本土主

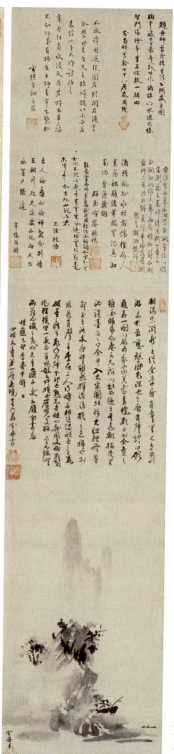

5-16 室町
雪舟《破墨山水图》
及局部 1495年
东京国立博物馆藏

第五章 画史知识的传播——夏文彦《图绘宝鉴》与雪舟的阅读

5-17 南宋 玉涧《潇湘八景图》之《山市晴岚》东京出光美术馆藏

义之意识,以致常为后人引为山水画"日本化"的发声,但此序文如与画作并列而观之,雪舟的真意毕竟还是在标举玉涧为其归宿,如拙与周文则为其与玉涧之间的中介传递者。在此,雪舟可谓提出了一个由玉涧至如拙、周文而至雪舟自己的系谱。它与中国经《图绘宝鉴》流传后所建构的"二米—玉涧—高克恭—李在(谢环)"序列虽有相关,却不相同。

雪舟自订的系谱可谓为《图绘宝鉴》中云山系的新"化身"。而他之所以有此建构系谱的观念,基本上亦系得自《图绘宝鉴》的启示。此种系谱观,当时在中国也有差不多同步的发展。大约在雪舟入明的同时,苏州的文人隐士杜琼(1396—1474)也提出以二李(李思训、李昭道)与王维为首的山水画两大主要系谱。杜氏在一首介绍自己画风源流的长诗中作了如下的陈述:

> 山水金碧〔到〕二李,水墨高古归王维;
> 荆关一律名孔著,忠恕北面称吾师;
> 后苑副使说董子,用墨浓古皴麻皮;
> 巨然秀润得正传,王诜宝绘能琛奇;
> 乃至李唐尤拔萃,次平仿佛无崇庳;
> 海岳老仙颇奇怪,父子臻妙名同垂;
> 马夏铁硬自成体,不〔与〕此派相和比;
> 水精宫中赵承旨,有元独步由天姿。

> 霅川钱翁贵纤悉，任意得趣黄大痴；
> 云林迂夋过清简，梅花道人殊不羁；
> 大梁陈琳得书法，横写竖写皆其宜；
> 黄鹤丹林两不下，家家屏障光陆离；
> 诸公尽衍辋川脉，余子纷纷不足推。[89]

杜氏的两大系谱后来即成17世纪董其昌所发"南北宗论"的张本。[90]它的格局，如与《图绘宝鉴》所提供的系谱知识相较，当然显得更为完整而清晰，但是，如果没有《图绘宝鉴》之知识传播作为基础，杜氏之论实也无法想象。

从此之后，山水画在中国与日本两地都进入了一个"有画史"的发展阶段。不仅绘画作品得以赖此历史架构形成有系统的收藏，创作者亦赖之寻求自我与过去的关系，个人的系谱形塑与画史定位也成为重要的关怀。由此观之，《图绘宝鉴》对于山水画在东亚地区的如此发展，确实扮演了一个至关紧要的角色。

第六章 物品移动与山水画
——日本折扇西传与山水扇画在明代中国的流行

一、前言

一种可以折叠,便于携带的扇子在18世纪以后欧洲的上流社会中广为流行,并被视为东方情调的表征。在中国,至少自15世纪以来,折扇也早就成为上层阶级的日常用物,除了送风解暑的实用功能外,亦是高雅身份的符码。它的上面因此常以绘画与书法作为装饰,来加强它的文化内涵,而山水画更是其中最主要的题材。一旦有了书画艺术的加入,折扇的扇面本身——一个上宽下窄的优美弧形平面——便脱离了以制作技术为主的扇骨部分,成为独立的焦点。这个弧形扇面的形状甚至因为它的文雅出身,也成为一种特殊图案造型,经常性地出现在上层人士的居室与庭园之中。这种现象充分地显示了折扇画在中国作为一个文化意象的重要地位。

不过,折扇与折扇画并非中国之发明,而系由东边之高丽、日本传来,时间早至10、11世纪之时。在折扇的流传与使用上,中、日、韩三地可以说很早便形成了一个互有联系的整体,因而也造就了后世以折扇为"东亚"文化表征印象的基础。然而,就此东亚文化意象之形塑过程而言,折扇一目仍有特别值得注意之处。其他经由文学、宗教而传播形塑的多数东亚文化意象,大致上都显示出一种由中国向日、韩,即由西向东的移动方向,但折扇一事则反其道而行,中国所扮演的实只是一个接受者的角色,而日本才是折扇在东亚文化圈中流动的起点,高丽(及后来的朝鲜)则曾是日本折扇西传的中间站,当它自己也能产制之后,又成为另一个次要起点。换句话说,折扇在中国之使用及后来折扇画的流行，基本上是这个折扇西传的结果。而当我们再看到 16、17 世纪中国折扇画蓬勃发展之后所产生的向日本"回传"之现象，便可意识到一个清晰的"互动"过程之存在，这对理解东亚文化意象之形塑过程而言，实在是难得而值得注意观察的个案。

　　折扇在中国的发展过程中，当以山水画与它的结合最值得注意。为了要增加折扇的文化与艺术价值，扇面与扇骨的各种装饰当然被赋予了许多讲究。扇骨材质之挑选、雕花镶嵌之变化等工项，固然经常是区分等级高下的初步措施，但是真正在品质上的竞争则有赖扇面本身的艺术表现。山水画在中国绘画诸科中占有绝对崇高的地位，这至少自 14 世纪以来即在文化界中形成高度共识，折扇既自实用的消夏用具转化成标志高雅的文化物件，将扇面施以绘画，尤其是山水画，几乎可谓是最为理所当然的选择。山水画一旦成为折扇扇面的主角，它本身的性质因之也受到改变。相较于同样常以绘画装饰其上的中国传统的团扇而言，折扇因为易于折叠收放，更有条件成为个人性的随身物品，扇面上的山水画遂也产生一种与画主绝对亲近的关系。它因此不仅是一种前所未有的小型弧形画面，而且因为这个与画主的随身关系，改变了山水画向来相对固定的观赏地点，而成为随画主位置而移动不定的观赏现象。这在绘画史中无疑是个极为特殊的发展，但却少为学者注意，实在值得仔细观察、思考其因此而产生的风格形式与意涵各方面的改变。尤其是当山水画必须要去适应扇面的特定弧形形式之时，如何逐步地脱离自然空间之既有束缚，发展出对画面更有意识的"抽象性"处理，还牵涉到整个山水画史在 15 世纪之后空间意识及表现的转变，也让研究者不得不予以多加关注。而当折扇山水随着它在上层社会中的流行，其在风格上的这些改变亦促生了相应的表现意涵。对于这些可以"随身"的小型山水画，它如何因之可以作为画主"个人性"的表达？而在 15 至 17 世纪这段最重要的发展过程中又出现了哪些变化？它们的变化又如何由画主与其观赏者的层面来给予进一步的理解？对于这些问题的思考，因此是讨论折扇山水画在 15 至 17 世纪这最主要发展阶段中，需要进行的工作。

　　为了要充分说明折扇山水画在 15 世纪以后发展的历史意义，10 至 14 世纪的这段早期历史也不能不作一些重点式的讨论。由于留存实物在中国地区极少，学者在论及这段日本折扇西传的过程中，几乎只能依赖文字史料，说明一下其传入中国的片断史实，而少对其在中国宋元时期所引发的反应，尤其在绘画艺术上的层面，作进一步的讨论。本文则试图由一些与日本折扇画有关的图像资料，推测日本及高丽扇绘在进入中国之时所可能产生的作用，并尝试勾画出这些异国物品在中国文化脉络中的可能位置。本文尤其有兴趣的课题在于去问为什么北宋后期人会受到日本（及高丽）折扇绘画的吸引？甚至产生收藏的高度欲望？它们与后来兴起的江渚小景山水画究竟有什么关系？这些问题虽然无法在此研究中得到立即而明确的答案，但对此折扇西传初期的一些推测，仍多少有助于理解15世纪以后中国折扇绘画蓬勃发展的历史意义。

二、异国风物及北宋人的想象

从文献上看，日本折扇最早进入中国的时间是在北宋端拱元年（988），在日僧奝然（938—1016）当时进奉北宋朝廷的礼物中即有"桧扇二十枚、蝙蝠扇二枚"。[1]不过，这条几乎人尽皆知的《宋史·日本国》中的史料应该只被视为一种指标式的记录，不必拘泥于其时地。事实上，大概在此之前，日本来的折扇已在中国建立了一种异国珍宝的形象，而相当普遍地为人所知。在稍早的981年，远在敦煌地区归义军节度使曹延禄麾下官员樊继寿在他所施舍的一幅《千手千眼观音菩萨图》中【图6-1】，其中尊观音右手持物之一即为折叠扇。这件持物过去学者有指之为"傍牌"者（一种在军营两侧树立之木栅，防敌人冲撞之用），[2]但其形式作上宽下窄之弧形，毕竟与栅排颇不相类。一般或以为千手千眼观音手中之持物多半为如弓、斧、剑、戟等武器类的降魔物，故视此条状物为"傍牌"；然而千手观音之持物中亦有一些为瓶、镜等用器，只不过将之更进一步珍宝化而已。樊继寿所供养的千手千眼观音手上的这件弧形条状组合物虽不见于其他幸存的敦煌同期同类观音画像之中，但在稍晚的一件千手千眼观音画像【图6-2】中，其右手相近位置之持物即作一考究的白色羽扇，可见樊继寿供养本中所见之持物亦意为一种宝扇才是。

樊继寿供奉本《千手千眼观音菩萨图》中的折扇【图6-3】应是存世所见最早的折扇图绘形象。它的扇头隐于指间，只绘出扇身，分别以红绿二色作十五条，并呈弧形排列。虽然描绘得并非十分精准，无法据以推断此折叠扇的原貌，但它的样子应属一种早期的桧扇，可能即与988年奝然所献"桧扇二十枚"的形状相去不远。日本奈良平城京遗址曾经出土两件可以推定为8世纪的早期桧扇，其中之一共有十一股，展

6-1 宋《千手千眼观音菩萨图》981年 巴黎集美博物馆藏

6-2　南宋《千手千眼观音菩萨图》（局部）台北故宫博物院藏　　　　6-3　宋《千手千眼观音菩萨图》（局部）

开后如棕榈叶形，上方也呈弧状，便与樊氏所绘的折扇基本上相似。[3] 日本早期的桧扇可能没有以绘画为装饰，以现在所保存的遗物来看，那似乎是平安时代（781—1191）末期以后的发展。樊氏所绘的这柄桧扇之上也没有绘画，只是以红绿等色作了装饰。不过，这些颜色是否直接涂在木条之上，或涂在纸上再行包装，则无法判读。如以平安末期桧扇上之绘画多数直接画在木条之上，或应以前者为是。

可惜樊氏所绘的桧扇上并无绘画，但是从文献上可知在11世纪后期时的北宋都城开封已可见到有绘画的日本折扇。成书于1074年的《图画见闻志》中的《高丽国》条目即已记到：

> 彼〔高丽〕使人每至中国，或用折叠扇为私卖物。其扇用鸦青纸为之，上画本国豪贵，杂以妇人鞍马，或临水为金砂滩，暨莲荷花木水禽之类，点缀精巧，又以银泥为云气月色之状，极可爱。谓之倭扇，本出于倭国也，近岁尤秘惜，典客盖稀有得之。[4]

郭若虚（约1041—约1100）的这条记载十分值得注意。首先是当时市场上已有日本折扇的贩售，属于较珍贵的奢侈品。再者是这些珍奇的日本折扇系通过高丽使节团成员带来,而在中国,或者只局限在开封市场流通。三则为这种日本折扇上的绘画使用了金银等昂贵的色彩,所绘者除富含日本上层社会之风情外,并常有水边花禽及月夜之景。四则为这种绘画系画在一种称作鸦青纸的纸上,可见这种折扇上有贴纸,与通身皆为木质的桧扇不同。这应该就是日僧奝然988年叫人进献的"蝙蝠扇"。据现代扇史学者研究,蝙蝠扇的原义即是"纸贴扇"。[5] 看来郭若虚所谈的就是一种有画的日本蝙蝠扇;但是,奝然所进之蝙蝠扇是否有画绘于其上,则不得而知。

这种精致的日本有绘折扇显然在当时吸引了许多开封士大夫的注意。除郭若虚外,王辟之(1067年进士)也在《渑水燕谈录》中记录了他所见到的在鸦青纸上作画的日本扇:

> 熙宁(1068—1077)末,余游相国寺,见卖日本国扇者。琴漆柄,以鸦青纸厚如饼,揲为旋风扇,淡粉画平远山水,薄傅以五彩,近岸为寒芦衰蓼,鸥鹭伫立,景物如八、九月间,舣小舟渔人披蓑钓其上,天末隐隐有微云飞鸟之状。意思深远,笔势精妙,中国之善画者,或不能也。索价绝高,余时苦贫,无以置之,每以为恨。其后再访都市,不复有矣。[6]

王辟之的记载来自本人经验,可说完全印证了郭若虚约莫同时的记录。王辟之所见的这柄折扇画的风格亦如郭氏所述,作秋天河岸之景,另加上了天末微云飞鸟,有一些平远山水的意味。除了如此"意思深远"外,更吸引着王辟之注意的应是在那小尺幅的画面上,不但有远近景之分,而且细节描绘精致,近景除有芦蓼等各种水草外,尚有鹭鸥等水鸟之活动,披着蓑衣的渔人在小舟中的垂钓活动亦清晰可辨;不仅如此,近景上方又有天边远景之交待,其"微云飞鸟"之"隐隐"然,也令观者赞叹其技法之细腻巧妙。这便是它能被评为"中国之善画者,或不能也"的"笔势精妙"之处了。王辟之的这个描述不仅成功地将此日本绘扇展现在读者眼前,也充分说明了它当时"索价绝高"的理由。而他当时无力购买,"每以为恨"之情,也呼应着郭若虚所言当时倭扇受人秘惜的情况。他自己说当他下次再到相国寺时,"不复有矣",也系意在突显此种日本折扇之极为难得。相国寺之市集为当时开封城中最主要的艺术品市场所在,北宋许多以收藏闻名之士大夫、贵胄,如米芾

(1051/52—1107)、王诜（1036—1099后）等人，皆经常出入其间寻访奇珍。[7] 像王辟之所见的那种精绝的日本画扇，会受到藏家之青睐，想来亦不意外。

日本折扇上的绘画一方面以其精致增加了扇的价值，另一方面也以其异国景物形象，强化着它作为域外奇珍的吸引力，这对于北宋的上层社会成员而言，显然更为重要。在1087年，时在开封的黄庭坚（1045—1105）收到了越州知州郑穆（1008—1092）赠送的高丽画扇，遂赋二诗为谢。其辞作：

> 会稽内史三韩扇，分送黄门画省中。
> 海外人烟来眼界，全胜博物注鱼虫。
> 苹汀游女能骑马，传道蛾眉画不如。
> 宝扇真成集陈隼，史臣今得杀青书。[8]

黄庭坚所见的画扇很明显近似于郭若虚所记录者，都有骑马的贵游仕女，且有让人一望而知为"海外人烟"的异国事物。这些域外之物，对黄庭坚这种好学之士，就好比是孔子在陈国所见的远来之"隼"，可补知识之阙，其功效要超出求诸《博物志》的纸上注疏之工作。他的这种反应充分地展现了折扇之作为域外贡物之性格，及其在一般知识界中所扮演的角色。它的如此形象，便与无画的松扇有所差异。后者虽亦被视为远来之物为人所珍重，除为外国使节作为私下贩卖的高价物品外，在北宋高层社交圈中也通过外交活动中相关人员的中介，成为颇受欢迎的礼物，但它基本上较被视为异国方物，纯因新奇而引人。例如现存一组有名的咏高丽松扇诗，分别由苏轼（1037—1101）、张耒（1054—1114）、黄庭坚等开封士大夫所作，此皆归因于当时名士钱勰（1034—1097）使高丽回朝后赠张耒一柄松扇而起，可见开封士大夫的热烈反应。钱勰带回来的松扇礼物显然不少，引起相识者的争求，同在"馆中"的同事孔武仲甚至因为极想得到，故而作《钱穆仲有高丽松扇，馆中多得者，以诗求之》。但是，即使如此，他们的诗中也只是如张耒所云"三韩使者文章公〔指钱勰〕，……万里〔归来两松〕扇；六月长安汗如洗，岂意落我怀袖里"来表示远来巧物的难得，并以"中州剪就霜雪纨，千年淳风古箕子"，来将松扇之风比拟为箕子的淳古之风，透露着他们对高丽异国的历史想象，却极少作出如对有绘折扇的那种高度知性的反应。[9]

黄庭坚所赋咏的高丽绘折扇得之于越州官员郑穆。郑穆虽未曾出使而亲至高丽，但越州地处高丽使节自登陆地明州（今宁波）往京城开封的必经之地，也近明州港口的交易市场，能得有此种绘扇，并不偶然。这也提示着明州及附近地区在折扇西传过程中的重要位置。南宋初邓椿（约1109—约1183）曾报道他所寓目之上有山川人物、松竹花草的日本折扇，并记其来源："竹山尉王公轩惠恭后家，尝作明州舶官，得两柄。"[10] 此处所称惠恭后为徽宗（1100—1125在位）皇后王氏，[11] 她的家人所担任的明州舶官则是北宋自999年起即在宁波所设之市舶司，专管包括日本、高丽在内的海上贸易事务，而外交、宗教性质的人员团体在中国的出入也大部分皆须经过此单位的作业，担任明州市舶司的王家自然比旁人有更多的机会得到来自日本、高丽的有绘折画。事实上，以明州为中心的浙江沿海地区在接纳日本、高丽文物上所扮演的重要角色，至少可以上溯至10世纪吴越王钱氏统治之时。当时吴越王室在试图复兴佛教天台宗的工作上，便自高丽与日本得到了重要的协助，补充了中国久已失传的一些重要典籍。[12] 吴越地区如在这类交流中得到一些高丽画或日本画，也很容易想象。郭若虚在他的书中谈高丽画时，即亦说到"钱忠懿家有着色山水四卷"，他所指的钱忠懿就是吴越的末代君王钱俶（948—978在位），那也是前文所及钱勰的曾伯祖。另一个值得注意的日本画的所在则为南唐宫廷。它的地理位置紧邻吴越，在唐末五代北方政治局势不稳之际，它的相对稳定性自然地提供了东亚诸国间贸易往来的需求管道。作为外交之礼物或者是高级文化商品的异国绘画，会因此而出现于南唐宫廷之中，可说一点也不让人感到意外。稍晚北宋文士收藏家兼评论家的米芾便在其《画史》一书中记载了："日本画……江南李主多有之，以内合同印、集贤院印印之，盖收远物，或是珍贵。"[13] 米芾所说的"内合同印"与"集贤院印"都是南唐宫廷收藏的鉴藏印，被认为只用在重要的藏品之上，由之可见南唐对日本画之积极态度。这些零星的资料虽不足以重建当时日本、高丽绘画进入中国情况之全貌，但至少很肯定地提示了中国南方的南唐与吴越地区在这个文化交流中的关键性地位。

三、日本折扇画与北宋人对唐画的追寻

　　米芾记南唐收藏之日本画时还提到它的风格"皆着色而细，销银作

月色布地，今人收得便谓之李将军思训"。这个记载透露着一些北宋时期部分绘画专家如何运用日本绘画的重要讯息。米芾在此所记的"销银作月色布地"之画法，相当具体而明确，而且与郭若虚所记"倭扇"画上"以银泥为云气月色之状"的情况相合，可见米芾的确来自他对日本画的第一手观察。可惜，符合米芾描述特征的日本绘画，现在可说完全没有保存下来。不过，米芾接着提到的那种风格与唐代李思训（653—718）山水画间的关系，则值得特别注意。他固然对"今人"的视之为唐代李思训风格，大不以为然，但似乎正好显示出这种意见的流行，而且其来有自。《画史》中另外还记载冯永功所收藏的日本着色山水，并云："南唐亦命为李思训"，[14]这即使不是说南唐收藏时已视之为李思训，也是指金陵方面的专家经常将之与李思训风格等同起来。但是，为什么会如此？什么样的文化氛围造成了如此的风格比附？而如此的比附又对北宋的山水画起了什么样的作用？

米芾虽然根本不同意日本画与李思训的等同关系，但他在《画史》一书内讨论唐代绘画的相关文字中很明显地呈现了北宋之时对唐画的追寻热潮；不仅对李思训，也对另外一位山水画大师王维（701—761）的风格充满着急切的理解欲求。如此之现象必须由两个方面予以掌握。一方面是山水画在10世纪以后大兴，与米芾同期或前后的专家们对山水画在唐代的源头，遂产生高度的兴趣；另一方面则起自于唐画资料在当时却已残缺不全，这相对于他们对唐代山水画的高度热衷，无疑是莫大的打击。就时间而言，李思训与王维虽距北宋不算太远，但是因为会昌废佛及唐末之动乱，他们以壁画形式存在中原地区宫殿或寺院之中的山水作品绝大多数都被毁坏，无法提供作为了解他们画风的可靠凭据。在此困境之中，11世纪的专家只好转向四川及江南这两个当时被认为保存了较多唐画相关资料的地区寻找一些可能的线索。例如对于李思训的名作《明皇幸蜀图》（另有归为李昭道的一说），米芾之时的收藏界中即有不同的版本，引起许多讨论。米芾本人即曾在《种瓜图》条目中提到有蜀人所作的多本存在。此《种瓜图》实为李思训《明皇幸蜀图》的别名。他还另引用一件苏舜元（1006—1054）儿子苏澥家收藏的寿州人摹本来质疑当时颇为知名的宗室赵仲忽的家藏本。[15]一般而言，四川因为在唐代后期有三位皇帝入蜀的因缘，常被认为保存了唐代遗风，甚至于米芾之时会发生将五代蜀地画家李昇的作品刮去名字，改题李思训的情况，也就不足为奇了。[16]江南地区也扮演着类似的角色。南唐王室所收藏过的日本画被视为李思训所作亦属此种例子。江南地区,尤其是众人追寻王维风格的焦点所在,特别是一些雪景山水,只要是笔意清秀者,便被归为王维。米芾还特地举出他所知的宋初江南画家王士元作的"渔村浦屿雪景,类江南画,王巩定国收四幅,后与王晋卿〔即王诜〕命为王右丞〔即王维〕矣",来批评那种流行的看法。[17] 他所谓的"江南画",实指南唐宫廷绘画,今日藏于台北故宫博物院的赵幹《江行初雪图》即出自南唐的画院,画的是江边渔村初雪之景,正如王士元的"渔村浦屿雪景",颇能取来想象米芾当时之所指。有趣的是:赵幹图卷中所绘的人物细节竟然十分符合北宋文同(1018—1079)、晁补之(1053—1110)等人在文集中所叙述的王维《捕鱼图卷》,[18] 显然米芾所言的那种以江南渔村雪景山水为王维所作的现象,当时确实存在。

　　米芾与他所批判的流行意见之间,究竟孰是孰非,今日已无法判明,亦无须特别在意。但是,它所透露的江南地区绘画与唐代风格间存在某种想象关系的讯息,却值得多加注意。我们甚至可以追问:为什么"着色而细,销银作月色布地"的山水会被视为李思训之作?而作"渔村浦屿雪景"的山水会被归为王维之作?为什么这些北宋人自江南所观察到的现象,会激发他们对唐代山水的联想?借由外交、贸易而以如折扇那种载体传入北宋的日本绘画,很可能在此扮演着一种重要的触媒角色。这个可能性虽尚无直接资料可以证实,但仍有一些线索可以推测。其中李思训相关部分资料极少,不易进行,现在大约只能就着色与使用金银等矿物性颜料与后世所称李思训始作"金碧"山水有些关联,来勉强推敲 11 世纪时人的想象过程。不过,王维的部分则因有一些出自 11、12 世纪的"渔村浦屿雪景"图像资料存世,恰可用来重建一个日本山水画在北宋产生作用的可能过程。

　　首先值得注意的是米芾所说之易于联想至王维山水的"渔村浦屿雪景"。它的内容极易让人想起郭若虚记倭扇时所说的"或临水为金砂滩,暨莲荷花木水禽之类,点缀精巧",都是针对有着沙渚水禽的江边小景而发。这种小景的特殊景观与一般 11 世纪中国山水画中常见的以大型峰峦谷地为主的安排颇为不同,因此会被引之为其特色,亦很自然。在现存的早期日本绘画作品中并无此种风格留存,但幸运地在一些 12 世纪的莳绘上还可见到相关的图像。例如一件《泽千鸟莳绘螺钿小唐柜》【图6-4】柜上平面便装饰了江渚水禽的图像,基本上以近岸在前,隔水配上洲渚在后,水草与禽鸟则穿插其间,颇为贴近郭若虚所描述的形

6-4 平安《泽千鸟莳绘螺钿小唐柜》和歌山 金刚峰寺藏

象。此件小唐柜年代可订在平安时代后期的 12 世纪，其装饰意匠也可视为当时日本此种工艺之杰出代表。另一件 12 世纪的莳绘作品《野边雀莳绘手箱》【图 6-5】也具有相同的风格，但较为简洁。它的盖表上的装饰仅作二水边沙渚左右斜对，上作疏落之苇草植物与雀鸟，可说与金刚峰寺小唐柜上的装饰同调，并且显示了一个将此种构图程式化的发展现象，亦即将不同距离之洲渚浦屿，集中成前后二区块，且依斜线排列于画面上。[19] 如此之程式在平安时代后期之各种装饰上的运用似乎颇为普遍。西本愿寺本的《三十六人集》这个写本中的纸面装饰就一再地使用此种模式，其中《赤人集》第十四纸【图 6-6】上的水浦景致也是只作前中后三区块依对角线排列而成。它所描绘的时间则属冬季，故而浦屿皆为雪所覆盖，这也是此期在日本最流行的季节母题之一。西本愿寺本《三十六人集》据学者推定是为了庆贺白河法皇（1072—1086 在位）六十岁生日而作，时间可订在 1112 年，[20] 差不多就是米芾看到日本画的时间，距离《图画见闻志》成书的时间也差不多只有三十多年的距离。折扇上面的绘画基本上也是对扇面的装饰，皆出于与漆器、写本上装饰的同种需求。我们因此由之亦可推想北宋人所见倭扇上的装饰

6-5 平安
《野边雀莳绘手箱》
大阪 金刚寺藏

画,很可能与上列的日本浦屿雪景主题的图像相去不远。

北宋人因为看到日本折扇上面的浦屿雪景而联想到唐代山水画的可能性,尚有一个旁证可引。在知名的所谓徽宗《摹张萱捣练图》【图6-7】上有一持扇扇火的女童仆,扇上所作的图绘就是如日本平安后期的浦屿雪景之装饰。它的形象基本上出于如《野边雀莳绘手箱》所示的装饰程式,只有前后两块洲渚作对角斜线布置,前景沙渚在覆雪之上则作二水禽,配以疏落之苇草,而与斜后方只作苇草其上的洲屿相对。这很可能是使用了日本折扇画上的浦屿雪景山水装饰而来。而它之所以出现在一张唐代张萱作品的摹本上,亦正好呼应着时人确以此种图像可当唐画的心态。徽宗画院之中曾经为了追求其收藏之完备性,摹制了不少古画作品,但其摹制的过程中并不见得皆有所本,有所本时也不一定严谨地复制所有之细节,不但时有简省重组的状况,而且还会添入新的,"想当然耳"的形象,来营造更有说服力的效果。当时画院在摹制张萱《捣练图》时会加上这个扇面图绘,应该就是属于后者的现象。本卷持扇扇火童仆的存在,用意是为了补充配合其后段中宫女以熨斗烫绢

6-6 平安《三十六人集·赤人集》第十四纸 京都 西本愿寺藏

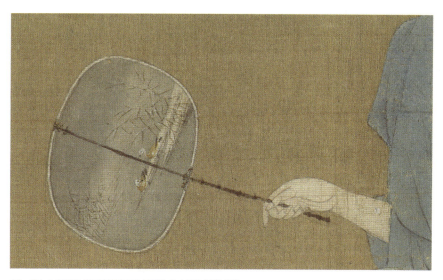

6-7 （传）北宋 赵佶《摹张萱捣练图》（局部）波士顿美术博物馆藏

布的场景，说明熨斗中炭火的来源。但是，这整段熨斗烫绢之工序由于被发现与河北地区所出一处12世纪初墓葬壁画中图绘的工作情节一模一样，因此显然不可能为四百年前8世纪时张萱之原本所有，应该属于徽宗画院的添加。[21] 如果真系如此，那扇画了浦屿雪景的图绘，在此倒是确实可以如其所愿地产生一种"如唐画"的作用。

第六章　物品移动与山水画——日本折扇西传与山水扇画在明代中国的流行 | **225**

6-8 北宋 梁师闵《芦汀密雪》北京故宫博物院藏

  如传徽宗《摹张萱捣练图》中扇绘的浦屿雪景形象，极可能与当时兴起的江渚小景图绘有关。现存一卷题名为梁师闵的《芦汀密雪》【图 6-8】出自徽宗之收藏，已著录在序于 1120 年的《宣和画谱》之中，[22] 而且被列在当时新出的画类"小景"之内，可以确定是一件 12 世纪初的作品，并作为当时"小景"山水的基准代表。此卷作积雪中之江边小景，虽为长达一百四十五厘米的横卷，个体物象如枯树、鸳鸯、水鸟、芦苇都描绘得十分精细，表现着徽宗宫廷绘画所讲究的水平，然而它的整体结构却与《捣练图》中小团扇上的装饰画如出一辙。它的构图作水平式的横长安排，前景作坡岸一角上有枯木岩石，中段则有鸳鸯，沙洲延至后段的中景汀渚，在双层的平行排列中可见栖眠中的一对水鸟及一片苇草；这虽充分展现了梁师闵运用虚实对比的创意技巧，但它只是前中景两区浦屿的斜线对应，基本上是小团扇上雪景的横向延展。如再进一步细看，其左方洲渚上与水鸟的搭配，雪景白地上黄色禽鸟的色调，也正有如团扇上图画的翻版。两者的关系实在十分接近，如说梁师闵作此《芦汀密雪》时直接借用了《捣练图》上那件扇绘的图像，也不会让人感到意外。根据《宣和画谱》的记载，梁师闵是京师人，为徽宗朝一位武臣，并非制作《捣练图》的宫廷画家，虽然如此，《宣和画谱》中说他的画"取法江南人"，居然也指出其风格与南唐的渊源，这正是《芦汀密雪》与《捣练图》中团扇画间亲近关系所透露出来的讯息。由此观之，日本扇绘传入江南的浦屿雪景形象，不仅在北宋后期关系到时人对唐画的想象，而且对当时新出而影响深远之江渚小景画类的发展，可能

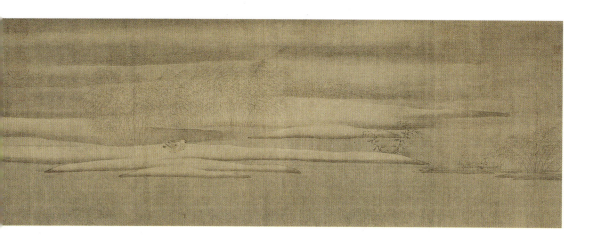

起过十分正面的作用。[23]

　　日本绘画之进入北宋人的视域，当然不见得非由折扇的媒介不可，《宣和画谱》中提到北宋后期日僧弟子便曾进"倭画屏风"，此种较大型作品的样貌，如果是山水画（徽宗御府收藏中即有《海山风景图》之目），可能颇近于原藏京都东寺的那件12世纪初之六扇《山水屏风》（京都国立博物馆藏），该山水画与扇绘最大的差异应在其为描绘巨大空间感之青绿全景山水，与扇绘所适宜的小景迥不相同。相较之下，折扇之体积小、制作精美，作为礼物或商品，更易于流传，而产生较为广大的作用。再加上折扇本身所具之异国形象也对北宋知识人产生一定程度的吸引力，它与中国唐画之关系则亦从另一个角度建构着时人对日本的想象层次，更增其文化魅力。北宋人当时除了对日本高水准之工艺品如刀剑、折扇等感到高度兴趣之外，在文士圈中也普遍地形成该国保存中国部分失逸文化的印象。欧阳修（1007—1072）在其知名的《日本刀歌》中所云"〔日本〕逸书百篇今尚存，令严不许传中国"，[24] 便属其中代表之意见。欧阳修的认识固然是奠基于奝然进献《郑氏注孝经》、《越王孝经新义》，寂照（？—1034）带来《大方止观》、《方等三昧行法》等佛书，这些在中国已散逸典籍的事实而来，[25] 但此种印象并非只限于典籍，在艺术领域亦有相关的事例。例如11世纪后期北宋文化圈人士见到日本书家兼明亲王（914—987）的草书作品，十分惊讶并大为赞赏，除由当时之书法学者薛嗣昌摹写外，并进而给予了"日本草书如唐人，学二王笔也"的定论题跋于后。此薛嗣昌摹临的日本10世纪草书诗作,后来又为董其昌(1555—1636)收入《戏鸿堂帖》中,标之为"海外书"。[26] 兼明亲王的草书诗作之所以得到薛嗣昌的临写,意味着它具有"如唐人"在继承二王传统中的类同于典范之重要性。这与北宋人视日本绘画有如李思训、王维之态度可说有相通之处,都出自对已日渐模糊之唐代风格典范的热切追寻,也都一起形塑着异国日本作为古逸文化寄托体的想象。如此说来,日本绘画借由折扇西传而入中国,便有如逸失的古籍回到中国带动古学(或部分宗教)之复兴,意味着唐画典范之隔世再现,激发着北宋人去创作自认足以接续唐风典范的山水画。徽宗时所谓的"小景"山水,应该就是如此的成果,它在当时公认的代表画家赵令穰,实际上即被视为是以其"小景"继承了王维的典范性成就。[27] 不过,在此过程之中,折扇扮演的似乎只是工具性的角色,它上面的绘画虽产生了重要的文化意义,但扇子本身除了精巧引人之外,却未有进一步作用。不论是在文化上或市场上,折扇本身一直到15世纪之前,并没有在中国产生仿制的需求。

四、15世纪中国制折扇及其绘画

北宋人虽然见到日本折扇上的绘画,并引发他们对唐代山水画的想象,但显然没有注意到其所依附折扇载体而来之弧形画面的形式本身。因此当时中国绘画界并没有出现"折扇画"的形式。这种情况一直到15世纪后半期才产生根本的变化。而中国折扇画在15世纪之出现,乃是配合着中国仿制折扇在其时开始流行的发展而来。

在12至15世纪之间,日本折扇画或是高丽所仿制的作品,并未停止西传中国。它们之作为外交礼物、高级商品,从一些零星的文字资料看来,仍在中国上层社会中得到一定程度的欢迎。然而,其受欢迎之程度似乎尚未达到诱发中国本身市场进行仿制的需求与动力。这大约是中国在这两百年间没有出现中国制折扇以及折扇画的背景。对于这个概括性的论断,有两点与之不合的资料存在,值得稍予讨论。第一点是现存北京故宫博物院的一方南宋折扇画《柳桥归骑》。[28] 此画风格虽可订在13世纪,但为绢本,且其上全无折扇所留下的任何折痕,与一般折扇画所见不同,可能原来并非扇画,而系后人切割改制而成。另一点则为江苏省武进县村前乡南宋五号墓出土的一件《枪金人物花卉文棱花形奁》器盖上仕女持扇的图像【图6-9】,该漆器据出土相关资料可订在

6-9 南宋《戗金人物花卉文棱花形奁》1237年 江苏省武进县村前乡南宋五号墓出土 常州市博物馆藏

1237年，为浙江温州工坊所制。[29] 这个图像上的仕女持扇确为弧形的折扇，而且其上作二相交叉之折枝花（或竹？），虽简单，但已清楚地指明了这是有画的折扇。然而，此漆器既出自不难见到日本折扇的浙江沿海地区，它所绘的景象是否意指当地上层社会人家之庭园，且以日本折扇这种异域珍奇来标示仕女的高贵身份？而非可直接视为中国自制折扇画已经出现的证据？这其实尚待更多之资料方能作进一步的回答。但是，即使这件1237年漆画上所画的折扇果为当时某件中国自制折扇的写照，那在当时也应是十分稀罕的产品。几乎所有相关文献都一致地指出，中国自制折扇的较普遍出现，还要等到15世纪的永乐时代。

最早清楚而肯定地提到中国仿制日本折扇的史料应是王绂（1362—1416）之《友石先生诗集》（1422年序）中的《倭扇谣》。其第一部分作：

> 倭人茧纸折为扇，缺月生辉银满面，阙下年年多贡余，都人重购何纷如，杭工巧点思争利，效倭为扇浑无异，价廉百十人不忺，说是倭来方道地，倭来道便经杭州，廉价却将杭扇收，倭收杭扇堪惊怪，转眼街头高价卖，买扇还家夸扇真，街头持卖真倭人。[30]

诗中提到"贡余"的日本折扇在市场上大受欢迎的状况,大致符合北宋以来的现象,而且其程度颇有上升,因之导致了杭州匠人的仿制以谋利。这可能是因为中日之间在1404年后正式开启了外交贸易关系之后,日方幕府将军将作为贡品及商品的折扇数量增大作为在此"朝贡贸易"中的主力货品之一,故而刺激了市场需求量的提高。据一份1432年的资料显示,当年遣明使所携至中国的日本折扇一次就有二千二百柄之多。[31] 王绂虽对中国市场之以假为真的妄相有所嘲讽,但实也道出了中国制折扇虽不能完全取代舶来的倭扇,却也因为"价廉百十"而取得一定的市场占有率的情况。中国仿制的折扇的来源可能也不止杭州一处,16世纪的郎瑛(1487—?)在其《七修类稿》中也提到了宁波人制作"假倭扇"的事情。[32] 由此亦可推想日本折扇及其仿品因市场需求,而吸引中国各地民间工匠投入的热烈状况。

除了民间仿制之外,另有由朝廷主动下令仿制之说。此说见于有1593年序之刘元卿(1544—1609)《贤奕编》,其记云:"闻撒扇〔即折扇〕始于永乐中,因朝鲜国进撒扇,上喜其卷舒之便,命工如式为之。"[33] 刘氏之文虽承袭了旧有将日本扇与高丽仿制扇混而为一的通病,也没有载明其信息的来源,但他的认知可能在当时颇有代表性,而且后来亦为学者采用。18世纪初刘廷玑在其《在园杂志》(1715年序)中即引用刘元卿的文字,并加以扩充:

> 自内传出,遂遍天下。其始不过竹骨茧纸薄面而已,迨后定制,每年多造重金者进御,一面命待诏书写端楷,一面命画苑绘画工致,预于五月一日进呈,以备午日颁赐嫔妃宫女,其钉铰眼钱皆用精金,每扇价值五金。[34]

刘廷玑的年代虽然稍晚,但他所提供的明初宫廷仿制日本折扇的资讯倒是相当具体而详细,可能亦如他引用《贤奕编》那样地确有所本。他在文中提到宫廷仿制折扇不仅制作讲究,价值高达五两白银,显然与民间如杭州所仿者的平价不同,而且其双面皆有由宫廷待诏执笔的书画,提示着皇帝对于这种用来作为端午节赏赐品的重视。不过,宫廷仿制折扇的赏赐是否仅局限于嫔妃宫女的范围,则似不必拘泥于刘氏的文字。从明代早期诗文集中可见诗人如张羽(1333—1385)、韩奕、夏原吉(1366—1430)等都有咏倭扇或三韩扇的诗作,皆是因得宫中赏赐而来。它们的内容大致相类，都交待着"尚方受贡应无用，分颁遍与群臣共"的缘起，并以"荡荡皇风从此播，炎氛清绝万方春"的祝福来感谢皇帝的恩典。由之亦可见宫中将贡入折扇分赐朝臣在洪武至正统期间（1368—1449）应该已是常态，而且次数相当频繁，夏原吉本人之诗即是"两蒙恩赐"而作。[35] 如此看来，宫中仿制日本折扇确有可能因为赏赐需求量的增大，而从永乐朝（1403—1424）开始为之，而且，为了彰显皇帝的恩典，宫廷所制折扇也由待诏们添上了书画。在扇上作画写字，固然在南宋宫廷中已属常见，现存仍多有当时团扇作品的实例，永乐以后宫廷有画折扇的制作当然也可视为此种宫廷制作传统的延续；但是，如果考虑到它们在宫廷中系与异国贡扇之赏赐行为共同存在，便不得不注意两者之间具有某种竞争关系的可能性。换句话说，由于皆是作为代表皇帝恩典的赏赐，日本贡扇上绘画装饰的存在，也迫使宫廷自制折扇具有同等或更佳的绘画或书法装饰之必要性，以免产生如杭扇那种"说是倭来方道地"的尴尬后果。中国之始作折扇画，因此显然与某个皇帝"喜其卷舒之便"而仿制的动机无直接关系，而极可能来自于一种与倭扇竞争的心理需求。

永乐宫廷折扇之实例今日并无留存，但幸而有件具宣德二年（1427）宣德御笔款的纸扇还保留了原来之装裱，可供一窥明初宫廷制扇之样貌。此扇尺寸极大，扇面纵五十九点五、横一百五十二厘米，几乎是一般折扇的三倍；扇骨长八十二厘米，两边合起来时呈竹子原来之圆形，很是特别。它的外表也全以湘妃竹皮包镶，连竹节的细部都一一仿效，呈现了高度的工艺水平。[36] 而其扇面两面皆画，一面作"柳荫赏花"，另一面作"松下读书"，都属一种有中型人物活动的人物山水画，与日本折扇画上以江渚水禽小景为主的安排不同。这两幅扇画基本上可说是当时宫廷主流山水画的变型，完全是为了适合弧形扇面缩小而制。例如《松下读书》【图6-10】一景，便极接近宣宗（1425—1435在位）御笔的《武侯高卧》【图6-11】，都作一个袒腹高士半卧于地，一派无所拘束怡然自得之状。只是《松下读书》将高士置于松树之下，另有一仆侍立于旁，这个安排则又出自如南宋马麟（约1180—1256后）为理宗（1224—1264在位）所作的《静听松风》【图6-12】的同一图式，不过将尺幅予以缩小罢了。而为了配合折扇的弧形画面，《松下读书》中无法作如《静听松风》的立轴式构图，故而将松下高士所在之前景置于画面右半边，再将迷离水气中的中景顺着扇面的弧度安在画的左侧，并与最右侧扇缘的灌木丛和瀑泉相对应，形成配合扇形的向外开展之

6-10　明 **朱瞻基**《松下读书》1427年 北京故宫博物院藏

6-11　明 **朱瞻基**《武侯高卧》1428年 北京故宫博物院藏

势。如此的构图安排，似乎毫不在意地平面的弧形化、物象的倾斜等与自然经验之抵触，而是有意识地积极运用此特殊画面形式，将画面空间抽象化的结果。相较之下，时间相去不远的日本折扇画，如有相近主题的《松下人物图》【图6-13】，则少见如此强调扇面弧形开展性格的构图，它们大多数较倾向于仅就地平面作小幅度的弧形化处理。《松下读书》的画面变形虽然大胆牺牲了山水空间的自然感，但却利用了扇形的

6-12 南宋
马麟《静听松风》
台北故宫博物院藏

第六章 物品移动与山水画——日本折扇西传与山水扇画在明代中国的流行 | **233**

6-13 室町
《松下人物图》
东京国立博物馆藏

舒展性扩大了画面空间的开展感,对其画意之扣合折扇之消暑功能颇有正面作用。宣宗皇帝曾另有一诗咏折扇:

湘浦烟霞交翠,剡溪花雨生香;
扫却人间炎暑,招回天上清凉。[37]

它虽非题于《松下读书》之上,却颇合其企求清凉之整体画意。而当此扇下赐予臣下,那些观众们也能深体其意,故在他们的回应中,会有如夏原吉的谢恩诗所言"荡荡皇风从此播,炎氛清绝万方春"的表达,便真可谓再恰当不过了。

五、江南文士的折扇画

宣宗宫廷所制画扇很可能创造了第一个中国折扇山水画的范式,并影响了后来江南地区文人画家在折扇上面绘制山水画的流行,但是这个发展仍然明显地带有来自日本折扇的影子。以现存的实物资料来看,如此的发展大致到了15世纪后期才有清楚的显现。17世纪的收藏家高士奇（1645—1703）曾归纳他的鉴赏经验而言："折叠扇古名聚头扇，……元时高丽始以充贡，明永乐间稍效为之，今则流行寝广，团扇废矣。至于挥洒翰墨，则始于成化间（1465—1487）。近有作伪者乃取明初名公手迹入扇，可哂也。"[38] 他的论断如就文士圈中的流行而言，基本上无误。虽然如此，他这个古典的归纳，如果进一步从折扇西传的历史脉络中来理解，则尚有若干值得注意的现象可以探讨。除了用来进行明初折扇书画作品的辨伪外，高士奇的归纳还可让人追问：为何"明初名公"没有在中国仿制折扇的过程中扮演比观赏者更积极参与的角色？而15世纪后期的变化发展又为何产生？当时的名公文士们在积极地涉入折扇书画创作时，对折扇及扇画之本质又带动了什么改变？

高士奇所作归纳之意义不在于绝对地否定任何明初文士在折扇上作书画的可能性，而在于指出那些非出自内廷制作之中国折扇，如王绂所提及的杭州匠人所仿制者，基本上着眼于扇体本身制造之机巧，而大致不图以另加书画为其增值，而且在15世纪中以前，文士圈中也不流行使用弧形扇面作为创作的形式。虽然宫廷中已有自制书画折扇之作为，但显然在文士圈中并未予以仿效。个中原委，今日固然无法尽知，但极可能与实用性不高有关。宫廷折扇之下赐臣工虽然也配合季节考虑，但原来中国已有团扇、羽扇、葵扇等不同形式的消暑引风之具，折扇对之并未具有能取而代之的优势。张羽的咏折扇诗中曾有"皇都无酷暑，赐与拂尘埃"之句，便多少透露了这种"无用"之印象。对如张羽的明初文士而言，倭扇至多只是异国之物，宫廷赐扇则是皇恩之象征，但在生活上，却皆非必需品。他们虽然也读过苏轼、黄庭坚等人咏日本、高丽扇的诗作，但也似乎对其所引发之文化想象并不在意。换句话说，中国在明初自制折扇一事，并未触及文士的文化意识。正是因为折扇尚未被赋予文化上的角色意义，明初的文士亦不会选择其作为创作的载体。

折扇在文人生活中开始扮演更积极参与的角色，大致于15世纪后期逐渐明显可见，而其意义则依赖扇上的山水画作为主要的表达。此时的文人绘画，尤其在以苏州为主的江南地区，已经有意识地借由风格与画意两种途径，同时形塑着与北京宫廷完全不同的表现，营造出一种独立的隐居生活的文化意象。[39] 沈周（1427—1509）无疑是这个发展中的主要人物，而他也留下为数颇多的折扇山水画，提供了讨论早期文人折扇山水的第一个焦点。他的折扇山水制作也继承了如宣宗宫廷制扇上《松下读书》所形成的图式。例如一件作于1489年的《秋景山水》【图6-14】便可见同样配合扇形开展性的画面结构。该山水画描绘隐士山居中友人来访之景,作为主角的人物与山庄、亭子等都置于中央部位,只稍作弧形之调整,右方山壁则顺扇缘而立,与左方作反向顺扇缘生长的树林相对,母题虽与《松下读书》不同,其组织模式却如出一辙。不过,在使用同一图式之下,沈周的《秋景山水》已不见有如御苑一角的精致小景,而代之以质朴的山中隐居为其主题。它实是此期新发展之文人生活风格的主要部分,对之而作描绘的山水画则可说是此种生活的图像记录。因此沈周此件山水既可视为他本人山居生活的写照,也是他与同道友人互相认同的理想隐居形象。如此的隐居生活,在画中选择了"草亭独坐"与"山居客至"两个情节作为代表,前者显示隐士的高蹈超俗,后者则表达企求同道认同、共享的和易,两者相辅相成,而成为此种生活型态中必要的节目,亦为彰显其人格理想的作为。将此生活形象置于折扇之上,其意当然已不再只是如宫扇那般"扫却人间炎暑,招回天上清凉"的实际,而多了一层对观者宣示自我人格境界的涵义。当折扇被赋予如此的新意涵之后,它便逐渐在文人生活中扮演起重要的角色;再加上它便于随身携带的特质,它的象征性功能甚至有一般卷轴山水画所未能取代之处。

像沈周《秋景山水》的折扇固然不能排除自用的可能,但大多数为赠人之用。至于本件究竟赠与何人?是否为某位访问其山居的友人而作,俾使其亦能分享其山居生活之理想?现今因为缺乏相关资料,已不得而知。不过,沈周另作《平湖夜泛》【图6-15】则有相关人士题诗尚存扇上,可以借之一窥当时文人使用此种折扇山水时的情境。《平湖夜泛》采用了14世纪后期江南隐士倪瓒(1301—1374)的风格作山水,那是沈周之时,"江东人家以有无为清俗",视为高雅之风的代表,[40]只是在此刻意地将倪式构图改依扇面开展性结构,作了横向之布置,且在中央下方添加了一般倪瓒画中罕见的一只小舟及舟人。小舟与舟人的添加,显然来自于当时创作情境的需求。根据画中山水上的沈周题诗:

> 夜游同白日,波静似平田;拨桨水开路,洗杯话动天;
> 诛求寻乐土,谈笑有吾舫,明月代秉烛,老怀追少年。
> 和孙先生夜泛韵,即书其扇,沈周。

画中小舟及舟人即指诗中所述一起在月夜出游湖上的沈周及友人孙一

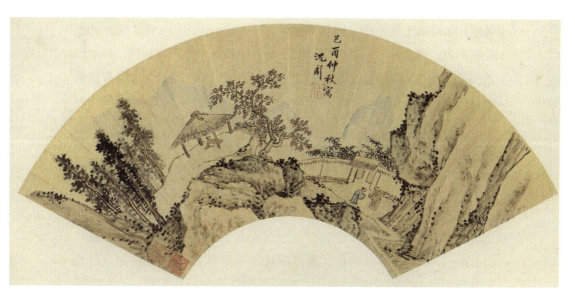

6-14　明 沈周《秋景山水》1489年 台北故宫博物院藏

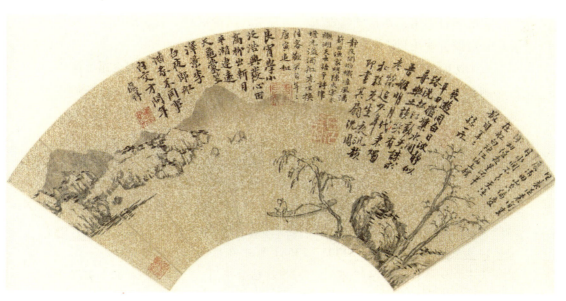

6-15　明 沈周《平湖夜泛》上海博物馆藏

第六章　物品移动与山水画——日本折扇西传与山水扇画在明代中国的流行 | **237**

元（1484—1520）。他俩在夜游之后，即由沈周在孙一元所准备好的扇面上作此山水，为其所共享的夜泛之乐作一记录，并将之送给孙一元。孙一元随之就在扇面最右侧题上一首五言的《夜泛》诗在岸树的上方，接着，沈周马上又在孙一元题诗旁写上他依韵而作的唱和诗。而在此夜过后不久，扇主孙一元可能在不同的场合遇见友人唐寅（1470—1523），并向之出示他随身的这件诗画折扇，或许也同时回忆着当夜他与沈周的饮酒与谈话、赋诗，述说了当时如何重现前辈雅士苏轼的"秉烛夜游"之趣。然而，孙一元显然不仅为了炫耀他个人的夜泛之乐与折扇之美而已，他进一步邀请唐寅依同韵作诗唱和，并依序题写在山水扇面上沈周诗的左方。通过唐寅的"追和"，他不仅穿越时空加入了孙沈的夜泛，而且宣示着自己对此隐居生活境界的认同。同样的追和动作，在孙一元已卒，折扇易主之后，仍然持续进行。扇面上唐寅和诗之左方还有第二首追和诗，作者署名应祥。他应该是金陵名士顾璘（1476—1545）之孙顾应祥，题诗的时间可能为1550年代左右，已经距沈孙夜泛约有半个世纪之久。应祥的题诗亦用孙氏原韵，一方面缅怀前辈之风流，另一方面也想象着自己也参与了那个半世纪以前的聚会。至此之时，这柄折扇早已不再只是孙一元私人之物，随着不同扇主的随身使用，邀请同道友人一同观赏，赋诗唱和，它还是江南文人社群成员寄托其认同的共享载体。

  沈周这两件折扇山水都画在洒金纸上，这是另一值得注意之事。像洒金、冷金或泥金这种高度装饰性的纸料，实非15世纪的发明，有的学者主张其在中国装裱史上的使用至少可以追溯至12世纪。[41] 但是如沈周所为的直接在这种金纸上作画，在中国还是15世纪中期以后的现象。考其来源，这应该是因为仿制日本折扇的结果。现存日本的纸本折扇在15世纪以前的例子中已多见以金银料作装饰者。其中最著名的作品当数《扇面法华经》【图6-16】，时代在12世纪后期，就是在以贴金银箔装饰的扇面上写经，作为呈进佛寺的贵重供养品之用。[42] 具有14世纪将军足利尊氏（1305—1358）墨书花押的《日月图军扇》系与武士文化中妙见菩萨信仰有关，[43] 其贴金银箔的装饰则在纸面上更形细密。这种装饰手法亦见于漆器之造，据郎瑛的记载，皆传自日本。沈周所取用于绘画的纸本洒金或冷金、泥金折扇，无疑亦仿自日本，其装饰之目的也在示其珍贵，只是此时已与宗教较少关联，而较多地显示着使用者的精英身份。这个折扇的使用所表达的社会阶级意涵，在15世

6-16 平安《扇面法华经·无量义经》第七纸 大阪 四天王寺藏

纪后期的中国社会中方才清晰展现。在一件描绘1499年北京一群官员共聚庆寿的《竹园寿集图卷》【图6-17】的作品中,包括宫廷画家吕纪(1477—？)、吕文英在内共计十四名官员内,便有三人手中持着折扇,这个现象在较早此类图作,如此卷所效法的《杏园雅集图》(1437年,镇江博物馆及纽约大都会艺术博物馆藏)上,就完全未见。[44]此时江南文人社群讲究的虽是隐居的生活理想,但与寿园雅集中的北京官员大相径庭,他们在身份上仍属与一般庶民不同,甚至有刻意保持固定区隔距离的需求。类似沈周之《秋景山水》、《平湖夜泛》的洒金纸本扇画,就从这个方面透露出其相关使用者的精英倾向之阶级意识。如就这一点而言,一般同为文人所作的水墨纸本山水卷轴,确实未有所表现。

　　沈周的《秋景山水》与《平湖夜泛》固然都采用洒金纸作山水,但两者之整体视觉效果仍有差异,且显示着与日本绘扇风格间不同程度的关系。《秋景山水》使用了较多的重设色作青山、红树并点缀人物,有别于大多数沈周的山水画,而在金地的背景衬托之下,特别有种鲜艳之感,这让人立即联想至原来日本折扇画所常见之近于传统大和绘的重色风格,两者之关系有相当程度的接近。相较之下,《平湖夜泛》的山水则完全出于水墨,在整体视觉效果上也可说逐渐逸出了原来日本折扇画的色调范畴。他的这两个金地扇面所示之与日本扇画的不同关系,也意味着此时中国折扇画发展之逐渐脱离日本的影响。金

6-17 明 吕纪、吕文英《竹园寿集图卷》(局部) 1499年 北京故宫博物院藏

地纸本的水墨山水自此之后成为文人折扇扇面上的主角，着色者虽然一直存在，但相对地居于次要的地位。与此相关的另一个现象是，折扇之使用似乎也涉及性别之分。画有金地水墨山水之折扇使用者多属上层文士社群中的男性成员，而其女性眷属则使用扇面具有重彩装饰

6-18 折扇 1962年江苏省松江县诸纯臣夫妇墓出土

的折扇，其中包括来自日本或朝鲜的制品。1962年在上海市郊所发现的诸纯臣夫妇墓中即出土四把泥金折扇，其中三把分持于曾任河南府推官之职的墓主诸纯臣（1532—1601）的两手中，两扇绘山水，一扇绘岁寒三友，都是金地水墨。但另一柄折扇则为诸纯臣妻杨氏（1536—1624）手中所持，装饰华美，除系有一个具浮雕图案的沉香球坠外，扇面为柿漆贴金，再以黑线作几何网状图案，整体效果颇有日本风味【图6-18】，可能是当时舶来之物。诸纯臣的折扇画上还可见题款，知是其下属冯姓知县所绘赠，可见这些陪葬的折扇都是夫妇两人生前使用之物。[45] 相类之现象亦可见于1966年发现的上海宝山县顾村公社之朱守城夫妇墓。此墓年代稍早，有1581年的买地卷，出土的折扇则更多，共计二十三把，其中四把为近似诸门杨氏所持者，作日本风之几何形网状装饰图案。可惜该墓的考古报告中并未详述折扇之出土位置，不知是否确为女性墓主所有。不过，朱守城墓中另有四把泥金扇系以水墨绘山水等题材，背面并有书法，与诸纯臣所持扇之情况一致，而系与作日本装饰风的折扇共出，应该也意味着男女墓主分持不同种类的折扇。[46] 由此亦可推想折扇使用的男女之别至迟在16世纪后期已经十分清楚而常见，而此现象很可能即是自15世纪后期或16世纪初

6-19 明 唐寅《松阴高士》台北故宫博物院藏

期起,由沈周及其后辈逐渐在南方的上层社会中形成的。

中国文人折扇上的金地水墨山水几乎可以说是文人品味中讲究"低调奢华"面向的代言物。不论是作为扇画的创作者、使用者或观赏者,他们这些社会精英阶层的成员对其上之水墨山水所代表之意涵固然重视,但对此山水所依附之"金地"并非仅视之为"背景"而已,反而显示出对其存在的高度意识。这一点可由唐寅的一件洒金纸本扇画《松阴高士》【图6-19】看到一个难得的印证。唐寅此作基本上以水墨作山水,只在少数母题上施以淡淡设色,而将巨松及其下之官服高士置于弧形画面的中央,未作空间深远的特意表现,大致上采用了折扇山水画的图式。画中山水景物将高士包围于其中,也是意在表现高士与自然山水的合一,以之陈述高士在官服外表之内的胸中丘壑。这本是许多文人山水画的常见内容,无足为奇。只是,唐寅为何将此种山水施之于有点奢华的金地画面上?他对金地画面的使用本就有所自觉吗?可惜他的题诗并未对这些问题提供什么讯息。反而是他的好友文徵明(1470—1559)在扇上的另首题诗中作了值得注意的表达:

城中尘土三千丈,何事野翁麋鹿踪;
隔浦晚山供一笑,离离自映夕阳松。[47]

文征明诗中所描述"离离自映夕阳松"的山景,其实并非隐居山水中常见吟咏之主题,一般而言,隐居反而更在强调对时间的超越,因此在唐寅自己的扇诗中并未提及傍晚日暮的时刻。文氏诗中这个傍晚的印象完全来自于此扇面山水所依托的洒金背景,它的金黄色效果均匀地散布在整个画面上,确起着如诗中所言夕阳光线映照的感觉。唐寅画时是否刻意以之为夕阳映照,固然不得而知,而且,显然并非所有金地山水都意指傍晚之景,然而,文征明看见此扇面山水时第一个反应系由扇面本身的洒金效果而来,此意味着当时之作者与观者对金地扇面本身并非毫无意识,不仅不排斥这种稍嫌奢华的材质,而且积极地将其视觉效果运用到观赏经验之中。这不啻从另一个角度更确认了16世纪初期文人社群中成员对金地水墨山水折扇的高度接纳。

六、城居文人与文征明对折扇山水画的使用

文征明在《松阴高士》扇画上的题诗还透露了当时文人社群喜爱此种以林泉之志为主题之金地水墨山水折扇的另个原因——作为他们新的城居生活之心理补偿。文征明题诗中首句"城中尘土三千丈",指示着这柄画扇的使用者为居于城市,但心在林泉的"大隐隐于市"之辈。这其实反映着江南文人社群在其生活环境上在16世纪以后的一个重要变化。较早的江南文人大多数属于乡居地主阶层,除了拥有田产之外,他们也居住在城外的乡野之地。例如沈周的有竹居位于相城,那是距离苏州城外东北约三十里的乡下,偶尔才到苏州城中办事。[48]但是到了晚沈周一辈的文人则逐渐以城居为生活中心,乡间活动虽保持一定程度的频繁,但已属常轨之外。唐寅所居的桃花庵就是在苏州城内西北角,商业活动鼎盛的阊门附近之吴趋坊;祝允明(1460—1526/27)的寓所则在吴趋坊稍南的三茅观巷,文征明的住居玉磬山房也距之不远,位于再往东北方向的曹家巷之内;[49]即使是文征明为作《拙政园图册》的赞助者王献臣,其退官致仕后所营造的拙政园,固然向来以其庭园景观闻名,其址实在苏州娄门之迎春坊,亦在城市范围之内,其庭园内的"乔木参天,有山林杳实之致",[50]实只是为了避去"城中尘土三千丈"的不得已对抗,与前辈们的乡间隐居环境,可谓截然不同。[51]当然,能够像王献臣那样在城中拥有大规模庭园的文人毕竟属于少数,大部分城市居民的居住空间多少都受到现实的限制。对于大多数移居城内的地主

阶级而言（包括文人在内），城市生活所能提供的各种方便，以及较高的治安条件，可能是他们愿意忍受生活空间环境限制的基本考量。另外一个重要因素可能为城市商业活动自16世纪以来的日益蓬勃，那不仅使得其中累积相当财富的商人人数增多，他们的子弟受教育的质量提升，得以进入文人阶层，也让"附庸风雅"的社会新贵在数量上大增，借由社交活动的参与，这些人便大大地扩充了文人社群的体量，且扮演着文人文化中相关文化产品的赞助者与消费者的新兴角色。[52] 唐寅《松阴高士》折扇的主人显然就是其中的一员，虽然居住在城中，但以此随身的山水折扇表示着对文人隐居林泉理想的认同与共享。

文征明在《松阴高士》上的题诗并非孤例。事实上，他的诗文集中尚有其他涉及城居与林泉之志对照主题的诗作皆与折扇有关。《文征明集》中收录一首《题画》诗作：

绿阴垂幄草敷茵，六月溪流彻底清。
静坐日长看不足，不知城市有红尘。[53]

该诗即是录自《烟云宝笈成扇目录》，属于折扇画上的题诗无疑。诗中所及之意象有松树、流水及静坐高士，也与宣宗宫廷画扇以来至唐寅《松阴高士》所见者一同，看来这已经是折扇山水画上常用的题材。另外，17世纪初汪珂玉（1587—1647后）的《珊瑚网·画录》中亦著录了一些题扇诗，其中之一作：

城居六月马蹄忙，日射流尘四散黄。
谁似溪山开草阁，四檐风雨一窗凉。[54]

诗中首联也是如《松阴高士》题诗那样地抱怨六月城中的"尘土三千丈"，接着以溪山中草阁的清静与之形成强烈对比，以兴起观者对隐居林泉的渴望，达到"不知城市有红尘"的超越效果。此诗所题之扇画，或许已不存于世，但其林泉草阁的意象极近现存的一幅标为《山水》的文氏晚年之扇作【图6-20】。[55] 此画为泥金纸本，弧形之画面右方作树下草阁于水际，阁中高士望着对岸之流泉。画面中央上方有文氏自题诗：

潭潭虚阁带瀛湾，阁下溪声阁外山。

6-20 明 文征明《山水》台北故宫博物院藏

六月城居尘满腹，何时置我画图间。

诗中末句所谓"何时置我画图间"，虽可说是所有山水画一般常见之旨意，但置之于此扇画之上，确实最为适切地表达了城居扇主的精神渴望，而折扇的随身特质也使得这个渴望的表达，产生一种时时不能或忘的强度。为了落实如此的精神诉求，文征明在画面上的山水风格也作了必要的调整。除了较诸他的其他卷轴山水画更为简洁，因应泥金纸面不易吸墨而采用较为疏朗的吴镇（1280—1354）简笔风格外，文征明画此草阁山水扇面时还特意将物象置于左右两边，而将中央空出，让空白的金地取代了以往扇画山水中常见的主角位置。它一方面可以更为突显金地纸面的视觉观赏效果，更一方面则可强化画面之虚实对比，并使虚处之空灵成为引发观者情感投射的指向。如果说文征明一般山水卷轴画之风格系以元代王蒙（约1308—1385）之细密笔墨以及繁实的构图为代表，那么他的扇画山水则别是一种表现模式，在低调又讲究的金地画面上的山水隐居特别表达了一种疏朗而空灵的含蓄境界，既不同于他的其他山水画，也与沈周、唐寅所作有异。这似乎显示着他对折扇山水的绘制具有更高度的自觉，并为之寻得一个合适而有效的特定风格，以使折扇在当时文雅社会脉络中为其城居的使用者扮演发声的角色。

由于折扇面积有限，无法保留资讯让人重建绘制当时情境及使用脉络，幸好文征明留下了不少信札资料，可以一窥其使用折扇画的实际状况。随着他本人在江南文人社群中领袖地位的逐渐确立，文征明生涯中最后三十年可以说是既充满应酬需求又最能传播其文化理念的时期。众人竞逐以求得其折扇自不待多言，他自己也积极地在各种场合运用折扇，进行形塑其形象的社交活动。他在一封写给"继之"的信中就提到"荣行无以将敬，小扇拙作，聊见鄙情"，[56]知道是以有其书画在上的折扇作为送行的礼物。"继之"此人不详，但知是一位太学生，可能属当时众多热衷追求文氏作品以展示身份地位的文化新贵。文征明与继之的交情应该不深，故未以如《雨余春树》（台北故宫博物院藏）那样的精心制作为其送别之礼，[57]然而他仍以较简的扇作来满足这位崇拜者的需求，并借之再确认两人之间的关系。文征明赠此扇送别，应该出自主动，没有收取润笔费用。另有其他例子则清楚地可见他有时甚至将扇作作为表达歉意的赠礼。他在一通给女婿王曰都的信函中提到："今寄张昆仑扇一柄，亦是草草展限耳，别当作一画奉寄，决不食言。"[58]这即是以扇作这种小作品来表示对张昆仑所订制绘画超过时限的歉意。这种歉意的表达，以文氏的地位来想象，亲笔信函固已足够，但他却另附送扇作，来加强"决不食言"的承诺，这一方面显示着他对与张昆仑这种名不见经传之下位者关系之重视，另一方面也透露出他对自我形象之维系经营的高度自觉。有趣的是，文征明这种无法如期完成委托画作的情形，似乎经常发生。在他的一封《致天溪》的信函中，也是因为他所承诺的《天溪图》早已过期却尚未着手，故先以"小扇拙笔"来表示歉意。[59]《天溪图》看来是一种当时在文化新贵中甚为流行的"别号图"，乃以山水的形式来对主人意涵高雅的字号作图像的诠释，[60]可视为自我形象塑造及宣传的手段。如此的别号图，讲究者以手卷为之，便于请人题跋共享或赞美，简要版则以扇画亦可，尤利于随时向人展示。16世纪初期画家周臣所作的《松壑听泉》扇画【图6-21】即为此种小型的别号山水图，由扇上同时人都穆（1458—1525）题诗，知是为某位吴姓号为"石泉"友人而作。画中取如唐寅《松阴高士》的图式，作树下高士听泉之状，但在高士上方添加巨岩，以具体呼应都穆诗中"岩岩大石当门立，细细清泉绕砌流。石可比刚泉比洁，持身此外复何求"，对主人"石泉"名号的说明。文征明送给天溪的折扇会不会也是这种小型的别号山水图？这个可能性亦可由唐寅所作扇画《烹茶图》【图6-22】作

6-21　明 周臣《松壑听泉》台北故宫博物院藏

6-22　明 唐寅《烹茶图》台北故宫博物院藏

6-23　明 文征明 书画折扇 1973年江苏省吴县洞庭山许裕甫墓出土

一补充。此图作高士半寐于豹皮躺椅之上，面对左方泉石竹林，实是另件手卷《梦筠图》（现藏东京国立博物馆）的折扇本，该图卷即系他为友人号作"梦筠"者所绘的别号图，[61] 两者图像安排极为相近，只是形式大小不同而已。如唐寅《烹茶图》（应改回原称作《梦筠图》）与周臣《松壑听泉》（应改回原称作《石泉图》）之存在指示着当时以此种别号山水为折扇画之题材的现象可能相当普遍，然而因其情境资讯的易于流失，常会有如此二例之原标题遭后代藏家误改的状况，其原为别号图之性质因之难以彰显。文征明在晚年的三十年中既为吴中文人领袖，备受推崇，自然也是文化新贵们求取别号山水图的不二人选，他为人所作的别号山水图中应该包括了不少扇面的形式才是。

　　从文征明使用折扇山水画的各种状况来推测，其数量应该颇为可观。他在致王曰都的信中曾一次托购十柄折扇，供其制作扇画之用，可

248　｜移动的桃花源——东亚世界中的山水画

见并非偶一为之。为了应付这种相当大量的需求,他除了要维持画作的品质水准外,也在投入成本上有对应的考量。他的折扇山水画鲜少使用他最具代表性的王蒙风格,便可由此角度理解,相较之下,较为粗放疏朗的吴镇风格笔墨不但适合不易皴擦的金地画面,而且费时较短。他之使用宋代的米家风格亦有此层考虑。1973 年在江苏吴县洞庭山许裕甫墓(葬于 1613 年)中出土了一柄文征明的书画折扇【图 6-23】,其上的雨景山水便是作米家风格,在水墨淋漓,烟云变幻之中,仍可见其轻快的速度。扇的另一面为文征明所书七言律诗《夏日睡起》,用的则是草书,应亦在取其快速的效率。[62] 这柄书画折扇虽然两面都是泥金纸本,但扇骨使用乌木,并不算十分讲究。据 16 世纪晚期沈德符(1578—1642)的记载:"今吴中折扇,凡紫檀、象牙、乌木者,俱目为俗制,惟以棕竹、毛竹为之者,称怀袖雅物,其面重金亦不足贵。"[63] 乌木材质的折扇只是较为一般的"俗制",不及棕竹、毛竹所制者的等级。文征明要女婿为他备料时,十柄只费银一两二钱,与沈德符所说的顶级折扇价格相去甚远,看来文氏对其用料之成本颇为注意。当然,他自己应该很清楚他的折扇价值不在扇体制作之精巧,而在其上的书画以及它们所表述的文化意涵。就文征明的扇画山水而言,它们的风格皆属援笔可就的简率一类,但仍刻意地展现了构图与笔墨的高度讲究,尤其是在金地画面上墨色的丰富变化,确有其特殊引人之效果。而如许裕甫所拥有的这件《雨景山水》,虽未具体描绘想望的隐居场所,但其来自米家山水的渊源,本来就表述着一种对江湖生活的企求,很适于城居文化新贵的自我形象之形塑。文征明此扇之原主显然并非许裕甫本人,但其身份可能近似。许裕甫是"素封里中"的富裕地主,也是像当时许多文化新贵一样,虽然历经多次乡试层级科举考试之失败,仍然设法取得了太学生的身份(或许经由捐纳一途),而成为文人社群中的新成员。对如此的成员来说,文征明的这柄书画泥金折扇不仅是珍贵的藏品,而且是能彰显其文化形象的绝佳物件,以之随身,最显高雅尊贵。这也是许裕甫以之随葬,陪他一起进入死后世界的根本理由。

　　许裕甫的墓中除文征明书画折扇外,另有一柄曾任宰相之申时行(1535—1614)的亲笔手书折扇,许氏之墓志亦为申时行所撰,这些都可视为许裕甫宣示其社会地位及高雅身份的方式。对于已经死亡的许裕甫而言,文征明书画折扇的价值在此时或许甚至要超越尚在人世的申时行,而意味着某种更永恒的存在,那正是许裕甫想望中死后理想世界的精华,非一般宗教的极乐净土所可比拟。此个案真可说是文征明山水折扇受到使用者珍爱尊崇的最极致表现。

七、17世纪折扇之市井流行与扇谱之出现

许裕甫与朱守城等墓葬中都以折扇随葬,从另一个角度看,透露着16世纪末、17世纪初江南社会中对折扇使用的更普遍流行。随葬折扇的各种讲究,呼应着墓主的不同身份认同,也表达了他们日益强烈之不与人同的区别需求。这种心理需求之所以逐渐提升,乃是因为折扇使用者的日益增加,而其身份已非旧有的所谓文人社群所能规范。此时社会中最为引人注目的一个现象无疑是许多市井中人在生活行为上大量地进行着对士人的模仿,即使他们并未具有任何相关的形式条件。在此情况下,原来作为文人身份形象表征之随身折扇,也普遍地出现在市井中各种行业之人的手中,只要其人"自命"风雅即可。现存一件传为仇英(约1494—约1552)所绘,实为此际苏州市场所为的《清明上河图》【图6-24】,便出现了好几位持着折扇的人物在街市之中。其中一段绘了一位街上摆摊的面相业者,不仅冠服作文人打扮,而且手中持扇,特为展开呈弧形,以示确为折扇,而与同卷街上其他身着裤装之贩夫走卒手上的小圆扇明显不同【图6-25】。面相业者固然有一定的文化水平,但身份层级显然与许裕甫那种有钱的监生有大段差距,仍属于那种文人社群刻意防范、拒绝其加入的俗人。但是,即使受到排挤,这种模仿文人的低层市井人士之数量在像苏州这样的大城市中必定不少,而他们对折扇的需求自然会对折扇市场产生新的作用,并促生一些值得注意的变化。

传仇英本《清明上河图》上的折扇,可能是因为受限于画面面积过小,没有被画家画出所配书画的样子。不过,那些市井人士所使用的折扇,除了最廉价的素面者外,应该亦有不少配有各式绘画的才是,只是无法讲究要求名家执笔罢了。当时这种层级之有画折扇的价钱估计可能不高。在16世纪后期,文征明次子文嘉(1501—1583)曾为知名收藏家项元汴(1525—1590)写/画了四柄折扇,仅收润笔白银五钱,平均一柄只约一钱三分左右。[64]如果是非如文嘉名流身份的作者,价钱很可能降至一钱以下,甚至减半,应该是像算命业者那些街市中小生意人都还可以负担的程度。

李士达(约1540/50—1620后)便是属于这种价位等级的苏州职业

6-24 （传）明 仇英《清明上河图》（局部）沈阳辽宁省博物馆藏

6-25 （传）明 仇英《清明上河图》（局部）

6-26　明 **李士达《平川归渡》**台北故宫博物院藏

画师。他善作人物、山水，尤其以配上唐人诗句的诗意山水图最能投合16世纪末、17世纪早期江南地区竞效风雅的社会习尚，因而大受市场欢迎。他所作之《平川归渡》折扇画【图6-26】也配有一联诗句："落日下平川，归人争渡喧"，可算是他典型画作的缩小折扇版。该联诗句来自唐代岑参（715—770）的《巴南舟中夜书事》的首十字："渡口欲黄昏，归人争渡喧。"岑参此诗极为有名，此十字甚至被评为"千古绝唱"，因此经常入选到唐诗的选集之中，例如北宋王安石（1021—1086）编《唐百家诗选》及明末曹学佺（1574—1646）编《石仓历代诗选》皆有收录。[65] 值得注意的是，岑参此联虽被誉为名句，李士达扇画中却将首句的"渡口欲黄昏"改作"落日下平川"，使原诗中前后两句相对之意（尤其是以"欲"对"争"）尽失，不免遭人以画蛇添足之讥。这种现象在他的卷轴式的诗意山水作品，例如取唐沈佺期诗句"云间树色千花满，竹里泉声百道飞"的《竹里泉声》立轴（东京国立博物馆藏），就完全看不到。[66] 李士达之所以作此改动，很可能是刻意以较平易而口语的句子来迎合他的市井观众吧？！如此考虑亦可由其画面物象之安排得到辅证。不似如《竹里泉声》那种较大型代表作的充分运用山水母题之细致描写以兴起诗意，这幅扇画却大大地减低了山水的成分，也未选择比较浪漫之"落日下平川"的黄昏景色加以描绘，反而将焦点放在"争渡"的喧哗场面。不论是渡舟上超载的乘客，或是岸上呼唤鼓噪的

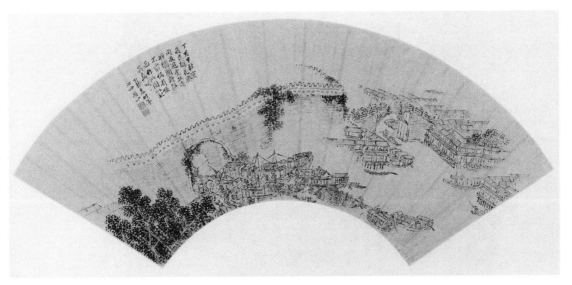

6-27 明 张宏《阊关舟阻》1647年 北京故宫博物院藏

人群，皆充满动态，呈现出一种在他大型诗意山水画中罕见的热闹庶民趣味。这种充满庶民趣味的折扇画，可说与前代沈周、文征明等人为文人社群成员所制者大异其趣。

另外一位活跃于17世纪前期苏州地区的职业画师张宏（1577—约1652），也作过不少这等价位、同种趣味的折扇。他的一件《阊关舟阻》【图6-27】，作于1647年，是他与友人游苏州城外名胜虎丘之归途中遇上阊门前舟船拥塞不前的情况，援笔即景所绘。此图直接在素面纸本上作画，采远观角度画苏州城外河道附近之景，虽可归为风景一类，但与一般山水画大有不同，改以城门前拥挤不堪的众多舟船为表现的重点，充分发挥了张宏本人速写丰富物象的职业性技巧。画中这些舟船几乎毫无间隙地挤压在一起，以表达因互争入城水道反而无法前进之窘境，张宏虽以简笔快速描绘如此交通高峰时刻的景况，但各船之舟体结构、舟人之活动姿势却皆有所交待，且富于变化，颇能契合整景之喧闹意趣。这个描绘的题材应该是16世纪以来苏州城市生活中最能代表其商业繁盛、生气勃发的一面，尤其在突显其拥挤与喧哗的都会印象上，远非前代其他相关画作可及。当时的一般观众显然十分喜爱这种来自都会生活经验的题材，并使之成为17世纪初期山水画中的一个新兴项目。苏州的另一位职业画师袁尚统（1570—？）就有1646年所作《晓关舟挤》【图6-28】留存，也是以苏州阊门前交通高峰时之拥塞喧闹为诉求

6-28 明
袁尚统
《晓关舟挤》
1646年
北京故宫博物院藏

254 | 移动的桃花源——东亚世界中的山水画

重点，表现手法亦与张宏的扇画相近，只不过应立轴画面之需而在城门上方多添了一些云气及虎丘塔的影像。这两幅阊门风景画作间的紧密关系，意味着此时折扇绘画引入新兴流行题材之迅速，并展现了市井观众趣味积极主导的一面。如果说李士达的《平川归渡》中的庶民趣味多少还需与岑参的诗句并存，好似仍以附庸风雅来掩饰粗俗，那么张宏的《阊关舟阻》便有一种更进一步的庶民化倾向了。

如张宏、李士达者的市井折扇，也意味着折扇的文化意涵出现了新的表现。文人社群成员以画着隐居山水画的折扇来宣示身份、塑造形象，虽继续在17世纪的社会中存在，却不适用于新的市井使用者身上。对这些折扇的市井使用者而言，他们虽模仿文人，实非在假冒文人，也不需利用折扇来塑造什么形象；折扇倒是提供了更多的机会让绘画进入他们的生活，而各种新兴的绘画题材，包括最富含城市民众趣味之山水画在内，亦皆以相当经济的价格为他们所拥有。相对于社会精英阶层所爱用的高雅折扇，这种以市井趣味为诉求的折扇虽未能取而代之，发展成真正的主流，但其在当时存在的数量，可以想象一定相当可观。只不过由于它们的作者多是职业画师，许多皆属李士达、张宏这类或更低下的身份，本来就不是传统收藏家注目的对象，他们所绘制的折扇泰半以上在破损或不堪使用后遭到废弃，只有极少数得以幸存。由此言之，如《平川归渡》、《阊关舟阻》等作品代表着扇画山水不再仅由社会上层阶级所独享的发展趋势，它们之作为此趋势的幸存遗物，可谓十分珍贵。

扇画山水之成为普及性文化产品的趋势，尚可由扇谱之出现来感受其锐不可当的力道。17世纪可说是图画以版刻形式出版为"画谱"的鼎盛时期，其中最为知名的《仙佛奇踪》、《顾氏画谱》分别刊刻于1602、1603年，即为此风潮之初启。[67]扇谱亦在这个潮流中出现，现存通行可见者为《张白云选名公扇谱》（以下简称《名公扇谱》），系河南开封籍人士张成龙所编成，于1621年左右已被收入包括《古今画谱》、《唐诗画谱》在内的《八种画谱》之中。[68]它的原始出版者为杭州的清绘斋，根据此书上陈继儒（1558—1639）《选刻扇谱叙》的记载，清绘斋的主持人姓金，但是否即为另一本《金叔介画扇谱》（万历年间刻本，北京图书馆藏）所标的金梓（字叔介），尚不能确认。不过，两者为同一书之可能性甚高。此书之初版，根据其中第二扇上金梓的1600年题识，可能就在1600年后不久的时间。《名公扇谱》原来在编辑阶段的篇帙颇大，据陈继儒序文所云，系由张成龙所收集之"数百页"所组成，

6-29 明 张成龙编《张白云选名公扇谱》第三开

然而由现存《八种画谱》所见,它在初版时只选择了其中的四十八幅,编为一卷。而在这入选的扇画中,山水为最大宗,共有三十二件,约占三分之二强的比例。由之亦可想见编者张成龙观念中山水画在扇画内的绝对主导地位。他的编辑工作显然十分成功,初版不久后又被收入《八种画谱》之中再予刊行,可以想见普受读者欢迎的程度。

《名公扇谱》普受欢迎的主要原因之一在于它提供了读者快速掌握17世纪初期当时画坛全貌的最方便渠道。它的三十二幅山水画,乍看之下数量不多,但几乎可说是当时山水画各种风格、样貌的集大成。谱中山水画绝大多数与隐居的主题有关,例如第三开【图6-29】即作深山白云中之山居,配上梁朝陶弘景的名句"山中何所有,岭上多白云",以示画中旨意。亦有当时最为当道的各种仿古代名家风格者,如第十五开作仿米家山水【图6-30】,第二十三开仿倪瓒风格【图6-31】。这些都是上层文人画家如董其昌者最常施之于作品中的题材。除此之外,其时新兴的游览胜景也被纳入扇谱之中,例如第四十六开为江行风光,而第十二开作"高江急峡"之汹涌波涛【图6-32】,则是剪裁自如16世纪中期画家谢时臣(1487—1559/67后)对长江三峡的知名描绘《巫峡

6-30　明 张成龙编《张白云选名公扇谱》第十五开

6-31　明 张成龙编《张白云选名公扇谱》第二十三开

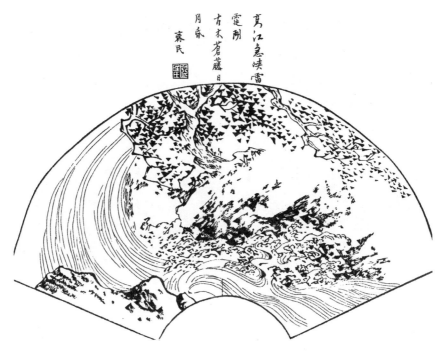

6-32　明 张成龙编《张白云选名公扇谱》第十二开

云涛》【图 6-33】。[69] 更值得注意的是，上节所及如《平川归渡》的那种具庶民趣味的山水人物图亦出现在谱中，除了第二开取自明初职业画家戴进（1388—1462）为驱邪除厄而作的寒林钟馗图像之外，第三十三开"两岸枫林都是相思泪斑"则作岸边情侣话别之景【图 6-34】，实来自对高濂所编《玉簪记》中"秋江哭别"一折中最为脍炙人口桥段的描绘，表现着剧中女主角在情人被迫离去之际，不顾羞耻赶到江上与之缠绵话别的一景。此情节叙别离之凄情，正如男主角所唱："才照得个双鸾镜，又早买别离船。哭得我，两岸枫林都做了相思泪斑。"极为观众喜爱，因此也常被选作插图。例如 1598 年观化轩刊本的《玉簪记》中即以两页之图表现二人在舟上依依不舍的别情【图 6-35】。《名公扇谱》的此页则稍作改变，将男女主角从舟中移到岸上。这种对离情之浪漫描绘实常见于当时流行的戏曲插画之中，例如 1597 年杭州玩虎轩刊刻的《琵琶记》版画中"南浦嘱别"【图 6-36】一图便有甚为相近的表现。这个现象意味着《名公扇谱》确对陈继儒序文中所言欲将"天地间古往今来名公"墨宝"制之一处"的原始动机，作了适当的落实。类似的功能，在当时《顾氏画谱》的其他版画图谱的出版固然亦可见到，但后者

258　│移动的桃花源——东亚世界中的山水画

6-33 明
谢时臣
《巫峡云涛》
克利夫兰艺术博物馆藏

第六章 物品移动与山水画——日本折扇西传与山水扇画在明代中国的流行 | 259

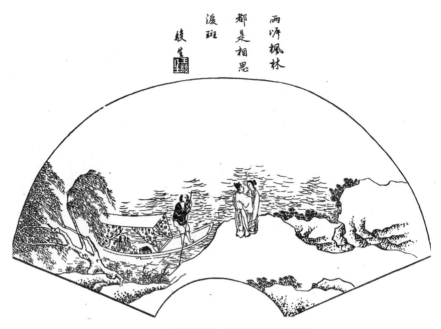

6-34　明 张成龙编《张白云选名公扇谱》第三十三开

更重于予其读者一个历代名家集成的印象，近似于画史参考书《图绘宝鉴》的图绘本，[70] 反而不像《名公扇谱》那样贴近于当代画坛各面相的全体脉动。另外，《名公扇谱》中所有图画的扇形边框，一方面维系着它们与折扇的原有依存关系，另一方面则使这个有弧度的"扇形"与原有方形、圆形共同成为最普遍可及的图像载体形式，而为社会上其他装饰工艺领域所广泛运用。当时许多休闲式建筑中的扇形开窗，便是此种流行的一个反映。如此印成平面版画的扇画山水，较之原来裱在扇骨上、随时可供收展的作品，实质上已有根本的改变，虽不再能随身引风，却将扇画从实用消耗品之宿命中解放出来，成为普及性的玩赏图画书。从扇画到扇谱，可说是折扇庶民化历史发展的合理结局。

扇谱要能成为普及性的图画书，关键在于它的售价。如果与《顾氏画谱》之四册共一百零八个图画的篇帙相较，《名公扇谱》只选了共计四十八个图画集成一册，显然比较经济，应该是编者张成龙考虑其普及性的抉择。而且，不似《顾氏画谱》的一图一文搭配组合，《名公扇谱》除序文外，全以图画占满页面，尽量降低了阅读量的负担，这亦有利于提高庶民读者的接受度。可惜与《名公扇谱》之普及程度最直接相关的售价资料无法取得。但如果利用其他相近的图画书籍的定价状况，

6-35　明《玉簪记》插图 1598 年 观化轩刊本 上海图书馆藏

6-36　明《琵琶记》插图"南浦嘱别" 1597 年 杭州玩虎轩刊本

它的当时售价仍可作个估算。依现代学者的研究，《八种画谱》中所收之《五言唐诗画谱》与《梅竹兰菊四谱》，原为集雅斋刊本，定价各为五钱，平均每百页约价白银一两。而与《名公扇谱》同一出版商清绘斋所刊的《孙雪居百花兰竹谱》，共五十页，则仅售银二钱，平均每百页约价白银四钱。[71]《名公扇谱》既为同一清绘斋所出版，且图数只有四十八幅，与《孙雪居百花兰竹谱》相近，其售价可能也在二钱左右才是，即使稍高，估计也不会超过五钱。如果说一柄职业画家等级的有画折扇要价银一钱，那么只要花费两钱就能买到《名公扇谱》中的四十八幅扇画，而且尺寸还与真扇相去不远，这不能不说是个十分划算，极富吸引力的买卖了。《名公扇谱》的篇帙既小，售价又低，却能提供当时扇画所反映的画坛各种样貌，这是当时其他版画书籍所不能及的突出条件，也保证了它在市场上的成功。

八、余绪：扇谱的回传日本

《名公扇谱》的普受欢迎，使它在1621年左右被收入到《八种画谱》之中。而《八种画谱》在中国市场上出现不久后，立即被舶载至日本，并分别在1630年、1672年及1710年被进行翻刻，而有和刻本之流行。借由这个《八种画谱》的流行，《名公扇谱》回到了折扇的故乡日本，并产生了有意义的作用。

在扇谱传入日本之前，中国之折扇画并非完全没有流入日本市场的机会，不过，日本本身既精于折扇之制作，扇画之各种风格，尤其是大和绘的风格传统亦源远流长，广受使用者喜爱，中国扇画在日本流行的空间实在相当有限。即使曾有学者以为日本之两面折扇来自中国折扇之影响，[72]但就扇上绘画的风格而言，日本虽有以水墨山水、人物施之于上者，反映着源自中国的室町水墨画的整体发展，也难于确认有直接取法中国扇画的现象存在。在扇画的题材方面，在中国以隐居山水为主流的现象，似乎在15世纪以后的日本扇画中并不突显，只是在与源氏物语、实景、风俗等主题并列中的一个小支流，向未受到特别重视。这或许可由折扇在日本社会中广泛使用的脉络来予以理解，而日本社会中并不存在一个明显的文人阶层的事实，可能也是不可忽视的理由。折扇画在日本各层级的社会中随着奉献、赠答等仪礼及社交行为而广为流行外，另外自15世纪以后逐渐发展出一种极具特色的集合式鉴赏方式，即有所谓"扇面流图屏风"与"扇面散图屏风"的中国所未见之新载体形制的出现。在这种屏风之上,单一主题或多元主题的扇面被选择、聚组在一起,其下或为流水波浪,或有秋草藤蔓的底饰,则多环绕着别离的感伤情调来作衍发,最能体现并发挥日本扇画中最受喜爱的部分表现特质。[73]中国在16世纪末虽偶有文献提及藏家将旧扇画集中贴在屏风之上的"屏山",[74]但因实物不存,不知其究与日本的扇画屏风有何关系。即使存在着一点关系,整个屏风的美感诉求亦不可能相近才是。

当《名公扇谱》进入日本之后,它之受到注目与欢迎,实与折扇无关,而是作为图样资料库被日人看待。日本画坛本来即十分重视引入中国(及韩国)的各种画样稿本,作为创作时参考资料之用,但原来只能通过传抄、摹写等效率有限的方式为之,待16世纪末、17世纪初中国版刻之图谱开始刊行之后,其图皆可为样,不仅数量大增,而且流传速度加快,日本所能掌握的中国图像资料库因之遂有突破性的扩张,[75]后来17世纪后期以降,"南画"在日本之得以蓬勃发展,便与此图像资料库的量变有关。《八种画谱》之传入日本,只是这个中国图像东传浪潮中第一阶段的一部分,其中的《名公扇谱》亦当作如是观。它所收的四十八张图画,虽只在日益扩大的中国图像库中占着一小部分,但对南画早期发展确曾起过实质的作用。初期日本南画的代表画家祇园南海(1676—1751)与彭城百川(1697—1752)在其艺业之中,就都有取用《名公扇谱》图样的记录,例如后者的《林下小亭图》【图6-37】之构图

6-37 江户 彭城百川 《林下小亭图》 私人藏

就是完全袭用《名公扇谱》的第二十三图【图 6-31】。[76] 有趣的是，当彭城百川取用此图时并未在意其原有的扇形边框，而径自将之改为一般的方形画面，并将原来为了适应扇形而调整的微弧形坡角完全拉直。这个改变意味着《名公扇谱》的日本读者及使用者可能根本无视于其原为扇画的本质。换句话说，他们需要的是谱中的图像，而非折扇的图谱。

  扇谱虽然回传到折扇的原乡日本，但其角色已几乎与折扇无关，其文化意义也与在中国者有别。这个现象不禁让人忆起 12 世纪时中国文化界从日本扇画想象已经失落之唐代典范的情境。在这前后两段之中日互动过程中，折扇只是个载体，承载着原来无人可预料的文化讯息。但也就是这些讯息开启了折扇在不同地区的各自之生命史，而不同的生命史之间的互动，则造就了折扇在此东亚区域内的各色丰富表现。

后　记

　　本书主体的五章分别由理念、图式、人物、知识及物品等角度取径，探究东亚山水画意象之形塑的发展历程。这虽意在说明山水画于东亚区域内的整体形塑，但未企图勉强进行全面性的讨论，只是选择了一些个人觉得最值得注意的主题，作重点式的切入，希望能得举一反三之效，提供未来有志于此东亚文化史研究的同仁参考之用。在这诸篇研究的进行过程中，我有幸得到"中研院"主题计划"东亚文化意象之形塑"研究团队中同仁的许多协助，谨在此致谢。这个团队包括了几种不同学术专业的研究者，文学、思想类者有廖肇亨、衣若芬、朱秋而与蓝弘岳，历史类者有刘序枫，艺术史类者另有林圣智、巫佩蓉与陈韵如等教授。经过大家的努力，我们在去年3月出版了《东亚文化意象之形塑》（台北，允晨文化2011年版）论文集，算是这个主题计划的第一步成果。这本《移动的桃花源》一书的出版因此也可说是团队同仁们支持与鞭策之下的产物，如蒙他们不嫌弃，亦可计为主题计划的第二项成果。虽然自知缺失仍多，但此书之出版实更意在期许未来由他们一起来完成更全面、更具深度的东亚文化史之新论著。

　　本书诸章中大部分曾在不同期刊、论文集中发表，也有些改动、新修，须在此作一交待。第一章的导论本为《东亚文化意象之形塑》论文集所写的导言，现在收在本书中则另加最后一节"作为东亚文化意象的山水画"，以说明全书的架构安排，以及各章所以取径的基本想法。第二章全文原收在《东亚文化意象之形塑》论文集中。第三章有关潇湘八景的研究，完成最晚，系为呼应第二章而增作的新稿。第四章则曾以日文发表于东アジア美术文化交流研究会编《宁波の美术と海域交流》

（福冈，中国书店2009年版），原标题为《北京を拒绝する——雪舟入明时の苏州画坛》。现除返归中文，重拟标题外，也对少部分错误作了订正。第五章则曾以《从夏文彦到雪舟——论〈图绘宝鉴〉对14、15世纪东亚地区的山水画史理解之形塑》作标题，发表于《中央研究院历史语言研究所集刊》，第八十一本第二分（2010），现除作了些必要的订正外，也更改了标题。第六章对折扇山水画的研究原发表于《台湾大学美术史研究集刊》第二十九期（2010），原标题作《山水随身：10世纪日本折扇的传入中国与山水画扇在15至17世纪的流行》，现亦将此冗长的题目稍作简化。除此之外，为了想向读者表达本书各章的不同角度及全书的大体架构，各章皆新增一个主标题。此或有画蛇添足之病，尚祈读者指教。

注 释

第一章 导论——由文化意象谈"东亚"之形塑

〔1〕其中代表可见滨下武志《朝贡システムと近代アジア》,东京,岩波书店1997年版。

〔2〕见井手诚之辅《东亚世界中阿弥陀画像之诸相》,收入石守谦、廖肇亨主编《东亚文化意象之形塑》,台北,允晨文化实业股份有限公司2011年版,97-138页。

〔3〕见石守谦《桃花源意象的形塑与在东亚的传布》,收入上书,53-96页。

〔4〕见廖肇亨《圣境与生死流转——日本五山汉诗中普陀山文化意象的嬗变》,收入上书,191-224页。

〔5〕以上对潇湘与西湖意象的讨论,分别参考板仓圣哲《作为东亚图像的潇湘八景图——15世纪朝鲜前期文人所见到的东亚潇湘八景图》,收入上书,167-190页;金文京《西湖在中日韩——略谈风景转移在东亚文学中的意义》,收入上书,141-165页。

〔6〕见唐纳德·F.麦卡伦(Donald F. McCallum)著,巫佩蓉、杨雅琲译《清凉寺释迦像的日本传统》,收入上书,227-270页。

〔7〕参见巫佩蓉《寒山拾得之多重意象——诗、画、传说的交互指涉》,收入上书,415-458页。

〔8〕以上有关维摩诘居士的叙述,见陈韵如《维摩诘形象在东亚绘画中的流转》,收入上书,365-413页。

〔9〕有关苏轼的部分说明,参见朱秋而《日本五山禅僧诗中的东坡形象——以煎茶诗、风水洞、海棠等为中心》,收入上书,331-364页。在我个人看来,"坡仙"这个稍带道教味道的称呼可能更适合用来指示苏轼的典范意象。

〔10〕见张伯伟《东亚文学与绘画中的骑驴与骑牛意象》,收入上书,271-330页。

〔11〕见衣若芬《明代中韩"孝女"唱和诗的文化意涵》,收入上书,507-537页。

〔12〕对苏轼野服形象之讨论,参见朴载硕《宋元时期的苏轼野服形象》,收入上书,461-505页。日本禅林文学中对苏轼野服像的诠释,参见朝仓尚《禅林の文学——中国文学受容の样相》,大阪,清文堂出版株式会社1985年版,394-417页。

〔13〕参见林丽江《此恨绵绵无绝期——狩野山雪的〈长恨歌图〉研究》,收入石守谦、廖肇亨主编《东亚文化意象之形塑》,539-600页。

〔14〕参见井手诚之辅《东亚世界中阿弥陀画像之诸相》。

〔15〕参见石守谦《桃花源意象的形塑与在东亚的传布》。

〔16〕参见衣若芬《李齐贤八景诗词与韩国地方八景之开创》,《中国诗学》9 (2004), 147-162 页。

〔17〕有关日韩潇湘八景山水画之讨论,见板仓圣哲《作为东亚图像的潇湘八景图——15 世纪朝鲜前期文人所见到的东亚潇湘八景图》。

〔18〕有关清凉寺在日本之系谱,见麦卡伦(Donald F. McCallum),《清凉寺释迦像的日本传统》。

〔19〕参见陈韵如《维摩诘形象在东亚绘画中的流转》。

〔20〕对杨贵妃传奇在 16 世纪中国小说及版画上的表现,见林丽江《此恨绵绵无绝期——狩野山雪的〈长恨歌图〉研究》。

〔21〕对中国早期山水画的讨论,请参见石守谦《山水之史——由画家与观众互动角度考察中国山水画至 13 世纪的发展》,收入颜娟英主编《中国史新论·美术考古分册》,台北"中央研究院"、联经出版股份有限公司 2010 年版,379-475 页。

〔22〕岛田修二郎《宋迪と潇湘八景》,《南画鉴赏》10.4 (1941),后收入氏著《中国绘画史研究》,东京,中央公论美术出版 1993 年版,45-61 页。

〔23〕板仓圣哲教授曾以此讨论日本的潇湘八景画样,见氏著《探幽缩图から见た东アジア绘画史——潇湘八景を例に》,收入佐藤康宏编《讲座日本美术史·3 图像の意味》,东京,东京大学出版会 2005 年版,111-138 页。

〔24〕海老根聪郎《宁波の文人と日本人——15 世纪における》,《东京国立博物馆纪要》11 (1976), 217-260 页。

第二章 移动的桃花源——桃花源意象的形塑与在东亚的传布

〔1〕唐长儒认为陶潜系取材自荆、湘一带之民俗传说,见氏著《读〈桃花源记旁证〉质疑》,收入《魏晋南北朝史论丛续编》,北京,三联书店 1959 年版,182-190 页。

〔2〕顾况《仙游记》,见董诰等编《全唐文》,北京,中华书局 1987 年版,第五二九卷,4 上 -5 上页。对顾况拟仿陶潜《桃花源记》在此句上的比较,见钱锺书《管锥编》,北京,中华书局 1979 年版,1228 页。

〔3〕陈寅恪《桃花源记旁证》,氏著《陈寅恪先生论文集》,台北,三人行出版社 1974 年版,467-476 页。

〔4〕陶潜《桃花源记并诗》,氏著、袁行霈笺注《陶渊明集笺注》,北京,中华书局 2003 年版,第六卷,479-480 页。

〔5〕对桃源故事传说记载的不同版本比较,参见郑文惠《新形式典范的重构——陶渊明〈桃花源记并诗〉新探》,收入衣若芬、刘苑如主编《世变与创化——汉唐、唐宋转换期之文艺现象》,台北,"中央研究院"中国文哲研究所筹备处 2000 年版,259-300 页(特指 264-278 页)。

〔6〕舒元舆《录桃源画记》,姚铉编《唐文粹》,第七七卷,收入纪昀等总纂《景印文渊阁四库全书》,台北,台湾商务印书馆据台北故宫博物院藏本影印,1983,第 1344 册,193 页。

〔7〕大部分学者以为现存日本京都南禅寺的《高丽初雕大藏经》(以下简称《高丽藏》)本《御制秘藏诠》中的山水版画最能保存原貌。见江上绥、小林宏光《南禅寺所藏"秘藏诠"の木版画》,

[8] 韩愈《桃源图》，收入北京大学中文系编《陶渊明诗文汇评》，北京，中华书局 1961 年版，339-340 页。

[9] 苏轼《和桃源诗序》，收入上书，341 页。

[10] 关于传赵伯驹《桃源图》现存各版本（有的归在仇英名下）的讨论，参见 Susan E. Nelson, "On Through to the Beyond: The Peach Blossom Spring as Paradise," *Archives of Asian Art* 39 (1986), pp. 23-47 (esp. pp. 33-35)；王耀庭《古画里的桃花源与归去来辞》，收入陈捷先主编、陈奇禄院士七秩荣庆论文集编辑委员会编辑《陈奇禄院士七秩荣庆论文集》，台北，联经出版事业股份有限公司，1992 年版，313-351 页（特指 319-322 页）。

[11] 关于传为李公麟所作《归去来辞》图卷，较新之研究参见 Elizabeth Brotherton, "Beyond the Written Word: Li Gonglin's Illustrations to Tao Yuanming's *Returning Home*," *Artibus Asiae* 59.3/4 (2000), pp. 225-263.

[12] 房玄龄等撰《晋书》，北京，中华书局 1974 年版，第九四卷，2448 页。

[13] 陈寅恪《桃花源记旁证》，472 页。

[14] 参见杨仁恺《叶茂台辽墓出土古画的时代及其他》，收入辽宁省博物馆藏宝录编辑委员会编《辽宁省博物馆藏宝录》，上海文艺出版社、三联书店〔香港〕有限公司 1999 年版，133-134 页。

[15] 此画订年乃据张光宾之推断，见氏编著《元四大家》，台北故宫博物院 1975 年版，67-68 页。

[16] 陈田夫《南岳总胜集》上卷，收入《丛书集成续编》，台北，新文丰出版公司 1989 年版，第 219 册，471-472 页。

[17] 郑景望《蒙斋笔谈》，收入北京大学中文系编《陶渊明诗文汇评》，342 页。

[18] 杨维桢《东维子文集》，收入（上海）商务印书馆编《四部丛刊·初编》，上海，商务印书馆 1929 年版，第 1497 册，第十七卷，1 页上 -2 页上；第十八卷，10 页下 -12 页上。

[19] 有关高丽文士与陶潜关系的讨论，可参见朴美子《韩国高丽时代における"陶渊明"观》，东京，白帝社 2000 年版，55-145 页。

[20] 同上书，159 页。

[21] 高丽文士运用桃花源意象之基本讨论，参见上书，157-171 页。

[22] 吴曾《能改斋漫录》，北京，中华书局 1985 年版，第十四卷，401 页。

[23] 转引自朴美子《韩国高丽时代における"陶渊明"观》，171-196 页。

[24] 此资料之使用首见于 Susan E. Nelson, "On Through to the Beyond: The Peach Blossom Spring as Paradise," p. 29.

[25] 《梦游桃源图》中基本资料的全面整理，可见安辉濬、李炳汉《안견과몽유도원도》，首尔，艺耕产业社 1991 年版，163 页。

[26] 同上书，124-130 页。Hwi Joon Ahn, "An Kyŏn and 'A Dream Visit to the Peach Blossom Land'," *Oriental Art* 26.1(1980), pp. 60-71(esp. pp.66-67).

[27] 小川裕充《卧游·中国山水画——その世界》，东京，中央公论美术出版 2008 年版，256 页。

[28] Hwi Joon Ahn, op. cit., p. 64.

[29] 安辉濬、李炳汉《안견과몽유도원도》，235 页。

[30] 转引自朴美子《韩国高丽时代における"陶渊明"观》，40 页。

〔31〕安辉濬、李炳汉《안견과몽유도원도》，37-40页。

〔32〕同上书，163页。

〔33〕翱之慧凤《扇面渊明像》，《竹居清事》，收入上村观光编《五山文学全集》，京都，思文阁出版社1973年版，第三卷，2799页；绝海中津《题归田图》，《蕉坚稿》，收入《五山文学全集》第二卷，1931页；鄂隐慧奯《渊明醉眠图》，《南游稿》，收入《五山文学全集》第三卷，2661页。

〔34〕兰坡景茝《雪樵独唱集》，收入玉村竹二编《五山文学新集》，东京，东京大学出版会，第五卷，21页。

〔35〕西胤俊承《桃源图》，《真愚稿》，收入上村观光编《五山文学全集》第三卷，2762页。

〔36〕太白真玄《寄桃源故人诗轴序》，《峨眉鸦臭集》，收入上村观光编《五山文学全集》第三卷，2234-2235页。

〔37〕西胤俊承《江山小隐图》，《真愚稿》，收入上村观光编《五山文学全集》第三卷，2749-2750页。

〔38〕岛田修二郎《诗画轴の书斋图に就いて》，氏著《日本绘画史研究》，东京，中央公论美术出版1987年版，124-129页（特指127-128页）。

〔39〕大西广《溪阴小筑图》图版解说，收入岛田修二郎、入矢义高监修《禅林画赞——中世水墨画を读む》，东京，每日新闻社1987年版，221-223页。

第三章　胜景的化身——潇湘八景山水画与东亚的风景观看

〔1〕对于潇湘八景文化传统的讨论甚多，其中较为全面的回顾，可参见Alfreda Murck, *Poetry and Painting in Song China: The Subtle Art of Dissent* (Cambridge, Mass.: Harvard University Asia Center, 2000), pp. 6-27；衣若芬《宋代题"潇湘"山水画诗的地理概念、空间表述与心理意识》，收入李丰楙、刘苑如编《空间、地域与文化——中国文化空间的书写与阐释》，台北，中研院中国文哲研究所2002年版，325-372页。

〔2〕Alfreda Murck, *Poetry and Painting in Song China: The Subtle Art of Dissent*, pp. 28-72.

〔3〕宋迪之经历与其《潇湘八景图》之间关系的讨论，参见衣若芬《阅读风景：苏轼与"潇湘八景图"的兴起》，收入王静芝、王初庆等著《千古风流：东坡逝世九百年纪念学术研讨会》，台北，洪叶文化事业公司2001年版，689-717页。

〔4〕宋徽宗之命制《潇湘八景图》，见夏文彦《图绘宝鉴》第三卷，收入罗振玉撰辑《罗雪堂先生全集·初编》，台北，大通书局1986年版，第20册，40页下。关于夏文彦《图绘宝鉴》一书版本的讨论，请见收于此书之拙作《画史知识的传播——夏文彦《图绘宝鉴》与雪舟的阅读》。

〔5〕如李白《当涂赵炎少府粉图山水歌》与杜甫《奉先刘少府新画山水障歌》。这部分的讨论参见浅见洋二《闺房のなかの山水，あるいは潇湘について：晚唐五代词における风景と绘画》，《集刊东洋学》67（1992），43-65。

〔6〕沈括撰，胡道静校注《新校正梦溪笔谈》，北京，中华书局1957年版，第十七卷，171页。

〔7〕金文京《西湖在中日韩——略谈风景转移在东亚文学中的意义》，收入石守谦、廖肇亨主编《东亚文化意象之形塑》，台北，允晨文化实业股份有限公司2011年版，142-144页。

〔8〕对舒城李氏《潇湘卧游图》最深入的研究，见铃木敬《潇湘卧游图卷について（上）（下）》，分见《东洋文化研究所纪要》61(1973)，1-61页；79(1979)，1-84页。另见小川裕充《卧游·中

国山水画——その世界——》,东京,中央公论美术出版 2008 年版,221 页。

〔9〕对王洪《潇湘八景图》之详细讨论,参见 Alfreda Murck, *Poetry and Painting in Song China: The Subtle Art of Dissent*, pp. 203-227.

〔10〕三远之说见郭思《林泉高致》,收入卢辅圣主编《中国书画全书》,上海,上海书画出版社 1992 年版,第 1 册,500 页。

〔11〕对郭熙《树色平远》风格与意涵的讨论,见 Ping Foong, "Guo Xi's Intimate Landscapes and the Case of Old Trees, Level Distance," *Metropolitan Museum Journal* 35 (2000), pp. 87-115.

〔12〕佚名《宣和画谱》,台北故宫博物院据元大德本影印,1971 年,第十二卷;1 页下。

〔13〕惠洪诗见氏著、释觉慈编《石门文字禅》第八卷,收入纪昀等总纂《景印文渊阁四库全书》,台北,台湾商务印书馆据台北故宫博物院藏本影印,1983 年,第 1116 册,76 页。对其较详细之讨论,见衣若芬《漂流与回归——宋代题"潇湘"山水画诗之抒情底蕴》,载《中国文哲研究集刊》21 (2002),12-15 页。

〔14〕Alfreda Murck, *Poetry and Painting in Song China: The Subtle Art of Dissent*, pp. 70-72.

〔15〕邓椿《画继》第六卷,"王可训"条,见卢辅圣主编《中国书画全书》第 2 册,716 页。

〔16〕曾敏行《独醒杂志》,台北,兴中书局据民国十年〔1921〕上海古书流通处影印本影印,1964 年,第九卷,419 页。

〔17〕张澄《画录广遗》,"徽庙御画"条,见卢辅圣主编《中国书画全书》第 2 册,725 页。对张澄其人及此记事可能透露之政治寓意的讨论,见 Alfreda Murck, *Poetry and Painting in Song China: The Subtle Art of Dissent*, pp. 200-202.

〔18〕Richard M. Barnhart, "Shining Rivers: Eight Views of the Hsiao and Hsiang in Sung Painting," 收入台北故宫博物院编辑委员会编《中华民国建国八十年中国艺术文物讨论会论文集》,台北故宫博物院,1992 年,69-70 页。

〔19〕关于牧溪此作的原状与改装,见小川裕充《牧溪笔潇湘八景图卷の原状について》,《美术史论丛》13(1997),111-123 页。对牧溪此人之较详细讨论,见海老根聪郎《牧溪の生涯》,收入五岛美术馆编《牧溪:憧憬の水墨画》,东京,五岛美术馆,1996 年,88-90 页。

〔20〕对玉涧身份之确认,见铃木敬《玉涧若芬试论》,《美术研究》236(1964),79-92 页。而对此卷传日本前在中国的收藏状况,见衣若芬《玉涧〈潇湘八景图〉东渡日本之前"三教弟子"印考》,《国立台湾大学美术史研究集刊》24(2008),147-172 页。

〔21〕此件《洞庭秋月》之确切时代不明,铃木敬归入明,Barnhart 则以为系元人之作,见 Richard M. Barnhart, "Shining Rivers: Eight Views of the Hsiao and Hsiang in Sung Painting," p. 50. 此图著录早见于李日华著、屠友祥校注《味水轩日记》,上海远东出版社 1996 年版,第二卷,141 页。

〔22〕对夏珪《山水十二景》的详细说明,见 Wai-kam Ho et. al., *Eight Dynasties of Chinese Painting: The Collections of the Nelson Gallery-Atkins Museum, Kansas City, and the Cleveland Museum of Art* (Cleveland: The Cleveland Museum of Art, 1980), pp. 72-76. Richard Edwards 另有很深入的分析,见 Richard Edwards, *The World around the Chinese Artist: Aspects of Realism in Chinese Painting* (Ann Arbor: The University of Michigan Press, 1989), pp. 31-38. 对其间潇湘八景之承继与变化,见石守谦《山水之史——由画家与观众互动角度考察中国山水画至 13 世纪的发展》,收入颜娟英主编《中国史新论——美术考古分册》,台北中研院、联经出版事业股份有限公司 2010

年版，460-461 页。

〔23〕Alfreda Murck 以为此摹本曾经乾隆皇帝的分割与重组，但仍可见其马远原本与王洪的亲近关系。见 Alfreda Murck, *Poetry and Painting in Song China: The Subtle Art of Dissent*, pp. 233-237.

〔24〕董邦达为乾隆皇帝所作之实景山水画中即以西湖十景最为重要，并由之发展出一种甚得皇帝欣赏的格式。见石守谦《以笔墨合天地：对 18 世纪中国山水画的一个新理解》，载《国立台湾大学美术史研究集刊》26（2009），13-14 页。

〔25〕例如宫廷画家丁观鹏对顾恺之《洛神赋图》的临摹与改变即很明显。见石守谦《洛神赋图：一个传统的形塑与发展》，载《国立台湾大学美术史研究集刊》23（2007），67-69 页。

〔26〕语出元初之汤垕《画鉴》（又名《古今画鉴》），收入卢辅圣主编《中国书画全书》第 2 册，901 页。这个评语因得夏文彦引用，广为人知，见氏著《图绘宝鉴》第四卷，8 页下。

〔27〕夏文彦《图绘宝鉴》第五卷，10 页上。

〔28〕杨朝英《朝野新声太平乐府》第八卷，收入（上海）商务印书馆编《四部丛刊·初编》，上海，商务印书馆 1929 年版，第 2112 册，13 页上 - 下。

〔29〕佚名《梨园按试乐府新声》中卷，收入台湾商务印书馆编《四部丛刊·三编》，台北，台湾商务印书馆 1966 年版，第 141 册，8 页。

〔30〕大同市文物陈列馆、山西云冈文物管理所《山西省大同市元代冯道真王青墓清理简报》，载《文物》1962 年 10 期，34-46 页。此墓壁画在元代时期的意义讨论，参见董新林《蒙元时期墓葬壁画题材及其相关问题》，收入中国社会科学院考古研究所编《二十一世纪的中国考古学：庆祝佟柱臣先生八十五华诞学术文集》，北京，文物出版社 2006 年版，856-885 页。

〔31〕参见衣若芬《漂流与回归》，17-29 页。本文在"望归"之讨论上受衣教授此文启发甚多。

〔32〕释庆老《五祖演禅师》，《补禅林僧宝传》，收入纪昀等总纂《景印文渊阁四库全书》，第 1052 册，2 页 a。此诗引见衣若芬《漂流与回归》，30 页。

〔33〕道教中人称成道之士为"仙"，其死亡为"道升"，并以"归"标志这个"道升"的过程。见张宁远《天坛尊师周仙灵异之碑》，收入陈垣编，陈智超、曾庆瑛校补《道家金石略》，北京，文物出版社 1988 年版，488-490 页。此碑文中云："儒逝曰殂，□〔佛〕尽余缘，道升曰归。我今知佛，又何恨焉？"此碑成于 1486 年，碑中传主周尊师道号莹然子，元武宗至大年间（1308—1311）曾在北京提点太一、清微等宫，1357 年至河南王屋山住持天坛上方院，卒于 1360 年，从碑文所记，他应属全真教之高级道士。

〔34〕吴镇在《嘉禾八景图》卷上之所有题识全文见台北故宫博物院编辑委员会编《罗家伦夫人张维桢女史捐赠书画目录》，台北故宫博物院，1996 年，153-156 页。

〔35〕如此定点景观化的现象应亦可见于西湖十景等类似发展，不过，由于它们的图绘އ有 14 世纪以前者传世，无法进一步讨论。西湖十景者虽存有传为南宋叶肖岩所作之图册（台北故宫博物院藏），但其画风近于明人，品质亦不高，故只能舍而不用。

〔36〕吴镇《渔父图》及其渔隐山水图的较详说明，见石守谦《隐逸文士的内在世界——元末四大家的生平与艺术》，氏著《从风格到画意——反思中国绘画史》，台北，石头出版股份有限公司 2010 年版，188-192、409 页。

〔37〕例如明末广受一般读者欢迎的《海内奇观》版画书中之"潇湘八景"便只以标题形象交待为重，不再使用原来以水景为主的迷茫平远山水图式。其图可见杨尔曾《海内奇观》，收入上海

古籍出版社编《中国古代版画丛刊·二编》，上海，上海古籍出版社 1994 年版，第 8 辑，6 页下-13 页下。

[38] 郑麟趾等纂修、延世大学东方学研究所编《高丽史》，首尔，景仁文化社 1972 年版，第一二二卷，567 页。

[39] 同上注，567 页；金宗瑞等撰《高丽史节要》，首尔，亚细亚文化社 1972 年版，第一三卷，342-343 页。对上述高丽史料的讨论，见衣若芬《高丽文人李仁老、陈澕与中国"潇湘八景"诗画之东传》，《中国学术》16（2004），162-163 页。另可见板仓圣哲《朝鲜王朝前期の潇湘八景图——东アジアの视点から》，收入洪善勺等编《朝鲜王朝の绘画と日本——宗达、大雅、若冲も学んだ邻国の美》，大阪，读卖新闻大阪本社 2008 年版，18-25 页。

[40] 衣若芬《高丽文人李仁老、陈澕与中国"潇湘八景"诗画之东传》，163-166 页。

[41] 板仓圣哲《朝鲜王朝前期の潇湘八景图——东アジアの视点から》，19-20 页。

[42] 衣若芬《朝鲜安平大君李瑢及〈匪懈堂潇湘八景诗卷〉析论》，载《域外汉籍研究集刊》1（2005），113-139 页。

[43] 参见安辉濬、李炳汉《安坚与梦游桃源图》，首尔，艺耕产业社 1991 年版；Hwi Joon Ahn, "An Kyŏn and 'A Dream Visit to the Peach Blossom Land'," *Oriental Art* 26.1(1980): 60-71；石守谦《桃花源意象的形塑与在东亚的传布》，收入石守谦、廖肇亨主编《东亚文化意象之形塑》，53-96 页。

[44] 倪谦事见《文宗实录》卷三，收入国史编纂委员会编《朝鲜王朝实录》，首尔，东国文化社 1955-1958 年版，第 6 册，267-268 页。详细讨论见中村昌彦《倪谦の朝鲜使录について——"朝鲜纪事"、"辽海编"、"皇华集"を中心に》，收入《琉球大学言语文化论丛》3（2008），149-162。

[45] 石附启子《传安坚平沙落雁图·渔村夕照图》图版解说，收入菊竹淳一、吉田宏志编《世界美术大全集·东洋编·11 朝鲜王朝》，东京，小学馆 1999 年版，356 页。板仓圣哲《朝鲜王朝前期の潇湘八景图——东アジアの视点から》，21-22 页。

[46] 此部分工作近年来以板仓圣哲的贡献最大，其成果俱见于 2008 年在大阪举办的展览图录中，见洪善勺等编《朝鲜王朝の绘画と日本：宗达、大雅、若冲も学んだ邻国の美》。该展中若干展件原皆归于中国画家名下，现则可厘清为朝鲜的潇湘八景图，如（传）文征明之《潇湘八景图册》、（传）胡直夫《山水图》、（传）萧照《江山帆影图》、（传）马麟《山水图》等。

[47] 大和文华馆所藏此轴，板仓圣哲标之为"烟寺暮钟"。他并指出标题后的赞文出自中国明代文人史九韶（1383 年举人）的《潇湘八景记》，而非高丽士人所写的潇湘八景诗，并视之为朝鲜在 16 世纪开始引用明代文学现象的一个代表例子，正与当时朝鲜画坛开始摄取明代浙派画风现象一致。见板仓圣哲《作为东亚图像的潇湘八景图——15 世纪朝鲜前期文人所见到的潇湘八景图》，收入石守谦、廖肇亨主编《东亚文化意象之形塑》，180 页。史九韶的《潇湘八景记》，可见陈梦雷等编《古今图书集成》，台北，鼎文书局 1976 年版，第 25 册，《方舆汇编·山川典》三〇四卷，"湘水部"，32 页。

[48] Hongnam Kim, "An Kyon and the Eight Views of Tradition: An Assessment of Two Landscapes in The Metropolitan Museum of Art," in Judith G. Smith ed., *Arts of Korea* (New York: The Metropolitan Museum of Art, 1999), pp. 366-401.

〔49〕学界向来以为15、16世纪中国浙派山水画风格深刻地影响了朝鲜的发展,该讨论参见安辉濬《韩国浙派画风의研究》,载《美术资料》20(1997),24-62页;张辰城《奇妙的相遇:浙派与15至16世纪的韩国绘画》,收入陈阶晋、赖毓芝主编《追索浙派》,台北故宫博物院2008年版,222-233页。这个看法大致可以成立,但不宜涵盖像《烛寺暮钟》与大都会本《洞庭秋月》所代表的这部分表现。

〔50〕大愿寺藏《潇湘八景图(附尊海渡海日记)屏风》之较详说明,见武田恒夫《大愿寺藏尊海渡海日记屏风》,载《佛教艺术》52(1963),127-130页;塚本麿充《潇湘八景图屏风》图版解说,收入大和文华馆编《崇高なる山水——中国・朝鲜、李郭系山水画の系谱》,奈良,大和文华馆2008年版,148页;九州国立博物馆的八景屏风,见户田祯佑《潇湘八景图押绘贴屏风》,载《国华》1204(1996),16-23页。另见板仓圣哲《韩国における潇湘八景图の受容・展开》,《青丘学术论集》14(1999),26-27页。

〔51〕安辉濬《国立中央博物馆所藏〈潇湘八景图〉》,载《考古美术》138、139(1978),136-162页。

〔52〕衣若芬《李齐贤八景诗与韩国地方八景之开创》,载《中国诗学》9(2004),147-162页。

〔53〕渡边明义《日本の美术・124潇湘八景图》,东京,至文堂1976年版,35-48页。

〔54〕参见大西广《平沙落雁图》图版解说,收入岛田修二郎、入矢义高监修《禅林画赞——中世水墨画を读む》,东京,每日新闻社1987年版,277-280页。

〔55〕对于日本潇湘八景图中"多景同图"的讨论,见渡边明义《日本の美术・124潇湘八景图》,56-62页。

〔56〕五山文学中这种对潇湘八景的合景题诗颇多,讨论见朝仓尚《禅林の文学——中国文学受容の样相》,东京,清文堂1985年版,15-58页。

〔57〕贤江祥启《真山水图》中潇湘景的辨识,见渡边明义《潇湘八景图》,7页第6图解说。Richard Stanley-Baker曾利用狩野探幽的缩图资料讨论此作,并及于祥启较晚制作的另一套完整之潇湘八景图册,见 Richard Stanley-Baker, "Mid-Muromachi Paintings of the Eight Views of Hsiao and Hsiang" (Ph.D. diss., Princeton University, 1979), pp. 119-125.

〔58〕这应该说就是文献中所指的"夏珪图本",山下裕二曾试图重建这件夏珪长卷的原貌,及其对室町山水画的影响,见氏著《夏珪と室町水墨画》,收入《室町绘画の残像》,东京,中央公论美术出版2000年版,2-31页。

〔59〕朝仓尚《禅林の文学——中国文学受容の样相》,19-20页。横川景三题诗及诗序,见氏著《补庵京华新集》,收入玉竹村二编《五山文学新集》,东京,东京大学出版会1967年版,第一卷,652页。

〔60〕渡边明义很早就称此为"日本的特质",见《日本の美术・124潇湘八景图》,56-73页。

〔61〕对大仙院方丈室中袄绘与建筑的详细讨论,见小川裕充《大仙院方丈袄绘考:方丈袄绘の全体计画と东洋障壁画史に占めるその史的位置(一)——(上)(中)(下)》,分见《国华》1120(1989),5-30页;1121(1989),25-49页;1122(1989),9-19页。关于大仙院方丈的增建,见小川裕充《大仙院方丈の所谓"增筑"问题について》,收入《美术史论丛》11(1995),93-106页。

〔62〕如见相泽正彦《潇湘八景图》图版解说,收入辻惟雄、户田祯佑、千野春织、山下裕二编《日本美术全集・13 雪舟とやまと绘屏风》,东京,讲谈社1993年版,223页。

〔63〕Richard Stanley-Baker, "Mid-Muromachi Paintings of the Eight Views of Hsiao and Hsiang," pp. 164-180.

〔64〕龟井若菜《大仙院方丈室中山水图袄绘について》,《美术史》129（1991）, 45-63 页。

〔65〕渡边明义《日本の美术·124 潇湘八景图》, 48 页。

〔66〕横川景三《补庵京华别集》, 收入玉竹村二编《五山文学新集》第一卷, 535-536 页。

〔67〕能阿弥《室町殿行幸御饷记》, 收入根津美术馆、德川美术馆编《东山御物："杂华室印"に关する新史料を中心に》, 东京, 根津美术馆 1976 年版, 162 页。

〔68〕夏文彦《图绘宝鉴》五卷, 7 页上。

〔69〕Richard Stanley-Baker 特别重视刘耀此件屏风山水对日本室町水墨画产生影响的可能性。见 Richard Stanley-Baker, "Some Proposals Concerning the Transmission to Muromachi Japan of Styles Associated with Painters from Checking of the Late Yuan and Early Ming: with Particular Reference to the Sources of Styles Favoured in the Hung-Chih Academy," 收入铃木敬先生还历记念会编《铃木敬先生还历记念：中国绘画史论集》, 东京, 吉川弘文馆 1981 年版, 84-92 页。

〔70〕塚原晃《正宗龙统"屏风画记"における艺阿弥笔四季山水图屏风について》, 载《美术史研究》27（1989）, 105-125 页；山下裕二《夏珪と室町水墨画》, 16-18 页。

〔71〕Richard Stanley-Baker, "Mid-Muromachi Paintings of the Eight Views of Hsiao and Hsiang," pp. 84-85. 他所参考的东山山庄平面复原图系出自堀口舍己《君台观左右帐记の建筑的研究——室町时代の书院及茶室考（一）～（五）》, 分见《美术研究》122（1942）, 37-57 页；123（1942）, 88-114 页；124（1942）, 147-176 页；125（1942）, 210-220 页；126（1942）, 241-260 页。图 40 即取自上文, 见《美术研究》124（1942）, 157 页。

〔72〕此图解说见奈良国立博物馆编《圣と隐者——山水に心を澄ます人々》, 奈良国立博物馆 1999 年版, 219 页。Yoshiaki Shimizu ed., *Japan: The Shaping of Daimyo Culture, 1185-1868* (Washington: National Gallery of Art, 1988), pp. 68-69. 此图除袄绘之外, 尚有镜台的仔细描绘, 其意涵之最佳说法见宫岛新一《肖像画》, 东京, 吉川弘文馆 1994 年版, 244-247 页。

〔73〕参见大西广《江山之隐图》图版解说, 收入岛田修二郎、入矢义高监修《禅林画赞——中世水墨画を读む》, 238-245 页。

〔74〕参见大西广《湖山小景图》图版解说, 收入上书, 330-334 页。

〔75〕参见田中正大《禅寺の石庭》, 收入太田博太郎、松下隆章、田中正大编《原色日本の美术·10 禅寺と石庭》, 东京, 小学馆 1967 年版, 214-235 页。

〔76〕足利幕府自第三代将军义满至第八代将军义政都通过室内艺术布置展现了高度的文化主导权。参见リチャード·スタンーベイカー《室町时代の座敷饰りと文化的主导权》, 收入户田祯佑等编《日本美术全集·11 禅宗寺院と庭园：南北朝·室町の建筑·雕刻·工艺》, 东京, 讲谈社 1994 年版, 168-173 页。

〔77〕关于能阿弥、艺阿弥、相阿弥这些同朋众所扮演的文化角色及其工作, 讨论可见岛尾新《日本の美术·338 水墨画——能阿弥から狩野派へ》, 东京, 至文堂 1994 年版, 17-27 页。

〔78〕聚光院之袄绘主要由狩野松荣及其子永德所作, 被视为狩野派之集大成, 其建筑始末及袄绘之完整讨论, 见田泽裕贺《聚光院の障壁画——その创建と永德画の时代性》, 收入东京国立博物馆编《国宝：大德寺聚光院の袄绘》, 东京国立博物馆 2003 年版, 6-12 页。对于此件

狩野松荣八景袄绘的讨论，另见 Andrew M.Watsky, "Locating 'China' in the Arts of Sixteenth-century Japan," *Art History* 29.4 (2006), pp. 608-613.

〔79〕参见芳贺彻《风景の比較文化史——瀟湘八景と近江八景》，载《比較文学研究》50（1986），1-27；铃木广之《瀟湘八景の受容と再生産——15世紀を中心とした絵画の場》，载《美術研究》358（1993），299-319页。

〔80〕Yoshiaki Shimizu ed., *Japan: The Shaping of Daimyo Culture, 1185-1868*, pp. 161-162.

〔81〕横田忠司《富士山図》図版解说，收入岛田修二郎、入矢义高监修《禅林画賛——中世水墨画を読む》，377-379页。

〔82〕以上常庵龙崇题辞接写在式部辉忠《富士八景图》八幅立轴的上方，完整内容及讨论，见山下裕二《富士八景図》図版解说，收入岛田修二郎、入矢义高监修《禅林画賛——中世水墨画を読む》，382-389页。式部辉忠为16世纪前期关东水墨画坛之重要画家，较详之讨论，参见山下裕二《式部辉忠の研究——关东水墨画に关する一考察》，《国华》1084（1985），11-31页。

〔83〕板仓圣哲《作为东亚图像的潇湘八景图——15世纪朝鲜前期文人所见到的东亚潇湘八景图》，169-178页。

〔84〕朝鲜画坛大约自16世纪中期后才在对明观的转变下较为积极地吸纳以马夏风格为源头的浙派山水画；参见洪善勺《十五、十六世纪における朝鮮画壇の中国画認識と受容態度——対明観の変化を中心に》，收入东アジア美術文化交流研究会编《宁波の美術と海域交流》，福冈，中国书店2009年版，145-161页。

第四章　人物的来往——雪舟入明及当时北京、苏州画坛之变化

〔1〕此种看法流传十分普遍，其中可以作为代表者为：单国霖《吴门画派综述》，收入中国美术全集编辑委员会编《中国美术全集·绘画编·7　明代绘画》，上海人民美术出版社1988年版，1-26页，尤其是5-9页；以及 James Cahill, *Parting at the Shore: Chinese Painting of the Early and Middle Ming Dynasty, 1368-1580* (New York: Weatherhill, 1978), pp. 59-60.

〔2〕关于16世纪以前北京宫廷绘画发展的研究，可以说是20世纪末期学术的贡献。其中最具代表性者为：穆益勤《明代院体浙派史料》，上海人民美术出版社1985年版；Richard M. Barnhart, et. al., *Painters of the Great Ming: The Imperial Court and the Zhe School* (Dallas: The Dallas Museum of Art, 1993). 不过，这部分研究的开拓之功，当推日本的铃木敬。见铃木敬《明代绘画史研究·浙派》，东京，木耳社1968年版。

〔3〕关于明代宫廷绘画之由盛转衰，笔者曾由皇室品味之角度另作过一些探讨，见石守谦《明代绘画中的帝王品味》，载《台湾大学文史哲学报》40（1993），227-291页。

〔4〕穆益勤《明代院体浙派史料》，7-17页。

〔5〕近年学界曾对元代宫廷绘画进行更积极之研究，以为由其扩展所示之广泛性与艺术性为历朝所不及，参见余辉《元代宫廷绘画研究》，氏著《画史解疑》，台北，东大图书股份有限公司2000年版，269-335页。但相较之下，元代宫廷更重视的则是织品及金银工艺等制作。参见 James C. Y. Watt and Anne E. Wardwell, *When Silk Was Gold* (New York: The Metropolitan Museum of Art, 1997).

〔6〕关于明初画院中的画家及其活动，可见铃木敬《明代绘画史研究·浙派》，126-183页；Richard M. Barnhart, *Painters of the Great Ming*, pp. 21-125.

〔7〕杨士奇《翰墨林记》，《东里续集》卷四，收入纪昀等总纂《景印文渊阁四库全书》，台北，台湾商务印书馆据台北故宫博物院藏本影印1983年版，第1238册，421-422页。

〔8〕谢环所作《杏园雅集图》现有两本，一存镇江博物馆，另存The Metropolitan Museum of Art，但只有前者有谢环的形象；见中国美术全集编辑委员会编《中国美术全集·绘画编·6 明代绘画》，上海人民美术出版社1989年版，48-49页。

〔9〕杨士奇等撰《明宣宗实录》，台北，"中研院"历史语言研究所据国立北平图书馆藏红格钞本影印1966年版，二三卷，618页。

〔10〕《竹鹤双清》图版可见中国美术全集编辑委员会编《中国美术全集·绘画编·6 明代绘画》，22页。此题记"陇西边景昭同孟端王中书为诚斋写竹鹤双清图"，不仅是由边氏所书，且其姓名亦排在王绂前。

〔11〕Kathlyn Liscomb, "The Eight Views of Beijing: Politics in Literati Art," *Artibus Asiae* 49.1/2 (1988-1989), pp. 127-152.

〔12〕穆益勤《明代院体浙派史料》，30-31页。

〔13〕杜琼《沈公济先生行实》，氏著《杜东原集》，收入台北中央图书馆编《明代艺术家集汇刊》，台北中央图书馆1968年版，150-152页。

〔14〕参见黄逸芬《沈遇南山瑞雪图轴》图版解说，收入蔡宜璇主编《悦目——中国晚期书画（解说篇）》，台北，石头出版股份有限公司2001年版，12-13页。

〔15〕单国强《戴进生平事迹考》，载《故宫博物院院刊》1992.1，44-52页。

〔16〕本画现藏北京故宫博物院，在右下裱边有清皇十一子题："黄克美此图有旧签题为独镇朝纲图，当必有来历也。"见穆益勤《明代院体浙派史料》，238页。

〔17〕例如元代浙江职业画师孙君泽的《楼阁山水图》（东京，静嘉堂文库美术馆藏），图版可见大和文华馆编《元时代的绘画——モンゴル世界帝国の一世纪》，奈良，大和文华馆1998年版，51页。

〔18〕郎瑛《七修续稿》六卷，收入新兴书局编《笔记小说大观·三十三编》，台北，新兴书局1983年版，第1册，838页。

〔19〕陆深《俨山集》二卷，收入纪昀等总纂《景印文渊阁四库全书》第1268册，12-13页。

〔20〕张廷玉等撰《明史·景帝本纪》，北京，中华书局1974年版，第一一卷，141-143页。

〔21〕张廷玉等撰《明史·英宗后纪》一二卷，153-155页。

〔22〕王鏊《姑苏志》五二卷，收入纪昀等总纂《景印文渊阁四库全书》第493册，985-986页。

〔23〕沈周《石田先生集》，收入台北中央图书馆编《明代艺术家集汇刊》，460页。

〔24〕王鏊《姑苏志》五二卷，982页。

〔25〕同上注，991页。

〔26〕沈周《东原先生年谱》，杜琼《杜东原集》，6-7页。

〔27〕同上注，9页。

〔28〕石守谦《隐逸文人の内面世界——元末四大家の生涯と艺术》，收入海老根聪郎、西冈康宏编《世界美术大全集·东洋编·7元》，东京，小学馆1999年版，159-161页。

[29] 关于太湖之林屋洞在道教中的位置,见杜光庭《洞天福地岳渎名山记》,收入胡道静、陈莲笙、陈耀庭选辑《道藏要籍选刊》,上海古籍出版社据1923-1926上海涵芬楼缩印明刊《正统道藏》选印1989年版,第7册,188页。

[30]《归去来辞》图像的典型化在南北宋之际已经完成,代表作品可见现藏于Freer Gallery of Art的(传)李公麟《归去来辞图卷》,及其散存各地的后代衍生本。

[31] 祝颢《刘完庵墓志铭》,钱谷编《吴都文粹续集》四二卷,收入纪昀等总纂《景印文渊阁四库全书》,第1386册,345-347页。

[32] 徐有贞《云岩雅集志》,见钱谷编《吴都文粹续集》三一卷,65-67页。

[33] 图版见中国美术全集编辑委员会编《中国美术全集·绘画编·7 明代绘画》,21页。

[34] 杜琼《题沈氏画卷》,氏著《杜东原集》,133-134页。

[35] 关于雪舟在中国的学习,研究很多,较近年即有户田祯佑《雪舟研究に关する二、三の问题》,收入山根有三先生古稀记念会编《日本绘画史の研究》,东京,吉川弘文馆1989年版,151-162页;畑靖纪《雪舟山水画小考——入明时的古典の学习》,《美术史学》18(1996),21-54页;岛尾新《飞跃への旅——雪舟の中国行》,收入日本アート・センター编《新潮日本美术文库·1 雪舟》,东京,新潮社1996年版,73-85页;小川裕充《雪舟——东アジアの僧侣画家》,《国华》1276(2002),33-41页;板仓圣哲《成化画坛と雪舟》,收入根津美术馆编《明代绘画と雪舟》,东京,根津美术馆2005年版,15-24页。

[36] 关于金湜等宁波文人与雪舟的往来,可参见海老根聪郎《宁波の文人と日本人——15世纪における》,《东京国立博物馆纪要》11(1975),217-260页。

[37] 对此《四季山水图》的详细记录及研究回顾,见畑靖纪《四季山水图》图版解说,收入山口县立美术馆雪舟研究会编《雪舟等杨——"雪舟への旅"展研究图录》,东京,中央公论美术出版2006年版,129-132页。

[38] 对李在的详细研究,参见嶋田英诚《李在について——传记篇》,《国华》1278(2002),5-15;《李在について——画业篇》,《国华》1279(2002),7-22页。

第五章 画史知识的传播——夏文彦《图绘宝鉴》与雪舟的阅读

[1] 对"东亚"此一概念在美术史研究中的使用,近年来已有许多思考。请参见铃木广之《往还する绘画——15世纪汉字文化圏のなかの"唐绘"の意义——》,载《美术研究》361(1995),137-158页;佐藤道信《世界观の再编と历史观の再编》,收入东京国立文化财研究所编《语る现在、语られる过去:日本の美术史学100年》,东京,平凡社1999年版,111-127页;洪善杓《韩国美术史研究の观点と东アジア》,收入《语る现在、语られる过去:日本の美术史学100年》,185-191页。

[2] 参见石守谦《对中国美术史研究中再现论述模式的省思》,载《国立中央大学文学院人文学报》15(1997),1-29页;佐藤道信《明治国家と近代美术——美の政治学》,东京,吉川弘文馆1999年版。

[3] 在中国绘画史中有一些零星的研究值得注意,如洪再新《明清画谱所示绘画教学关系的若干类型》,载《新美术》1995.4,31-36页;凌利中《粉本在唐宋元画史上的作用及启示》,收入上

海博物馆编《千年遗珍国际学术研讨会论文集》上海博物馆2006年版，462-475页；日本美术史中相关之讨论，可见板仓圣哲编《讲座日本美术史・2　形态の传承》，东京大学出版会2005年版。

〔4〕参见石守谦《董其昌〈婉娈草堂图〉及其革新画风》，载《中央研究院历史语言研究所集刊》65.2（1994），307-332页。

〔5〕此种例证颇多，如金唯诺《宋元续编的绘画通史》，载《美术研究》（中央美术学院学报）1979.4，86页。在此情况中，有两个研究对此书进行了较深入的探讨，值得特别重视。见Deborah Del Gais Muller, "Hsia Wen-yen and His *T'u-hui pao-chien* (*Precious Mirror of Painting*)," *Ars Orientalis* 18 (1988), 131-148；近藤秀实、何庆先编著《图绘宝鉴校勘与研究》，南京，江苏古籍出版社1997年版。

〔6〕余绍宋《书画书录解题》，台北，台湾中华书局1968年版，第一卷，8页下-9页上。

〔7〕陈高华《夏文彦和〈图绘宝鉴〉》，载《美术研究》（中央美术学院学报）1987.4，80-82页；谢巍《中国画学著作考录》，上海书画出版社1998年版，263-264页。

〔8〕近藤秀实、何庆先编著《图绘宝鉴校勘与研究》，227-280页；亦参见郑炳纯《〈图绘宝鉴〉及其续书——兼记张蓉镜双芙阁旧藏元刊本〈图绘宝鉴〉》，载《文献》1984.4，82-90页。

〔9〕余绍宋《书画书录解题》第一卷，8页下。

〔10〕谢巍《中国画学著作考录》，264页。

〔11〕近藤秀实、何庆先编著《图绘宝鉴校勘与研究》，314页；郑真《荥阳外史集》，收入纪昀等总纂《景印文渊阁四库全书》，台湾商务印书馆据台北故宫博物院藏本影印1983年版，第1234册，第三九卷，229页、第八九卷，505页。

〔12〕宋濂《宋学士文集》一九卷，收入（上海）商务印书馆编《四部丛刊・初编》，上海，商务印书馆1929年版，第1506册，16页下。

〔13〕夏文彦《图绘宝鉴》三卷，收入罗振玉辑《罗雪堂先生全集・初编》，台北，大通书局1986年版，第20册，4页上-下。由于宸翰楼丛书本乃据罗振玉所藏元至正乙巳（1365）刊本重版刊行，较传世其他元刊本更为清晰，本文除特殊状况外，引用皆据此本。

〔14〕夏文彦《图绘宝鉴》第三卷，41页上、《补遗》，3页上。

〔15〕宋濂《宋学士文集》第三八卷，1页下-2页上。

〔16〕夏文彦《图绘宝鉴》第四卷，13页下。

〔17〕近年虽有周永昭之新说，将之订在1280年代末期至1300年间，但此说推测的成分居多，不足采信。见周永昭《元代汤垕生平之考证》，载《故宫博物院院刊》2004.5，121-131页；周永昭《汤垕〈画鉴〉版本之流传及汤垕著作之影响》，载《故宫博物院院刊》2004.6，64-71页。

〔18〕汤垕《画鉴》（又名《古今画鉴》），收入卢辅圣主编《中国书画全书》，上海书画出版社1992年版，第2册，896、901、903页。

〔19〕谢巍《中国画学著作考录》，81、85、92、109、132、133、142、148、182页。不过，这些南宋刊本皆是由文献资料推知，是否仍存在，尚待调查。

〔20〕林申清编著《宋元书刻牌记图录》，北京图书馆出版社1999年版，14页。

〔21〕陈思《书小史》，收入卢辅圣主编《中国书画全书》第2册，533-574页；陈思《书苑精华》，收入《中国书画全书》第2册，427-532页。

[22] 夏文彦《图绘宝鉴》第三卷,4页上;佚名《宣和画谱》,台北故宫博物院据元大德本景印1971年版,第七卷,5页上-下。

[23] 《宣和画谱》一书是否存有宋刊本,尚有争议。谢巍对之考辨甚详,参见其《中国画学著作考录》,161-164页。

[24] 夏文彦《图绘宝鉴》第二卷,"孙位"条,6页上。另请参见黄休复《益州名画录》,收入卢辅圣主编《中国书画全书》第1册,189页;郭若虚《图画见闻志》,收入《中国书画全书》第1册,471页;李廌《德隅堂画品》,收入《中国书画全书》第1册,991页。

[25] 近藤秀实、何庆先编著《图绘宝鉴校勘与研究》,307页。

[26] 关于庄肃的藏书,见范凤书《中国书家藏书史》,郑州,大象出版社2001年版,152-153页。

[27] 庄肃《画继补遗》卷下,收入卢辅圣主编《中国书画全书》第2册,915页;周密《云烟过眼录》下卷,收入《中国书画全书》第2册,147页。

[28] 陶宗仪《南村辍耕录》第一八卷,收入台湾商务印书馆编《四部丛刊·三编》,台北,台湾商务印书馆1966年版,第103册,5页下。

[29] 吴太素著、岛田修二郎解题校定《松斋梅谱》,广岛市立中央图书馆1988年版,304页。夏文彦的玉涧传,见《图绘宝鉴》第四卷,9页上。

[30] 牧溪传可见吴太素著、岛田修二郎解题校定《松斋梅谱》,304页;夏文彦《图绘宝鉴》第四卷,8页下。

[31] 岛田修二郎《松斋梅谱解题》,氏著《中国绘画史研究》,东京,中央公论美术出版1993年版,455-497页。

[32] 李壁注《王荆文公诗》之相关资料,见林柏亭主编《大观:北宋图书特展》,台北故宫博物院2006年版,126-134页。

[33] 本文图1至3之图像乃取自上海图书馆之藏本。此本应为明初使用至正旧版重印,仍可见至正版的原貌。对此本图像之取得,作者特别感谢中国美术学院范景中教授的大力协助。

[34] 杨维桢的这几篇文章,分别可见于其《东维子文集》,收入(上海)商务印书馆编《四部丛刊·初编》,第1496册,第一五卷,11页下-12页下;第1495册,第七卷,6页上-7页上;第1495册,第一一卷,1页下-2页上、5页下-6页上。

[35] 此文亦见于《东维子文集》第一一卷,8页下-9页下,但委托者则记为夏文彦之子夏大有,而非如至正版上所记之陶宗仪。

[36] 张彦远《历代名画记》,收入卢辅圣主编《中国书画全书》第1册,120-122页。

[37] 魏了翁序文图版见林柏亭主编《大观:北宋图书特展》,129页。

[38] 例如杨维桢为顾安、倪瓒合作《古林竹石》图轴所写的题跋,见张光宾编《元四大家》,台北故宫博物院1975年版,图版315。

[39] Muller 曾注意此点,见 Deborah Del Gais Muller, "Hsia Wen-yen and His *T'u-hui pao-chien* (*Precious Mirror of Painting*)," p. 139.

[40] 同上书,138-140页;近藤秀实、何庆先编著《图绘宝鉴校勘与研究》,306-307、312-326页。

[41] 汤垕对李唐的评论只云:"若画院诸人得名者……仆于李唐,差加赏阅";见氏著《画鉴》,收入卢辅圣主编《中国书画全书》第2册,900页。

[42] 夏文彦《图绘宝鉴》四卷,9页下。

〔43〕铃木敬《李唐の南渡・复院とその样式变迁についての一试论》(上、下),分见《国华》1047(1981),5-20;1053(1982),12-23。

〔44〕庄肃《画继补遗》下卷,收入卢辅圣主编《中国书画全书》第2册,915页。

〔45〕夏文彦《图绘宝鉴》四卷,13页下。

〔46〕庄肃《画继补遗》下卷,收入卢辅圣主编《中国书画全书》第2册,916页。

〔47〕汪砢玉《珊瑚网》,收入卢辅圣主编《中国书画全书》第5册,1038页。

〔48〕邵亨贞在夏珪《山水十二景》卷后的题跋,图版可见铃木敬编《中国绘画总合图录》,东京大学东洋文化研究所1982年版,第1卷,305页。画作部分,图版见本书图3-14。

〔49〕Wai-kam Ho et al., *Eight Dynasties of Chinese Painting: The Collections of the Nelson Gallery-Atkins Museum, Kansas City, and the Cleveland Museum of Art* (Cleveland, OH: The Cleveland Museum of Art, 1980), pp. 72-76.

〔50〕关于元时期鲁国大长公主雅集的最新研究,见陈韵如《蒙元皇室的书画艺术风尚与收藏》,收入石守谦、葛婉章编《大汗的世纪——蒙元时代的多元文化与艺术》,台北故宫博物院2001年版,274-278页。

〔51〕赵孟頫在《朝元仙杖》图卷上的题跋,图版可见 Richard M. Barnhart, *Along the Border of Heaven: Sung and Yüan Paintings from the C. C. Wang Family Collection* (New York: The Metropolitan Museum of Art, 1983), p. 180.

〔52〕参见包根弟《题元代题诗画》,《古典文学》2(1980):317-335;郑文惠《元代题画诗研究——以花木蔬果为主》,发表于国科会主办,"国科会中文学门专题计划成果发表"研讨会,台北,中研院历史语言研究所1995年5月;郑文惠《诗情画意——明代题画诗的诗画对应内涵》,台北,东大图书股份有限公司1995年版。

〔53〕Ankeney Weitz, "Notes on the Early Yuan Antique Art Market in Hangzhou," *Ars Orientalis* 27 (1997), pp. 27-38.

〔54〕夏文彦的家族不仅是松江富室,且有数代之艺术收藏,但在明初则与其他江南富豪同遭谪徙凤阳的命运,见近藤秀实、何庆先编著《图绘宝鉴校勘与研究》,312-326页。另一个例子为元末江南玉山雅集的主人顾瑛,其传记研究见 David A. Sensabaugh, "Life at Jade Mountain: Notes on the Life of the Man of Letters in Fourteenth-Century Wu Society," 收入铃木敬先生还历记念会编《铃木敬先生还历记念:中国绘画史论集》,东京,吉川弘文馆1981年版,43-69页。

〔55〕海老根聪郎《内阁文库藏元朝画者传について》,《Museum(东京国立博物馆美术志)》241(1971),4-11页。

〔56〕最初可能是使用元刊本,但未见保存。日本后来在1652年所出版的刻本即自元刊本翻刻而来;见泷精一《图绘宝鉴と日本人の画论》,载《国华》302(1915),3-7页。

〔57〕参见大西广对于此作之说明,见岛田修二郎、入矢义高监修《禅林画赞——中世水墨画を读む——》,东京,每日新闻社,1987年版,280-282页。

〔58〕山下裕二《夏珪と室町水墨画》,收入辻惟雄先生还历记念会编《日本美术史の水脉》,东京,ぺりかん社1993年版,803-833页。

〔59〕岛田修二郎《高桐院所藏の山水画について》,氏著《中国绘画史研究》,97-111页;Richard M. Barnhart, "Li T'ang (c. 1050-c.1130) and the Kōtō-in Landscapes," *The Burlington Magazine* 114

(1972), 305-314. 对于传为颜辉《山水》实际制作的时间现只能由其风格作一推定。它的前景大树以及左方瀑流附近之山石结构都尚保留清晰的立体性表达，而尚未出现15世纪中期以后平面化的现象，可能出自元末明初画家之手。画上现仍存16世纪收藏家项元汴之藏印，则可视为此画时代之下限。

[60] 小川裕充《李唐笔万壑松风图·高桐院山水图——その素材构成の共通性について》，载《美术史论丛》8（1992），57-70。

[61] 浅野家本的夏珪《山水》曾被学界以为是日本画家之摹本，近来渐有意见同意为与《溪山清远》同源的中国作品；见宫崎法子《日本所藏有关夏珪的资料》，载《故宫博物院院刊》2006.6，128-136页。

[62] James Cahill, *Hills Beyond a River: Chinese Painting of the Yüan Dynasty, 1279-1368* (New York & Tokyo: Weatherhill, 1976), pp. 75-76.

[63] 夏文彦《图绘宝鉴》五卷，10页上。

[64] 张远的《潇湘八景图》图版可见本书图版3-16。

[65] Maggie Bickford, "Making the Chinese Cultural Heritage at the Courts of Northern Sung China," 收入王耀庭主编《开创典范——北宋的艺术与文化研讨会论文集》，台北故宫博物院2008年版，499-535页。

[66] 对中国画史中"主题传统"的讨论，请另参见石守谦《洛神赋图：一个传统的形塑与发展》，载《台湾大学美术史研究集刊》23（2007），51-80。

[67] 关于米芾、米友仁二人在宋元时期文献中的记载情况，见陈高华编《宋辽金画家史料》，北京，文物出版社1984年版，555-591页。

[68] 对赵孟頫山水画的讨论，另见石守谦《元代文人画的正统的系谱——赵孟頫から王蒙に至る山水画の展开——》，收入大和文华馆编《元时代の绘画——モンゴル世界帝国の一世纪——》，奈良，大和文华馆1998年版，7-16页。

[69] 李衎的评论出自他在高克恭《云横秀岭》上的题跋，见台北故宫博物院编辑委员会编《故宫书画图录》，台北故宫博物院1990年版，第4册，14页。

[70] 这是出自荆浩自评："吴道子画山水有笔而无墨，项容有墨而无笔，吾当采二子之所长，成一家之体。"文见郭若虚《图画见闻志》第二卷，收入卢辅圣主编《中国书画全书》第1册，472页。《笔法记》全文亦可见于《中国书画全书》第1册，6-7页。

[71] 夏文彦《图绘宝鉴》第五卷，12页上。

[72] 郑真《荥阳外史集》第九〇卷，520页。

[73] 刘仁本《羽庭集》第二卷，收入纪昀等总纂《景印文渊阁四库全书》第1216册，26页。

[74] 夏文彦《图绘宝鉴》第四卷，3页上-下。

[75] 同上书，第四卷，7页上-下；第五卷，11页上-下。

[76] 参见徐邦达《淮安明墓出土书画简析》，载《文物》1987.3，16-18页。关于王镇收藏的讨论，见 Kathlyn Liscomb, "Social Status and Art Collecting: The Collections of Shen Zhou and Wang Zhen," *Art Bulletin* 78 (1996), 111-136.

[77] 关于雪舟入明的讨论，见熊谷宣夫《戊子入明と雪舟》（上）（下），分见《美术史》23（1957），21-34及25（1957），24-33；畑靖纪《雪舟山水画小考——入明时の古典の学习——》，载《美

术史学》18（1997），21-54。

〔78〕参见高桥范子《仿高克恭山水图卷再考》，收入山口县立美术馆雪舟研究会编《雪舟等杨——"雪舟への旅"展研究图录》，东京，中央公论美术出版2006年版，236-246页。

〔79〕吴夫良心《天开图画楼记》，收入山口县立美术馆雪舟研究会编《雪舟等杨——"雪舟への旅"展研究图录》，"雪舟年谱·史料"，294-295页。

〔80〕夏文彦《图绘宝鉴》第四卷，9页上。

〔81〕塚原晃《牧溪·玉涧潇湘八景图——その传来の系谱》，收入《早稻田大学大学院文学研究科纪要别册》17（1991），155-165。

〔82〕伊藤松辑，王宝平、郭万平等编《邻交征书》，上海辞书出版社2007年版，99页。

〔83〕语出吴夫良心《天开图画楼记》，294页。

〔84〕同上注。

〔85〕参见高见泽明雄《雪舟笔山寺图について》，《Museum（东京国立博物馆美术志）》365（1981），10-17页；岛尾新《なぜ雪舟か？——雪舟研究の面白さ——》，收入大和文华馆编《特别展·雪舟》，奈良，大和文华馆1994年版，8-15页。

〔86〕高见泽明雄《雪舟笔天桥立图について》，载《美术史》107（1979），1-14；户田祯佑《日本美术の见方》，东京，木耳社1998年版，38-41页。

〔87〕对雪舟《破墨山水图》的研究，见岛田修二郎《破墨山水图》，氏著《日本绘画史研究》，东京，中央公论美术出版1987年版，326-329页；岛田修二郎、入矢义高监修《禅林画赞——中世水墨画を读む——》，205-210页。

〔88〕对《破墨山水图》上雪舟自序的深入剖析，见绵田稔《雪舟自序を读む》，收入山口县立美术馆雪舟研究会编《雪舟等杨——"雪舟への旅"展研究图录》，258-264页。

〔89〕杜琼《杜东原集》，收入台北中央图书馆编《明代艺术家集汇刊》，台北中央图书馆1968年版，70-71页。关于杜琼写此诗之脉络讨论，见石守谦《隐居生活中的绘画：15世纪中期文人画在苏州的出现》，载《九州学林》5.4（2007），2-34页。

〔90〕Susan Bush, *The Chinese Literati on Painting: Su Shih (1037-1101) to Tung Ch'i-ch'ang (1555-1636)* (Cambridge, MA.: Harvard University Press, 1971), pp. 163-164; Kathlyn Liscomb, "Before Orthodoxy: Du Qiong's (1397-1474) Art-Historical Poem," *Oriental Art* 37.2 (1991), 97-108.

第六章 物品移动与山水画——日本折扇西传与山水扇画在明代中国的流行

〔1〕脱脱等撰《宋史·日本国》，北京，中华书局1977年版，第四九一卷，14136页。

〔2〕ジャン・フランソワ・ジャリージュ、秋山光和监修《西域美术：ギメ美术馆ペリオ・コレクション》，东京，讲谈社1994年版，第1册，361-365页。

〔3〕江上绥《日本の美术·319 扇面画（古代编）》，东京，至文堂1992年版，17页。

〔4〕郭若虚《图画见闻志·高丽国》第六卷，收入卢辅圣主编《中国书画全书》，上海书画出版社1992年版，第1册，495页。

〔5〕王勇《日本折扇的起源及在中国的仿制》，收入王勇、上原昭一主编《中日文化交流史大系·7 艺术卷》，杭州，浙江人民出版社1996年版，202-225页；对蝙蝠扇之讨论，综合前人之说，

可见于 213-215 页。

〔6〕王辟之《渑水燕谈录》，收入江少虞《宋朝事实类苑》，上海古籍出版社 1981 年版，第六〇卷，799-800 页。

〔7〕例可见米芾《画史》之"范大珪"条，收入卢辅圣主编《中国书画全书》第 1 册，986 页。

〔8〕黄庭坚《豫章黄先生文集》第九卷，收入（上海）商务印书馆编《四部丛刊·初编》，上海，商务印书馆 1929 年版，第 987 册，15 页上 - 下。

〔9〕张耒全诗见氏著《张右史文集》第一二卷，收入（上海）商务印书馆编《四部丛刊·初编》第 1000 册，6 页下；苏轼和诗见氏著、王十朋注《集注分类东坡先生诗》第一三卷，收入《四部丛刊·初编》第 949 册，5 页上；黄庭坚和诗见氏著《豫章黄先生文集》第二卷，第 986 册，13 页上 - 下；孔武仲诗见氏等著《清江三孔集》第六卷，收入纪昀等总纂《景印文渊阁四库全书》，台北，台湾商务印书馆据台北故宫博物院藏本影印 1983 年版，第 1345 册，234 页。

〔10〕邓椿《画继》第一〇卷，收入卢辅圣主编《中国书画全书》第 2 册，724 页。

〔11〕惠恭后见王偁《东都事略》第一四卷，收入纪昀等总纂《景印文渊阁四库全书》第 382 册，111 页。

〔12〕参见竺沙雅章《宋代における东アジア佛教の交流》，氏著《宋元佛教文化史研究》，东京，汲古书院 2000 年版，58-82 页。

〔13〕米芾《画史》之"苏氏种瓜图"条，收入卢辅圣主编《中国书画全书》第 1 册，978 页。此条中之"日本画"多数版本皆作"〔阎〕立本画"，古原宏伸在为《画史》作校注时亦从之，见氏著《米芾"画史"注解》，东京，中央公论美术出版 2009 年版，上册，61-64 页。但此条目下所云"销银作月色布地"应指日本画（见下文），故本文仍从《宝晋山林集拾遗》第七卷所收的钞本，作"日本画"。见米芾《宝晋英光集》，收入佚名编《历代画家诗文集》，台北，学生书局 1971 年版，第 24 册，325 页。

〔14〕米芾《画史》，收入卢辅圣主编《中国书画全书》第 1 册，984 页。

〔15〕同上注。关于《明皇幸蜀图》与四川的摹本，请参见陈韵如《明皇幸蜀图》图版解说，收入林柏亭主编《大观：北宋书画特展》，台北故宫博物院 2006 年版，147-151 页。

〔16〕米芾《画史》"余昔购丁氏蜀人李昇山水一帧"条，收入卢辅圣主编《中国书画全书》第 1 册，981 页。

〔17〕米芾《画史》"王士元山水"条，同上书，986 页。

〔18〕此观察首为何惠鉴于 1993 年东京国立博物馆主办之"宋元书画研讨会"中提出，惜全文并未正式发表。文同、晁补之对王维《捕鱼图》的评论，亦为陈高华辑入其画家史料之中；见氏编《隋唐画家史料》，北京，文物出版社 1987 年版，253-254、262-263 页。

〔19〕关于这两件莳绘的较详细说明，请参见京都国立博物馆编《莳绘——漆黑と黄金の日本美》，京都，京都国立博物馆 1995 年版，176-178 页。

〔20〕江上绥《西本愿寺本三十六人集における能宣集》，收入秋山光和博士古稀记念论文集刊行会编《秋山光和博士古稀记念·美术史论文集》，京都，便利堂 1991 年版，143-167 页。

〔21〕Jan Fontein and Tung Wu, *Unearthing China's Past* (Boston: Museum of Fine Arts, 1973), pp. 225-229.

〔22〕佚名《宣和画谱》第二〇卷，收入卢辅圣主编《中国书画全书》第 2 册，129 页。

〔23〕对赵令穰与12世纪"小景画"的研究可参见板仓圣哲《传赵令穰"秋塘图"の史的位置》,《Museum(东京国立博物馆研究志)》542(1996),33-51页;铃木敬《山水小景と山水小图》,《大和文华》97(1997),1-6;小川裕充《卧游·中国山水画——その世界——》,东京,中央公论美术出版2008年版,205页。

〔24〕欧阳修《日本刀歌》,《欧阳文忠公集》第五四卷,收入(上海)商务印书馆编《四部丛刊·初编》第897册,7页上-下。

〔25〕有关北宋时期中国对日本认识之变迁,论者颇多,例可参见石晓军《中日两国相互认识的变迁》,台北,台湾商务印书馆1992年版,69-78页。

〔26〕Maromitsu Tsukamoto, "On 'Overseas Calligraphy': An Investigation into the Historical Role of Fine Art Diplomacy and the Collection of Artifacts in the Northern Sung," *Transactions of the International Conference of Eastern Studies* 50 (2005), 97-116.

〔27〕12世纪时人对赵令穰的评论可见米芾云其"作小轴清丽,雪景类世所收王维,汀渚水鸟有江湖意",见《画史》,收入卢辅圣主编《中国书画全书》第1册,982页;另晁补之于其《题宗室大年画扇四首》中有云:"王孙蕴奇意,纨素淡云烟,借与王摩诘,含毫思邈然",见氏著《济北晁先生鸡肋集》第一九卷,收入(上海)商务印书馆编《四部丛刊·初编》第1026册,3页上。王庭珪在其《跋大年画》中亦将之比为王维;见氏著《卢溪先生文集》第四八卷,收入四川大学古籍整理研究所编《宋集珍本丛刊》,北京,线装书局2004年版,第34册,735页。

〔28〕图版可见上海博物馆编《宋人画册》,上海人民美术出版社1986年版,图34。将此视为南宋折扇绘画之作例,见庄申《扇子与中国文化》,台北,东大图书股份有限公司1992年版,99-101页。

〔29〕对此漆奁之较详细讨论,见陈晶《记江苏武进新出土的南宋珍贵漆器》,载《文物》1979.3,46-48页。

〔30〕王绂《友石先生诗集》第二卷,收入北京图书馆古籍出版编辑组编《北京图书馆古籍珍本丛刊》,北京,书目文献出版社1988年版,第100册,255页。

〔31〕宫岛新一《日本の美术·320 扇面画(中世编)》,东京,至文堂1993年版,34页。

〔32〕郎瑛《七修类稿》第四五卷,收入中华书局上海编辑所编《明清笔记丛刊》(上海,中华书局1959年版,661-662页。

〔33〕刘元卿《贤奕编》,收入严一萍选辑《百部丛书集成》,台北,艺文印书馆1965年版,36页下。

〔34〕刘廷玑《在园杂志》四卷,收入金毓黻辑《辽海丛书》,沈阳,辽海书社1931-1934年版,第4集,第8册,25页上。

〔35〕张羽《静居集》第一卷,747页,第三卷、763页,第六卷,785页,收入北京图书馆古籍出版编辑组编《北京图书馆古籍珍本丛刊》第97册;韩奕《韩山人诗续集》,收入《北京图书馆古籍珍本丛刊》第97册,697页;夏原吉《夏忠靖公集》第四卷,收入《北京图书馆古籍珍本丛刊》第100册,691页。

〔36〕南访《明代大折扇》,载《文物》1979.8,82页。

〔37〕此语录于梅纯《损斋备忘录》,收入邓士龙辑,许大龄、王天有主点校《国朝典故》,北京大学出版社1993年版,中册,五一卷,1224页。

〔38〕高士奇《天禄识余》第三卷，收入故宫博物院编《故宫珍本丛刊》，海口，海南出版社2001年版，第483册，27页。

〔39〕参见石守谦《隐居生活中的绘画：15世纪中期文人画在苏州的出现》，载《九州学林》5.4（2007），2-34页。

〔40〕沈周此句对倪瓒的赞语，现存于倪瓒《松亭山色》之上，见 Richard M. Barnhart, *Along the Border of Heaven: Sung and Yüan Paintings from the C. C. Wang Family Collection* (New York: The Metropolitan Museum of Art, 1983), fig. 78, p. 182.

〔41〕庄申《扇子与中国文化》，105-118页。

〔42〕江上绥《扇面法华经》，《日本の美术·319　扇面画（古代编）》，33-60页。

〔43〕河田昌之《扇绘——日本、中国、朝鲜半岛》，大阪，和泉市久保惣记念美术馆1990年，图6，141页解说。

〔44〕潘深亮《吕文英、吕纪合作〈竹园寿集图〉浅析》，载《故宫博物院院刊》1988.4，61-63页。《杏园雅集图》现存两本，研究见 Maxwell K. Hearn, "An Early Ming Example of Multiples: Two Versions of *Elegant Gathering in the Apricot Garden*," in Judith G. Smith and Wen C. Fong eds., *Issues of Authenticity in Chinese Painting* (New York: The Metropolitan Museum of Art, 1999), pp. 221-256.

〔45〕上海市文物保管委员会《上海市郊明墓清理简报》，载《考古》1963.11，620-622页。

〔46〕上海市文物管理委员会《上海宝山明朱守城夫妇合葬墓》，载《文物》1992.5，61-68页。

〔47〕"夕阳松"有别本作"夕阳红"。见文征明著、周道振辑校《文征明集》，上海古籍出版社1987年版，1179页。江兆申以此题诗为文征明晚年之作，而唐寅此扇画则约作于三十七岁，两者非同时所作；见江兆申《吴派画九十年展》，台北故宫博物院1975年版，293页。

〔48〕参见新藤武弘《沈周的故乡——访苏州相城里》，收入故宫博物院编《吴门画派研究》，北京，紫禁城出版社1993年版，364-366页。

〔49〕江兆申曾绘图标示唐寅、祝允明与文征明居处在苏州城内的地点。见江兆申《吴派画九十年展》，233页。

〔50〕徐树丕《识小录》第四卷，收入（上海）商务印书馆编，《涵芬楼秘笈》，上海，商务印书馆1916年版，第1集，第8册，24页上。文征明为王献臣作之拙政园图绘，现知有两本，分别作于1535及1551年。参见 Roderick Whitfield, *In Pursuit of Antiquity: Chinese Painting of the Ming and Ch'ing Dynasties from the Collection of Mr. and Mrs. Earl Morse* (Princeton, New Jersey: The Art Museum, Princeton University, 1969), pp. 30-31, 66-75. 关于拙政园历史及其与文征明关系的较详细讨论，可见 Craig Clunas, *Fruitful Sites: Garden Culture in Ming Dynasty China* (Durham: Duke University Press, 1996), pp. 22-59.

〔51〕地主阶层之城居被历史学者认为是明朝后期关系重大的社会变化；见滨岛敦俊《明代中后期江南士大夫的乡居和城居——从"民望"到"乡绅"》，载《明代研究》11（2008），59-94页。

〔52〕请参见 Shou-Chien Shih, "Calligraphy as Gift: Wen Cheng-ming's (1470-1559) Calligraphy and the Formation of Soochow Literati Culture," in Cary Y. Liu et al eds., *Character & Context in Chinese Calligraphy* (Princeton, New Jersey: The Art Museum, Princeton University, 1999), pp. 254-283.

〔53〕文征明著、周道振辑校《文征明集》，1087页。

〔54〕同上注，1179 页。

〔55〕江兆申将此扇画之时间定在 1555 年；可参考氏著《吴派画九十年展》，317 页。

〔56〕文征明著、周道振辑校《文征明集》，1463 页。

〔57〕请参见石守谦《〈雨余春树〉与明代中期苏州之送别图》，氏著《风格与世变：中国绘画史论集》，台北，允晨文化实业股份有限公司 1996 年版，229-260 页。

〔58〕文征明著、周道振辑校《文征明集》，1483 页。

〔59〕同上注，1455-1456 页。

〔60〕"别号图"山水的研究，请参见刘九庵《吴门画家之别号图鉴别举例》，收入故宫博物院编《吴门画派研究》，35-46 页。

〔61〕对《梦筠图》的讨论，可见 Anne De Coursey Clapp, *The Painting of T'ang Yin* (Chicago and London: The University of Chicago Press, 1991), pp. 82-84.

〔62〕苏华萍《吴县洞庭山明墓出土的文征明书画》，载《文物》1977.3，65-68 页。

〔63〕沈德符《万历野获编》第二六卷，收入新兴书局编《笔记小说大观·十五编》，台北，新兴书局 1977 年版，第 6 册，663 页。

〔64〕见江兆申《克绍父风的文嘉》，氏著《双溪读画随笔》，台北故宫博物院 1977 年版，172-175 页；此信全文见 173 页。另见单国霖《明代文人书画交易方式初探》，载《上海博物馆集刊》1992.6，24-31 页。

〔65〕王安石编《唐百家诗选》第三卷，收入纪昀等总纂《景印文渊阁四库全书》第 1344 册，585 页；曹学佺编《石仓历代诗选》四〇卷，收入《景印文渊阁四库全书》第 1387 册，550 页。

〔66〕对李士达《竹里泉声》的讨论，参见刘巧楣《晚明苏州绘画中的诗画关系》，载《艺术学》6（1991），33-73。另见小川裕充《卧游·中国山水画——その世界——》，279 页。

〔67〕Hiromitsu Kobayashi, "Publishers and Their *Hua-p'u* in the Wan-li Period: The Development of the Comprehensive Painting Manual in the Late Ming," 见《故宫学术季刊》22.2（2004），167-198。

〔68〕《张白云选名公扇谱》之中国刻本十分罕见，本文所使用者为和刻本《八种画谱》内所收者；见西川宁、长泽规矩也《和刻本书画集成》，东京，汲古书院 1976 年版，第 7 辑，214-340 页。

〔69〕有关谢时臣的名山胜景图绘之研究，见 Li-tsui Flora Fu, *Framing Famous Mountains: Grand Tour and Mingshan Paintings in Sixteenth-century China* (Hong Kong: The Chinese University Press, 2009), pp. 109-143.

〔70〕对《顾氏画谱》之画史意义的讨论，请参见小林宏光《中国绘画史における版画の意义——"顾氏画谱"（1603 年刊）にみる历代名画复制をめぐって》，载《美术史》128（1990），123-135 页。

〔71〕井上进《中国出版文化史——书物世界と知の风景》，名古屋大学出版会 2002 年版，262-272 页。

〔72〕王勇《日本折扇的起源及在中国的仿制》，223-225 页。

〔73〕对于折扇及扇绘在日本中世时期之各种使用脉络的讨论，请参见宫岛新一《日本の美术·320 扇面画（中世编）》，64-80 页；片桐弥生《扇绘と和歌——室町时代における扇绘享受の一面》，收入辻惟雄等编《日本美术全集·13 雪舟とやまと绘屏风：南北朝·室町の绘画Ⅱ》，东京，讲谈社 1993 年版，189-195 页。

〔74〕此"屏山"之记录出自汪砢玉《珊瑚网·名画题跋》二〇卷,收入卢辅圣主编《中国书画全书》第5册,1178页,系记其父亲之画册收藏后的按语。这条资料首由庄申所注意。见庄申《扇子与中国文化》,173、192页。如果考虑日本在15、16世纪已流行将扇画集合置于屏风上,汪家之举是否也是在看过日本舶载来的这种扇画屏风后所进行的仿效?

〔75〕参见小林宏光《中国画谱の舶载,翻刻と和制画谱の诞生》,收入町田市立国际版画美术馆编《近世日本绘画と画谱·绘手本展·Ⅱ:名画を生んだ版画》,东京,町田市立国际版画美术馆1990年版,106-123页。

〔76〕武田光一《中国画谱と日本南画の关系》,收入上书,147-158页。

图版目录

第二章　移动的桃花源
——桃花源意象的形塑与在东亚的传布

2-1	（传）五代 阮郜《阆苑女仙图》及局部 北京故宫博物院藏	34
2-2	高丽《御制秘藏诠》第二卷第三图（局部）"仙坛丹炉"《高丽藏》本 京都 南禅寺藏	36
2-3	清 王炳《仿赵伯驹桃源图》台北故宫博物院藏	38
2-4	清 王炳《仿赵伯驹桃源图》（局部）	40
2-5	（传）北宋 李公麟《归去来辞图》（局部）"家居团圆" 华盛顿哥伦比亚特区艺术馆藏	40
2-6	清 王炳《仿赵伯驹桃源图》（局部）	41
2-7	（传）南宋 马和之《桃源图卷》台北故宫博物院藏	44
2-8	明 石芮《轩辕问道图》台北故宫博物院藏	46
2-9	南宋 马和之《诗经·豳风·七月》纽约大都会艺术博物馆藏	46
2-10	（传）南宋 马和之《桃源图卷》（局部）	48
2-11	（传）北宋 李公麟《兰亭修禊图》（局部）1417年摹刻 藏地不明（取自中国美术全集编辑委员会编《中国美术全集·绘画编·19 石刻线画》，上海人民美术出版社1988年版，88页。）	48
2-12	元 王蒙《花溪渔隐》台北故宫博物院藏	49
2-13	朝鲜 安坚《梦游桃源图》及跋 1447年 奈良 天理大学中央图书馆藏	54
2-14	高丽《御制秘藏诠》第二卷第二图《高丽藏》本 京都南禅寺藏	56
2-15	（传）室町 岳翁藏丘《武陵桃源图》东京出光美术馆藏	60
2-16	（传）室町 岳翁藏丘《太白观瀑图》东京出光美术馆藏	60
2-17	室町《溪阴小筑图》太白真玄序 大岳周崇等赞 京都金地院藏	62

第三章　胜景的化身
——潇湘八景山水画与东亚的风景观看

3-1	南宋 舒城李氏《潇湘卧游图》（局部）东京国立博物馆藏	70
3-2	南宋 王洪《潇湘八景图》之《渔村夕照》普林斯顿大学艺术博物馆藏	72

3-3	北宋 郭熙《树色平远》纽约大都会艺术博物馆藏	72
3-4	南宋 王洪《潇湘八景图》之《平沙落雁》	74
3-5	南宋 王洪《潇湘八景图》之《潇湘夜雨》	76
3-6	南宋 王洪《潇湘八景图》之《洞庭秋月》	76
3-7	(传)北宋 李成《小寒林》台北故宫博物院藏	80
3-8	南宋 牧溪《潇湘八景图》之《远浦归帆》京都国立博物馆藏	80
3-9	南宋 王洪《潇湘八景图》之《远浦归帆》	83
3-10	南宋 牧溪《潇湘八景图》之《平沙落雁》东京出光美术馆藏	83
3-11	南宋 玉涧《潇湘八景图》之《山市晴岚》东京出光美术馆藏	83
3-12	南宋 王洪《潇湘八景图》之《山市晴岚》	83
3-13	(传)南宋 夏珪《洞庭秋月》华盛顿哥伦比亚特区艺术馆藏	85
3-14	南宋 夏珪《山水十二景》堪萨斯市纳尔逊-阿特金斯艺术博物馆藏	86
3-15	清 董邦达《临马远潇湘八景图》1746年 美国私人藏	88
3-16	元 张远《潇湘八景图》上海博物馆藏	90
3-17	元 张远《潇湘八景图》之《平沙落雁》	92
3-18	元《疏林晚照》约1265年 山西省大同市冯道真墓壁画(取自贺西林、李清泉著《中国墓室壁画史》,北京,高等教育出版社2009年版,395页。)	94
3-19	元 吴镇《嘉禾八景图》(局部)1344年 台北故宫博物院藏	96
3-20	元 吴镇《嘉禾八景图》之"月波秋霁"	98
3-21	元 吴镇《渔父图》1342年 台北故宫博物院藏	99
3-22	元 吴镇《嘉禾八景图》之"三闸奔湍"	100
3-23	元 吴镇《嘉禾八景图》之"胥山松涛"	100
3-24	朝鲜 安坚《梦游桃源图》(局部)1447年 奈良 天理大学中央图书馆藏	104
3-25	朝鲜《潇湘八景图》之《山市晴岚》"安忠"印 幽玄斋旧藏 韩国 坤月轩藏(取自菊竹淳一、吉田宏志编《世界美术大全集·东洋编·11 朝鲜王朝》,东京,小学馆1999年版,24页。)	105
3-26	朝鲜《潇湘八景图》之《洞庭秋月》(取自菊竹淳一、吉田宏志编《世界美术大全集·东洋编·11 朝鲜王朝》,103页。)	106
3-27	朝鲜《潇湘八景图》之《平沙雁落》(取自菊竹淳一、吉田宏志编《世界美术大全集·东洋编·11 朝鲜王朝》,23页。)	107
3-28	朝鲜《潇湘八景图》之《渔村夕照》(取自菊竹淳一、吉田宏志编《世界美术大全集·东洋编·11 朝鲜王朝》,24页。)	108
3-29	(传)朝鲜 安坚《渔村夕照》奈良 大和文华馆藏	110
3-30	(传)朝鲜 安坚《烟寺暮钟》奈良 大和文华馆藏	111
3-31	(传)朝鲜 安坚《洞庭秋月》纽约大都会艺术博物馆藏	112
3-32	朝鲜《潇湘八景图(附尊海渡海日记)屏风》1539年 尊海赞 广岛 大愿寺藏	114
3-33	朝鲜《潇湘八景图屏风》1584年 金玄成赞 毛利家旧藏 福冈市九州国立博物馆藏	114
3-34	朝鲜《潇湘八景图(附尊海渡海日记)屏风》之"江天暮雪"	116
3-35	(传)朝鲜 安坚《潇湘八景图册》之"江天暮雪" 首尔 国立中央博物馆藏	117

3-36	镰仓 思堪（印）《平沙落雁》一山一宁赞 私人藏（取自田中一松编《水墨美术大系·5 可翁·默庵·明兆》，东京，讲谈社1974年版，18页。）	119
3-37	室町 贤江祥启《真山水图》东京国立博物馆藏	123
3-38	室町 相阿弥《潇湘八景图袄绘》之东面 京都大德寺大仙院藏	126
3-39	室町 相阿弥《潇湘八景图袄绘》之西面	126
3-40	《东山殿复原图》（1~3标示为本文作者后加）（取自堀口舍己《君台观左右帐记の建筑的研究——室町时代の书院及茶室考（三）》，《美术研究》124（1942），31页。）	130
3-41	（传）室町 土佐光信《足利义政像》东京国立博物馆藏	131
3-42	室町 天游松溪《湖山小景》京都国立博物馆藏	132
3-43	金阁寺实景 2009年 方令光摄	133
3-44	（传）室町 周文《江山之隐图》楼阁细部 约1437年 东京 私人藏（取自田中一松、米泽嘉圃著《原色日本の美术·11 水墨画》，东京，小学馆1997年版，71页。）	134
3-45	金阁三楼之开窗［取自 Fumio Hashimoto, *Architecture in the Shoin Style* (Tokyo: Kodansha International Ltd., Shibundo, 1981), fig. 23.］	135
3-46	安土桃山 狩野松荣《潇湘八景图袄绘》京都 大德寺聚光院藏	136
3-47	（传）室町 能阿弥《三保松原图》兵库 颍川美术馆藏	138
3-48	（传）室町 雪舟《富士三保清见寺图》詹仲和赞 东京 永青文库藏	140
3-49	室町 式部辉忠《富士八景图》之二 静冈县立美术馆藏	141
3-50	室町 式部辉忠《富士八景图》之五	141

第四章 人物的来往
——雪舟入明及当时北京、苏州画坛之变化

4-1	明 沈遇《南山瑞雪》1458年 台北 石头书屋藏	149
4-2	明 刘珏《清白轩图》1458年 台北故宫博物院藏	150
4-3	明 戴进《春冬山水图·冬》山口 菊屋家住宅保存会藏	151
4-4	明 戴进《渭滨垂钓》台北故宫博物院藏	152
4-5-1	明《四季山水图·东山携妓》滋贺 彦根城博物馆藏	153
4-5-2	明《四季山水图·茂叔爱莲》滋贺 彦根城博物馆藏	153
4-5-3	明《四季山水图·渊明归去》滋贺 彦根城博物馆藏	153
4-5-4	明《四季山水图·雪夜访戴》滋贺 彦根城博物馆藏	153
4-6	明 李在《山庄高逸》台北故宫博物院藏	155
4-7	明 杜琼《山水图轴》1454年 北京故宫博物院藏	157
4-8	元 王蒙《葛稚川移居图》北京故宫博物院藏	159
4-9	元 王蒙《具区林屋图》台北故宫博物院藏	160
4-10	明 刘珏《烟水微茫》1466年 苏州博物馆藏	162
4-11-1	室町 雪舟《四季山水图·春》东京国立博物馆藏	164
4-11-2	室町 雪舟《四季山水图·夏》东京国立博物馆藏	164
4-11-3	室町 雪舟《四季山水图·秋》东京国立博物馆藏	165

4-11-4	室町 雪舟《四季山水图·冬》东京国立博物馆藏	*165*
4-12-1	室町 雪舟《四季山水图·春》（局部）"行旅"	*166*
4-12-2	室町 雪舟《四季山水图·秋》（局部）"酒店"	*166*
4-12-3	室町 雪舟《四季山水图·冬》（局部）"山村"	*166*
4-12-4	室町 雪舟《四季山水图·夏》（局部）"楼阁"	*166*
4-13	室町 雪舟《秋冬山水图·冬》东京国立博物馆藏	*168*

第五章　画史知识的传播
——夏文彦《图绘宝鉴》与雪舟的阅读

5-1	元 夏文彦《图绘宝鉴》内页 至正版明初重印本 上海图书馆藏	*182*
5-2	元 夏文彦《图绘宝鉴》内页	*182*
5-3	元 夏文彦《图绘宝鉴》杨维桢序文（局部）	*185*
5-4	（传）元 张远《寒山行旅》京都 相国寺藏（取自川上泾编《日本绘画馆·12 渡来绘画》，东京，讲谈社 1971 年版，图 80。）	*192*
5-5	南宋 李唐《秋冬山水》京都大德寺高桐院藏	*193*
5-6	（上）（传）南宋 夏珪《山水》浅野家旧藏 东京 畠山记念馆藏 （下）南宋 夏珪《溪山清远》（局部）台北故宫博物院藏	*194* *194*
5-7	（传）元 颜辉《山水》藏地不明（取自王季迁收藏照片档案）	*195*
5-8	南宋 米友仁《云山图》（局部）纽约大都会艺术博物馆藏	*198*
5-9	元 高克恭《云横秀岭》台北故宫博物院藏	*199*
5-10	明 李在《云山图》江苏 淮安市博物馆藏	*201*
5-11	室町 雪舟《仿高克恭山水图》1474 年 山口县立美术馆藏	*202*
5-12	江户 狩野常信摹 雪舟《流书手鉴》东京国立博物馆藏	*202*
5-13	室町 雪舟《天桥立图》京都国立博物馆藏	*204*
5-14	南宋 李嵩《西湖图》上海博物馆藏	*206*
5-15	天桥立全景 [取自《艺术新潮》53.3（2002），64]	*207*
5-16	室町 雪舟《破墨山水图》及局部 1495 年 东京国立博物馆藏	*209*
5-17	南宋 玉涧《潇湘八景图》之《山市晴岚》东京出光美术馆藏	*210*

第六章　物品移动与山水画
——日本折扇西传与山水扇画在明代中国的流行

6-1	唐《千手千眼观音菩萨图》981 年 巴黎集美博物馆藏	*216*
6-2	南宋《千手千眼观音菩萨图》（局部）台北故宫博物院藏	*217*
6-3	唐《千手千眼观音菩萨图》（局部）	*217*
6-4	平安《泽千鸟莳绘螺钿小唐柜》和歌山金刚峰寺藏	*223*
6-5	平安《野边雀莳绘手箱》大阪 金刚寺藏	*224*
6-6	平安《三十六人集·赤人集》第十四纸 京都 西本愿寺藏	*225*
6-7	（传）北宋 赵佶《摹张萱捣练图》（局部）波士顿美术博物馆藏	*225*
6-8	北宋 梁师闵《芦汀密雪》北京故宫博物院藏	*226*

6-9	南宋《戗金人物花卉文棱花形奁》1237 年江苏省武进县村前乡南宋五号墓出土 常州市博物馆藏（取自嶋田英诚、中泽富士雄编《世界美术大全集·东洋编·6 南宋·金》,（东京，小学馆 2000 年版，235 页。）	*229*
6-10	明 朱瞻基《松下读书》1427 年 北京故宫博物院藏	*232*
6-11	明 朱瞻基《武侯高卧》1428 年 北京故宫博物院藏	*232*
6-12	南宋 马麟《静听松风》台北故宫博物院藏	*233*
6-13	室町《松下人物图》东京国立博物馆藏	*234*
6-14	明 沈周《秋景山水》1489 年 台北故宫博物院藏	*237*
6-15	明 沈周《平湖夜泛》上海博物馆藏	*237*
6-16	平安《扇面法华经·无量义经》第七纸 大阪 四天王寺藏	*239*
6-17	明 吕纪、吕文英《竹园寿集图卷》（局部）1499 年 北京故宫博物院藏	*240*
6-18	折扇 1962 年江苏省松江县诸纯臣夫妇墓出土［取自 Chu-tsing Li, James C.Y. Watt eds., *The Chinese Scholar's Studio: Artistic Life in the Late Ming Period* (New York, N. Y.: Thames and Hudson: Published in association with the Asia Society Galleries, 1987), p. 142.］	*241*
6-19	明 唐寅《松阴高士》台北故宫博物院藏	*242*
6-20	明 文征明《山水》台北故宫博物院藏	*245*
6-21	明 周臣《松壑听泉》台北故宫博物院藏	*247*
6-22	明 唐寅《烹茶图》台北故宫博物院藏	*247*
6-23	明 文征明 书画折扇 1973 年江苏省吴县洞庭山许裕甫墓出土（取自苏华萍，《吴县洞庭山明墓出土的文征明书画》,《文物》1977.3，66 页。）	*248*
6-24	（传）明 仇英《清明上河图》（局部）沈阳辽宁省博物馆藏	*251*
6-25	（传）明 仇英《清明上河图》（局部）	*251*
6-26	明 李士达《平川归渡》台北故宫博物院藏	*252*
6-27	明 张宏《阌关舟阻》1647 年 北京故宫博物院藏	*253*
6-28	明 袁尚统《晓关舟挤》1646 年 北京故宫博物院藏	*254*
6-29	明 张成龙编《张白云选名公扇谱》第三开（取自西川宁、长泽规矩也编《和刻本书画集成》，东京，汲古书院 1976 年版，第 7 辑，220-221 页。）	*256*
6-30	明 张成龙编《张白云选名公扇谱》第十五开（取自西川宁、长泽规矩也编《和刻本书画集成》第 7 辑，244-245 页。）	*257*
6-31	明 张成龙编《张白云选名公扇谱》第廿三开（取自西川宁、长泽规矩也编《和刻本书画集成》第 7 辑，260-261 页。）	*257*
6-32	明 张成龙编《张白云选名公扇谱》第十二开（取自西川宁、长泽规矩也编《和刻本书画集成》第 7 辑，238-239 页。）	*258*
6-33	明 谢时臣《巫峡云涛》克利夫兰艺术博物馆藏	*259*
6-34	明 张成龙编《张白云选名公扇谱》第卅三开（取自西川宁、长泽规矩也编《和刻本书画集成》第 7 辑，280-281 页。）	*260*
6-35	明《玉簪记》插图 1598 年 观化轩刊本 上海图书馆藏（取自中国美术全集编辑委员会编《中国美术全集·绘画编·20 版画》，89 页。）	*261*

6-36　明《琵琶记》插图"南浦嘱别"1597年 杭州玩虎轩刊本（取自周芜编
　　　《中国版画史图录》，上海，上海人民美术出版社1988年版，下册，701页。）　　　*261*

6-37　江户 彭城百川《林下小亭图》私人藏（取自町田市立国际版画美术馆编
　　　《近世日本绘画と画谱・绘手本展・Ⅰ——名画を生んだ版画》，东京，町田
　　　市立国际版画美术馆1990年版，97页。）　　　*263*

书 目

一、传统文献

（一）中文古籍

孔武仲《清江三孔集》，收入纪昀等总纂《景印文渊阁四库全书》，台北，台湾商务印书馆据台北故宫博物院藏本影印1983年版，第1345册。

文征明著、周道振辑校《文征明集》，上海古籍出版社1987年版。

王安石编《唐百家诗选》，收入纪昀等总纂《景印文渊阁四库全书》，第1344册。

王庭珪《卢溪先生文集》，收入四川大学古籍整理研究所编《宋集珍本丛刊》，北京，线装书局2004年版，第34册。

王偁《东都事略》，收入纪昀等总纂《景印文渊阁四库全书》，第382册。

王绂《友石先生诗集》，收入北京图书馆古籍出版编辑组编《北京图书馆古籍珍本丛刊》，北京，书目文献出版社1988年版，第100册。

王鏊《姑苏志》，收入纪昀等总纂《景印文渊阁四库全书》，第493册。

王辟之《渑水燕谈录》，收入江少虞《宋朝事实类苑》，上海古籍出版社1981年版。

史九韶《潇湘八景记》，收入陈梦雷等编《古今图书集成》，台北，鼎文书局1976年版，第25册，《方舆汇编·山川典》第三〇四卷，"湘水部"。

米芾《画史》，收入卢辅圣主编《中国书画全书》，上海书画出版社1992年版，第1册。

——《宝晋英光集》，收入佚名编《历代画家诗文集》，台北，学生书局，1971年版，第24册。

佚名《宣和画谱》，台北故宫博物院据元大德本景印1971年版。

——《宣和画谱》，收入卢辅圣主编《中国书画全书》，第2册。

——《梨园按试乐府新声》，收入台湾商务印书馆编《四部丛刊·三编》，台北，台湾商务印书馆1966年版，第141册。

吴曾《能改斋漫录》，北京，中华书局1985年版。

宋濂《宋学士文集》，收入（上海）商务印书馆编《四部丛刊·初编》，上海，商务印书馆1929年版，第1506册。

李日华著、屠友祥校注《味水轩日记》，上海远东出版社 1996 年版。

李廌《德隅堂画品》，收入卢辅圣主编《中国书画全书》，第 1 册。

杜光庭《洞天福地岳渎名山记》，收入胡道静、陈莲笙、陈耀庭选辑《道藏要籍选刊》，上海古籍出版社据 1923-1926 上海涵芬楼缩印明刊《正统道藏》选印 1989 年版，第 7 册。

杜琼《杜东原集》，收入台北中央图书馆编《明代艺术家集汇刊》，台北中央图书馆 1968 年版。

汪砢玉《珊瑚网》，收入卢辅圣主编《中国书画全书》，第 5 册。

沈周《石田先生集》，收入台北中央图书馆编《明代艺术家集汇刊》。

沈括撰、胡道静校注《新校正梦溪笔谈》，北京，中华书局 1957 年版。

沈德符《万历野获编》，收入新兴书局编《笔记小说大观·十五编》，台北，新兴书局 1977 年版，第 6 册。

周密《云烟过眼录》，收入卢辅圣主编《中国书画全书》，第 2 册。

房玄龄等撰《晋书》，北京，中华书局，1974 年版。

郎瑛《七修类稿》，收入中华书局上海编辑所编《明清笔记丛刊》，上海，中华书局 1959 年版。

——《七修续稿》，收入新兴书局编《笔记小说大观·三十三编》，台北，新兴书局 1983 年版，第 1 册。

夏文彦《图绘宝鉴》，收入罗振玉撰辑《罗雪堂先生全集·初编》，台北，大通书局 1986 年版，第 20 册。

夏原吉《夏忠靖公集》，收入《北京图书馆古籍珍本丛刊》，第 100 册。

徐树丕《识小录》，收入（上海）商务印书馆编《涵芬楼秘笈》，上海，商务印书馆 1916 年版，第 1 集，第 8 册。

晁补之《济北晁先生鸡肋集》，收入（上海）商务印书馆编《四部丛刊·初编》，第 1026 册。

荆浩《笔法记》，收入卢辅圣主编《中国书画全书》，第 1 册。

高士奇《天禄识余》，收入故宫博物院编《故宫珍本丛刊》，海口，海南出版社 2001 年版，第 483 册。

张羽《静居集》，收入北京图书馆古籍出版社编辑组编《北京图书馆古籍珍本丛刊》，第 97 册。

张耒《张右史文集》，收入（上海）商务印书馆编《四部丛刊·初编》，第 1000 册。

张廷玉等撰，《明史》，北京，中华书局 1974 年版。

张彦远《历代名画记》，收入卢辅圣主编《中国书画全书》，第 1 册。

张宁远《天坛尊师周仙灵异之碑》，收入陈垣编，陈智超、曾庆瑛校补《道家金石略》，北京，文物出版社 1988 年版。

张澄《画录广遗》，收入卢辅圣主编《中国书画全书》，第 2 册。

曹学佺编《石仓历代诗选》，收入纪昀等总纂《景印文渊阁四库全书》，第 1387 册。

梅纯《损斋备忘录》，收入邓士龙辑，许大龄、王天有主点校《国朝典故》，北京大学出版社 1993 年版，中册。

脱脱等撰《宋史》，北京，中华书局，1977 年版。

庄肃《画继补遗》，收入卢辅圣主编《中国书画全书》，第 2 册。

郭思《林泉高致》，收入卢辅圣主编《中国书画全书》，第 1 册。

郭若虚《图画见闻志》，收入卢辅圣主编《中国书画全书》，第 1 册。

陈田夫《南岳总胜集》，收入《丛书集成续编》，台北，新文丰出版公司 1989 年版，第 219 册。

陈思《书小史》，收入卢辅圣主编《中国书画全书》，第 2 册。

——《书苑精华》,收入卢辅圣主编《中国书画全书》,第 2 册。

陶宗仪《南村辍耕录》,收入台湾商务印书馆编《四部丛刊·三编》,台北,台湾商务印书馆 1966 年版,第 103 册。

陶潜著、袁行霈笺注《陶渊明集笺注》,北京,中华书局 2003 年版。

陆深《俨山集》,收入纪昀等总纂《景印文渊阁四库全书》,第 1268 册。

惠洪著、释觉慈编《石门文字禅》,收入纪昀等总纂《景印文渊阁四库全书》,第 1116 册。

曾敏行《独醒杂志》,台北,兴中书局据民国十年(1921)上海古书流通处影印本影印 1964 年版。

汤垕《画鉴》(又名《古今画鉴》),收入卢辅圣主编《中国书画全书》,第 2 册。

舒元舆《录桃源画记》,姚铉编《唐文粹》,收入纪昀等总纂《景印文渊阁四库全书》,第 1344 册。

黄休复《益州名画录》,收入卢辅圣主编《中国书画全书》,第 1 册。

黄庭坚《豫章黄先生文集》,收入(上海)商务印书馆编《四部丛刊·初编》,第 986-987 册。

杨士奇《东里续集》,收入纪昀等总纂《景印文渊阁四库全书》,第 1238 册。

杨士奇等撰《明宣宗实录》,台北中研院历史语言研究所据北平图书馆藏红格钞本影印 1966 年版。

杨朝英《朝野新声太平乐府》,收入(上海)商务印书馆编《四部丛刊·初编》,第 2112 册。

杨尔曾《海内奇观》,收入上海古籍出版社编《中国古代版画丛刊·二编》,上海古籍出版社 1994 年版,第 8 辑。

杨维桢《东维子文集》,收入(上海)商务印书馆编《四部丛刊·初编》,第 1495-1497 册。

刘仁本《羽庭集》,收入纪昀等总纂《景印文渊阁四库全书》,第 1216 册。

刘元卿《贤奕编》,收入严一萍选辑《百部丛书集成》,台北,艺文印书馆 1965 年版。

刘廷玑《在园杂志》,收入金毓黻辑《辽海丛书》,沈阳,辽海书社 1931-1934 年版,第 4 集,第 8 册。

欧阳修《欧阳文忠公集》,收入(上海)商务印书馆编《四部丛刊·初编》,第 897 册。

邓椿《画继》,收入卢辅圣主编《中国书画全书》,第 2 册。

郑真《荥阳外史集》,收入纪昀等总纂《景印文渊阁四库全书》,第 1234 册。

钱穀编《吴都文粹续集》,收入纪昀等总纂《景印文渊阁四库全书》,第 1386 册。

韩奕《韩山人诗续集》,收入《北京图书馆古籍珍本丛刊》,第 97 册。

苏轼著、王十朋注《集注分类东坡先生诗》,收入(上海)商务印书馆编《四部丛刊·初编》,第 949 册。

释庆老《补禅林僧宝传》,收入纪昀等总纂《景印文渊阁四库全书》,第 1052 册。

顾况《仙游记》,收入董诰等编《全唐文》,北京,中华书局 1987 年版。

(二)日文古籍

太白真玄《峨眉鸦臭集》,收入上村观光编《五山文学全集》,京都,思文阁出版社 1973 年版,第三卷。

伊藤松辑,王宝平、郭万平等编《邻交征书》,上海辞书出版社,2007 年版。

西胤俊承《真愚稿》,收入上村观光编《五山文学全集》,第三卷。

能阿弥《室町殿行幸御餝记》,收入根津美术馆、德川美术馆编《东山御物:"杂华室印"に关する新史料を中心に》,东京,根津美术馆 1976 年版。

愕隐惠奯《南游稿》,收入上村观光编《五山文学全集》,第三卷。

绝海中津《蕉坚稿》,收入上村观光编《五山文学全集》,第二卷。

横川景三《补庵京华新集》，收入玉竹村二编《五山文学新集》，东京大学出版会1967年版，第一卷。
翱之慧凤《竹居清事》，收入上村观光编《五山文学全集》，第三卷。
兰坡景茝《雪樵独唱集》，收入玉村竹二编《五山文学新集》，第五卷。

（三）韩文古籍

金宗瑞等撰《高丽史节要》，首尔，亚细亚文化社1972年版。
国史编纂委员会编《文宗实录》，收入国史编纂委员会编《朝鲜王朝实录》，首尔，东国文化社1955-1958年版，第6册。
郑麟趾等纂修、延世大学校东方学研究所编《高丽史》，首尔，景仁文化社1972年版。

二、近人论著

（一）中文专著

Donald F. McCallum 著，巫佩蓉、杨雅琲译
    2011《清凉寺释迦像的日本传统》，收入石守谦、廖肇亨主编《东亚文化意象之形塑》，台北，允晨文化实业股份有限公司，227-270页。

上海市文物保管委员会
    1963《上海市郊明墓清理简报》，《考古》1963.11，620-622页。

上海市文物管理委员会
    1992《上海宝山明朱守城夫妇合葬墓》，《文物》1992.5，61-68页。

上海博物馆编
    1986《宋人画册》，上海人民美术出版社。

大同市文物陈列馆、山西云冈文物管理所
    1962《山西省大同市元代冯道真王青墓清理简报》，《文物》1962.10，34-46页。

中国古代书画鉴定组编
    1999《中国绘画全集》，北京，文物出版社，第9册。

中国美术全集编辑委员会编
    1988a《中国美术全集·绘画编·6　明代绘画》，上海人民美术出版社。
    1988b《中国美术全集·绘画编·19　石刻线画》，上海人民美术出版社。
    1988c《中国美术全集·绘画编·20　版画》，上海人民美术出版社。

井手诚之辅
    2011《东亚世界中阿弥陀画像之诸相》，收入石守谦、廖肇亨主编《东亚文化意象之形塑》，97-138页。

王勇
    1996《日本折扇的起源及在中国的仿制》，收入王勇、上原昭一主编《中日文化交流史大系·7　艺术卷》，杭州，浙江人民出版社，202-225页。

王耀庭
    1992《古画里的桃花源与归去来辞》，收入陈捷先主编、陈奇禄院士七秩荣庆论文集编辑委员会编辑《陈奇禄院士七秩荣庆论文集》，台北，联经出版事业股份有限公司，313-351页。

包根弟
 1980《题元代题诗画》,《古典文学》2, 317-335 页。
北京大学中文系编
 1961《陶渊明诗文汇评》,北京,中华书局。
石守谦
 1993《明代绘画中的帝王品味》,《台湾大学文史哲学报》40, 227-291 页。
 1994《董其昌〈婉娈草堂图〉及其革新画风》,中研院《历史语言研究所集刊》65.2, 307-332。
 1996《风格与世变:中国绘画史论集》,台北,允晨文化实业股份有限公司。
 1997《对中国美术史研究中再现论述模式的省思》,《中央大学文学院人文学报》15, 1-29。
 2007a《洛神赋图:一个传统的形塑与发展》,《台湾大学美术史研究集刊》23, 51-80。
 2007b《隐居生活中的绘画:15 世纪中期文人画在苏州的出现》,《九州学林》5.4, 2-34。
 2009《以笔墨合天地:对 18 世纪中国山水画的一个新理解》,《台湾大学美术史研究集刊》26, 1-36 页。
 2010a《从风格到画意——反思中国绘画史》,台北,石头出版股份有限公司。
 2010b《山水之史——由画家与观众互动角度考察中国山水画至 13 世纪的发展》,收入颜娟英主编《中国史新论——美术考古分册》,台北中研院、联经出版事业股份有限公司,379-475 页。
 2011《桃花源意象的形塑与在东亚的传布》,收入石守谦、廖肇亨主编《东亚文化意象之形塑》,53-96 页。
石晓军
 1992《中日两国相互认识的变迁》,台北,台湾商务印书馆。
朱秋而
 2011《日本五山禅僧诗中的东坡形象——以煎茶诗、风水洞、海棠等为中心》,收入石守谦、廖肇亨主编《东亚文化意象之形塑》,331-364 页。
朴载硕
 2011《宋元时期的苏轼野服形象》,收入石守谦、廖肇亨主编《东亚文化意象之形塑》,461-505 页。
江兆申
 1975《吴派画九十年展》,台北故宫博物院。
 1977《双溪读画随笔》,台北故宫博物院。
衣若芬
 2001《阅读风景:苏轼与"潇湘八景图"的兴起》,收入王静芝、王初庆等著《千古风流:东坡逝世九百年纪念学术研讨会》,台北,洪叶文化事业公司,689-717 页。
 2002a《宋代题"潇湘"山水画诗的地理概念、空间表述与心理意识》,收入李丰楙、刘苑如编《空间、地域与文化——中国文化空间的书写与阐释》,台北中研院中国文哲研究所,325-372 页。
 2002b《漂流与回归——宋代题"潇湘"山水画诗之抒情底蕴》,《中国文哲研究集刊》21, 1-42 页。
 2004a《李齐贤八景诗词与韩国地方八景之开创》,《中国诗学》9, 147-162 页。
 2004b《高丽文人李仁老、陈澕与中国"潇湘八景"诗画之东传》,《中国学术》16, 158-176 页。
 2005《朝鲜安平大君李瑢及"匪懈堂潇湘八景诗卷"析论》,《域外汉籍研究集刊》1, 113-139 页。
 2008《玉涧"潇湘八景图"东渡日本之前"三教弟子"印考》,《台湾大学美术史研究集刊》24:

147-172 页。

2011《明代中韩"孝女"唱和诗的文化意涵》,收入石守谦、廖肇亨主编《东亚文化意象之形塑》,507-537 页。

余辉

2000《画史解疑》,台北,东大图书股份有限公司。

余绍宋

1968《书画书录解题》,台北,台湾中华书局。

巫佩蓉

2011《寒山拾得之多重意象——诗、画、传说的交互指涉》,收入石守谦、廖肇亨主编《东亚文化意象之形塑》,415-458 页。

周永昭

2004a《元代汤垕生平之考证》,《故宫博物院院刊》2004.5,121-131 页。

2004b《汤垕〈画鉴〉版本之流传及汤垕著作之影响》,《故宫博物院院刊》2004.6,64-71 页。

周芜编

1988《中国版画史图录》,上海人民美术出版社,下册。

板仓圣哲

2011《作为东亚图像的潇湘八景图——15 世纪朝鲜前期文人所见到的潇湘八景图》,收入石守谦、廖肇亨主编《东亚文化意象之形塑》,167-190 页。

林申清编著

1999《宋元书刻牌记图录》,北京图书馆出版社。

林柏亭主编

2006《大观:北宋图书特展》,台北故宫博物院。

林丽江

2011《此恨绵绵无绝期——狩野山雪的〈长恨歌图〉研究》,收入石守谦、廖肇亨主编《东亚文化意象之形塑》,539-600 页。

近藤秀实、何庆先编著

1997《图绘宝鉴校勘与研究》,南京,江苏古籍出版社。

金文京

2011《西湖在中日韩——略谈风景转移在东亚文学中的意义》,收入石守谦、廖肇亨主编《东亚文化意象之形塑》,141-165 页。

金唯诺

1979《宋元续编的绘画通史》,《美术研究》(中央美术学院学报)1979.4,81-86 页。

南访

1979《明代大折扇》,《文物》1979.8,82 页。

洪再新

1995《明清画谱所示绘画教学关系的若干类型》,《新美术》1995.4,31-36 页。

范凤书

2001《中国书家藏书史》,郑州,大象出版社。

凌利中

2006《粉本在唐宋元画史上的作用及启示》,收入上海博物馆编《千年遗珍国际学术研讨会论文集》,上海博物馆,462-475页。

唐长儒

1959《魏晋南北朝史论丛续编》,北京,三联书店。

宫崎法子

2006《日本所藏有关夏珪的资料》,《故宫博物院院刊》2006.6,128-136页。

徐邦达

1987《淮安明墓出土书画简析》,《文物》1987.3,16-18页。

台北故宫博物院编辑委员会编

1990《故宫书画图录》,台北故宫博物院,第4册。

1996《罗家伦夫人张维桢女史捐赠书画目录》,台北故宫博物院。

张光宾编著

1975《元四大家》,台北故宫博物院。

张伯伟

2011《东亚文学与绘画中的骑驴与骑牛意象》,收入石守谦、廖肇亨主编《东亚文化意象之形塑》,271-330页。

张辰城

2008《奇妙的相遇:浙派与15至16世纪的韩国绘画》,收入陈阶晋、赖毓芝主编《追索浙派》,台北故宫博物院,222-233页。

庄申

1992《扇子与中国文化》,台北,东大图书股份有限公司。

陈高华

1987《夏文彦和〈图绘宝鉴〉》,《美术研究》(中央美术学院学报)1987.4,80-82页,下转75页。

陈高华编

1984《宋辽金画家史料》,北京,文物出版社。

1987《隋唐画家史料》,北京,文物出版社。

陈寅恪

1974《陈寅恪先生论文集》,台北,三人行出版社。

陈晶

1979《记江苏武进新出土的南宋珍贵漆器》,《文物》1979.3,46-48页。

陈垣编,陈智超、曾庆瑛校补

1988《道家金石略》,北京,文物出版社。

陈韵如

2001《蒙元皇室的书画艺术风尚与收藏》,收入石守谦、葛婉章编《大汗的世纪——蒙元时代的多元文化与艺术》,台北故宫博物院,266-285页。

2006《明皇幸蜀图》图版解说,收入林柏亭主编《大观:北宋书画特展》,台北故宫博物院,147-151页。

2011《维摩诘形象在东亚绘画中的流转》,收入石守谦、廖肇亨主编《东亚文化意象之形塑》,365-413页。

贺西林、李清泉
2009《中国墓室壁画史》,北京,高等教育出版社。

单国强
1992《戴进生平事迹考》,《故宫博物院院刊》1992.1,44-52页。

单国霖
1989《吴门画派综述》,收入中国美术全集编辑委员会《中国美术全集·绘画编·7 明代绘画》,上海人民美术出版社,1-26页。
1992《明代文人书画交易方式初探》,《上海博物馆集刊》1992.6,24-31页。

黄逸芬
2001《沈遇南山瑞雪图轴》图版解说,收入蔡宜璇主编《悦目——中国晚期书画(解说篇)》,台北,石头出版股份有限公司,12-13页。

新藤武弘
1993《沈周的故乡——访苏州相城里》,收入故宫博物院编《吴门画派研究》,北京,紫禁城出版社,364-366页。

杨仁恺
1999《叶茂台辽墓出土古画的时代及其他》,收入辽宁省博物馆藏宝录编辑委员会编《辽宁省博物馆藏宝录》,上海文艺出版社、三联书店〔香港〕有限公司联合出版,133-134页。

董新林
2006《蒙元时期墓葬壁画题材及其相关问题》,收入中国社会科学院考古研究所编《二十一世纪的中国考古学:庆祝佟柱臣先生八十五华诞学术文集》,北京,文物出版社,856-885页。

廖肇亨
2011《圣境与生死流转——日本五山汉诗中普陀山文化意象的嬗变》,收入石守谦、廖肇亨主编《东亚文化意象之形塑》,191-224页。

刘九庵
1993《吴门画家之别号图鉴别举例》,收入故宫博物院编《吴门画派研究》,35-46页。

刘巧楣
1991《晚明苏州绘画中的诗画关系》,《艺术学》6,33-73页。

潘深亮
1988《吕文英、吕纪合作〈竹园寿集图〉浅析》,《故宫博物院院刊》1988.4,61-63页。

郑文惠
1995a《诗情画意——明代题画诗的诗画对应内涵》,台北,东大图书股份有限公司。
1995b《元代题画诗研究——以花木蔬果为主》,发表于国科会主办,"国科会中文学门专题计划成果发表"研讨会,台北中研院历史语言研究所,1995年5月。
2000《新形式典范的重构——陶渊明〈桃花源记并诗〉新探》,收入衣若芬、刘苑如主编《世变与创化——汉唐、唐宋转换期之文艺现象》,台北中研院中国文哲研究所筹备处,259-300页。

郑炳纯

1984《〈图绘宝鉴〉及其续书——兼记张蓉镜双芙阁旧藏元刊本〈图绘宝鉴〉》,《文献》1984.4,82-90 页。

穆益勤编

1985《明代院体浙派史料》,上海人民美术出版社。

钱锺书

1979《管锥编》,北京,中华书局。

滨岛敦俊

2008《明代中后期江南士大夫的乡居和城居——从"民望"到"乡绅"》,《明代研究》11. 59-94 页。

谢巍编著

1998《中国画学著作考录》,上海书画出版社。

苏华萍

1977《吴县洞庭山明墓出土的文征明书画》,《文物》1977.3,65-68 页。

（二）日文专著

ジャン・フランソワ・ジャリージユ、秋山光和监修

1994《西域美术：ギメ美术馆ペリオ・コレクション》,东京,讲谈社,第 1 册。

リチャード・スタンーベイカー

1994《室町时代の座敷饰りと文化的主导权》,收入户田祯佑等编《日本美术全集·11 禅宗寺院と庭园：南北朝・室町の建筑・雕刻・工艺》,东京,讲谈社,168-173 页。

川上泾编

1971《日本绘画馆·12 渡来绘画》,东京,讲谈社。

大西广

1987a《平沙落雁图》图版解说,收入岛田修二郎、入矢义高监修《禅林画赞——中世水墨画を读む——》,东京,每日新闻社,277-280 页。

1987b《江山之隐图》图版解说,收入岛田修二郎、入矢义高监修《禅林画赞——中世水墨画を读む——》,238-245 页。

1987c《湖山小景图》图版解说,收入岛田修二郎、入矢义高监修《禅林画赞——中世水墨画を读む——),330-334 页。

1987d《传张远笔山水图》图版解说,收入岛田修二郎、入矢义高监修《禅林画赞——中世水墨画を读む——》,280-282 页。

1987e《溪阴小筑图》图版解说,收入岛田修二郎、入矢义高监修《禅林画赞——中世水墨画を读む——》,221-223 页。

大和文华馆编

1998《元时代の绘画——モンゴル世界帝国の一世纪——》,奈良,大和文华馆。

小川裕充

1989a《大仙院方丈袄绘考：方丈袄绘の全体计画と东洋障壁画史に占めるその史的位置（一）——（上）——》,《国华》1120,5-30 页。

1989b《大仙院方丈袄绘考：方丈袄绘の全体计画と东洋障壁画史に占めるその史的位置（一）——（中）——》，《国华》1121, 25-49页。

1989c《大仙院方丈袄绘考：方丈袄绘の全体计画と东洋障壁画史に占めるその史的位置（一）——（下）——》，《国华》1122, 9-19页。

1992《李唐笔万壑松风图·高桐院山水图——その素材构成の共通性について》，《美术史论丛》8, 57-70.

1995《大仙院方丈の所谓"增筑"问题について》，《美术史论丛》11, 93-106页。

1997《牧溪笔潇湘八景图卷の原状について》，《美术史论丛》13, 111-123页。

2002《雪舟——东アジアの僧侣画家——》《国华》1276, 33-41页。

2008《卧游·中国山水画——その世界——》，东京，中央公论美术出版。

小林宏光

1990a《中国画谱の舶载，翻刻と和制画谱の诞生》，收入町田市立国际版画美术馆编《近世日本绘画と画谱·绘手本展·Ⅱ：名画を生んだ版画》，东京，町田市立国际版画美术馆，106-123页。

1990b《中国绘画史における版画の意义——"顾氏画谱"（1603年刊）にみる历代名画复制をめぐって——》，《美术史》128, 123-135页。

山下裕二

1985《式部辉忠の研究——关东水墨画に关する一考察——》，《国华》1084, 11-31页。

1987《富士八景图》图版解说，收入岛田修二郎、入矢义高监修《禅林画赞——中世水墨画を读む——》，382-389页。

1993《夏珪と室町水墨画》，收入辻惟雄先生还历记念会编《日本美术史の水脉》，东京，ぺりかん社，801-833页。

2000《室町绘画の残像》，东京，中央公论美术出版。

中村昌彦

2008《倪谦の朝鲜使录について——"朝鲜纪事"、"辽海编"、"皇华集"を中心に》，《琉球大学言语文化论丛》3, 149-162页。

井上进

2002《中国出版文化史——书物世界と知の风景——》，名古屋大学出版会。

户田祯佑

1989《雪舟研究に关する二、三の问题》，收入山根有三先生古稀记念会编《日本绘画史の研究》，东京，吉川弘文馆，151-162页。

1996《潇湘八景图押绘贴屏风》，《国华》，1204, 16-23页。

1998《日本美术の见方》，东京，木耳社。

片桐弥生

1993《扇绘と和歌——室町时代における扇绘享受の一面——》，收入辻惟雄等编《日本美术全集·13 雪舟とやまと绘屏风：南北朝·室町の绘画 Ⅱ》，东京，讲谈社，189-195页。

古原宏伸

2009《米芾"画史"注解》，东京，中央公论美术出版，上册。

田中一松、米泽嘉圃

1997《原色日本の美术・11 水墨画》，东京，小学馆。

田中正大

1967《禅寺の石庭》，收入太田博太郎、松下隆章、田中正大编《原色日本の美术・10 禅寺と石庭》，东京，小学馆，214-235 页。

田泽裕贺

2003《聚光院の障壁画——その创建と永德画の时代性——》，收入东京国立博物馆编《国宝：大德寺聚光院の袄绘》，东京国立博物馆，6-12 页。

石守谦

1998《元代文人画の正统的系谱——赵孟頫から王蒙に至る山水画の展开——》，收入大和文华馆编《元时代の绘画——モンゴル世界帝国の一世纪——》，7-16 页。

1999《隐逸文人の内面世界——元末四大家の生涯と艺术——》，收入海老根聪郎、西冈康宏编《世界美术大全集・东洋编・7 元》，东京，小学馆，159-161 页。

石附启子

1999《传安坚平沙落雁图・渔村夕照图》图版解说，收入菊竹淳一、吉田宏志编《世界美术大全集・东洋编・11 朝鲜王朝》，东京，小学馆，356 页。

朴美子

2000《韩国高丽时代における"陶渊明"观》，东京，白帝社。

江上绥

1991《西本愿寺本三十六人集における能宣集》，收入秋山光和博士古稀记念论文集刊行会编《秋山光和博士古稀记念・美术史论文集》，京都，便利堂，143-167 页。

1992《日本の美术・319 扇面画（古代编）》，东京，至文堂。

江上绥、小林宏光

1994《南禅寺所藏"秘藏诠"の木版画》，东京，山川出版社。

西川宁、长泽规矩也编

1976《和刻本书画集成》，东京，汲古书院，第 7 辑。

吴夫良心

2006《天开图画楼记》，收入山口县立美术馆雪舟研究会编《雪舟等杨——"雪舟への旅"展研究图录》，东京，中央公论美术出版，294-295 页。

町田市立国际版画美术馆编

1990a《近世日本绘画と画谱・绘手本展・Ⅰ：名画を生んだ版画》，东京，町田市立国际版画美术馆。

1990b《近世日本绘画と画谱・绘手本展・Ⅱ：名画を生んだ版画》，东京，町田市立国际版画美术馆。

佐藤道信

1999a《世界观の再编と历史观の再编》，收入东京国立文化财研究所编《语る现在、语られる过去：日本の美术史学 100 年》，东京，平凡社，111-127 页。

1999b《明治国家と近代美术——美の政治学》，东京，吉川弘文馆。

京都国立博物馆编

　　1995《莳绘——漆黑と黄金の日本美——》,京都国立博物馆。

　　1999《圣と隐者——山水に心を澄ます人々——》,奈良国立博物馆。

板仓圣哲

　　1996《传赵令穰"秋塘图"(大和文华馆藏)の史的位置》,《Museum(东京国立博物馆研究志)》542,33-51。

　　1999《韩国における潇湘八景图の受容・展开》,《青丘学术论集》14,7-47页。

　　2005a《成化画坛と雪舟》,收入根津美术馆编《明代绘画と雪舟》,东京,根津美术馆,15-24页。

　　2005b《探幽缩图から见た东アジア绘画史——潇湘八景を例に》,收入佐藤康宏编《讲座日本美术史・3 图像の意味》,东京大学出版会,111-138页。

　　2008《朝鲜王朝前期の潇湘八景图——东アジアの视点から》,收入洪善杓等编《朝鲜王朝の绘画と日本——宗达、大雅、若冲も学んだ邻国の美》,大阪,读卖新闻大阪本社,18-26页。

板仓圣哲编

　　2005《讲座日本美术史・2　形态の传承》,东京大学出版会。

武田光一

　　1990《中国画谱と日本南画の关系》,收入町田市立国际版画美术馆编《近世日本绘画と画谱・绘手本展・Ⅱ：名画を生んだ版画》,147-158页。

武田恒夫

　　1963《大愿寺藏尊海渡海日记屏风》,《佛教艺术》52,127-130页。

河田昌之

　　1990《扇绘——日本、中国、朝鲜半岛——》,大阪,和泉市久保惣记念美术馆。

竺沙雅章

　　2000《宋元佛教文化史研究》,东京,汲古书院。

芳贺彻

　　1986《风景の比较文化史——潇湘八景と近江八景——》,《比较文学研究》50,1-27页。

洪善杓

　　1999《韩国美术史研究の观点と东アジア》,收入东京国立文化财研究所编《语る现在、语られる过去：日本の美术史学100年》,185-191页。

　　2009《15、16世纪における朝鲜画坛の中国画认识と受容态度——对明观の变化を中心に——》,收入东アジア美术文化交流研究会编《宁波の美术と海域交流》,福冈,中国书店,145-161页。

洪善杓等编

　　2008《朝鲜王朝の绘画と日本——宗达、大雅、若冲も学んだ邻国の美》,大阪,读卖新闻大阪本社。

畑靖纪

　　1997《雪舟山水画小考——入明时の古典の学习》,《美术史学》18,21-54页。

　　2006《四季山水图》图版解说,收入山口县立美术馆雪舟研究会编《雪舟等杨——"雪舟への旅"展研究图录》,129-132页。

相泽正彦

 1993《潇湘八景图》图版解说，收入辻惟雄、户田祯佑、千野春织、山下裕二编《日本美术全集·13 雪舟とやまと绘屏风》，东京，讲谈社，223 页。

宫岛新一

 1993《日本の美术·320 扇面画（中世编）》，东京，至文堂。

 1994《肖像画》，东京，吉川弘文馆。

岛田修二郎

 1987《日本绘画史研究》，东京，中央公论美术出版。

 1993《中国绘画史研究》，东京，中央公论美术出版。

岛田修二郎解题校定，吴太素著

 1988《松斋梅谱》，广岛市立中央图书馆。

岛尾新

 1994a《なぜ雪舟か？——雪舟研究の面白さ》，收入大和文华馆编《特别展·雪舟》，奈良，大和文华馆，8-15 页。

 1994b《日本の美术·338 水墨画——能阿弥から狩野派へ》，东京，至文堂。

 1996《飞跃への旅——雪舟の中国行》，收入日本アート·センター编《新潮日本美术文库·1 雪舟》，东京，新潮社，73-85 页。

海老根聪郎

 1971《内阁文库藏元朝画者传について》，《Museum（东京国立博物馆美术志）》241, 4-11 页。

 1975《宁波の文人と日本人——15 世纪における——》，《东京国立博物馆纪要》11, 217-260 页。

 1996《牧溪の生涯》，收入五岛美术馆编《牧溪：憧憬の水墨画》，东京，五岛美术馆，88-90 页。

高见泽明雄

 1979《雪舟笔天桥立图について》，《美术史》107, 1-14 页。

 1981《雪舟笔山寺图について》，《Museum（东京国立博物馆美术志）》365, 10-17 页。

高桥范子

 2006《仿高克恭山水图卷再考》，收入山口县立美术馆雪舟研究会编《雪舟等杨——"雪舟への旅"展研究图录》，236-246 页。

堀口舍己

 1942a《君台观左右帐记の建筑的研究——室町时代の书院及茶室考（一）——》，《美术研究》122, 37-57 页。

 1942b《君台观左右帐记の建筑的研究——室町时代の书院及茶室考（二）——》，《美术研究》123, 88-114 页，下转 124 页。

 1942c《君台观左右帐记の建筑的研究——室町时代の书院及茶室考（三）——》，《美术研究》124, 147-176 页。

 1942d《君台观左右帐记の建筑的研究——室町时代の书院及茶室考（四）——》，《美术研究》125, 210-220 页。

 1942e《君台观左右帐记の建筑的研究——室町时代の书院及茶室考（五）——》，《美术研究》126, 241-260 页。

浅见洋二

1992《闺房のなかの山水，あるいは潇湘について：晚唐五代词における风景と绘画》，《集刊东洋学》67，43-65 页。

朝仓尚

1985《禅林の文学——中国文学受容の样相——》，大阪，清文堂出版株式会社。

渡边明义

1976《日本の美术・124　潇湘八景图》，东京，至文堂。

塚本麿充

2008《潇湘八景图屏风》图版解说，收入大和文华馆编《崇高なる山水——中国・朝鲜、李郭系山水画の系谱——》，奈良，大和文华馆，148 页。

塚原晃

1989《正宗龙统"屏风画记"における艺阿弥笔四季山水图屏风について》，《美术史研究》27，105-125 页。

1991《牧溪・玉涧潇湘八景图——その传来の系谱》，《早稻田大学大学院文学研究科纪要别册》17，155-165 页。

铃木敬

1964《玉涧若芬试论》，《美术研究》236，79-92 页。

1968《明代绘画史研究・浙派》，东京，木耳社。

1973《潇湘卧游图卷について（上）》，《东洋文化研究所纪要》61，1-61 页。

1979《潇湘卧游图卷について（下）》，《东洋文化研究所纪要》79，1-84 页。

1981《李唐の南渡・复院とその样式变迁についての一试论（上）》，《国华》1047，5-20 页。

1982《李唐の南渡・复院とその样式变迁についての一试论（下）》，《国华》1053，12-23 页。

1997《山水小景と山水小图》，《大和文华》97，1-6 页。

铃木敬编

1982《中国绘画总合图录》，东京大学东洋文化研究所，第一卷。

铃木广之

1993《潇湘八景の受容と再生产——15 世纪を中心とした绘画の场——》，《美术研究》358，299-319 页。

1995《往还する绘画——15 世纪汉字文化圈のなかの"唐绘"の意义——》，《美术研究》361，137-158 页。

嶋田英诚

2002a《李在について——传记篇——》，《国华》1278，5-15 页。

2002b《李在について——画业篇——》，《国华》1279，7-22 页。

嶋田英诚、中泽富士雄编

2000《世界美术大全集・东洋编 6　南宋・金》，东京，小学馆。

熊谷宣夫

1957a《戊子入明と雪舟（上）》，《美术史》23，21-34 页。

1957b《戊子入明と雪舟（下）》，《美术史》25，24-33 页。

绵田稔

2006《雪舟自序を読む》，收入山口县立美术馆雪舟研究会编《雪舟等杨——"雪舟への旅"展研究图录》，258-264 页。

横田忠司

1987《富士山图》图版解说，收入岛田修二郎、入矢义高监修《禅林画赞——中世水墨画を読む——》，377-379 页。

龟井若菜

1991《大仙院方丈室中山水图袄绘について》，《美术史》129, 45-63 页。

滨下武志

1997《朝贡システムと近代アジア》，东京，岩波书店。

泷精一

1915《图绘宝鉴と日本人の画论》，《国华》302, 3-7 页。

（三）韩文专著

安辉濬

1978《国立中央博物馆所藏"潇湘八景图"》，《考古美术》138、139, 136-162 页。

1997《韩国浙派画风의 研究》，《美术资料》，20, 24-62 页。

安辉濬、李炳汉

1991《安坚과 梦游桃源图》，首尔，艺耕产业社。

（四）西文专著

Ahn, Hwi Joon

1980 "An Kyŏn and 'A Dream Visit to the Peach Blossom Land'," *Oriental Art* 26.1, pp. 60-71.

Barnhart, Richard M.

1972 "Li T'ang (c.1050-c.1130) and the Kōtō-in Landscapes," *The Burlington Magazine* 114, pp. 305-314.

1983 *Along the Border of Heaven: Sung and Yüan Paintings from the C. C. Wang Family Collection*, New York: The Metropolitan Museum of Art.

1992 "Shining Rivers: Eight Views of the Hsiao and Hsiang in Sung Painting."

Barnhart, Richard M., et. al.

1993 *Painters of the Great Ming: The Imperial Court and the Zhe School* (Dallas: The Dallas Museum of Art).

Bickford, Maggie

2008 "Making the Chinese Cultural Heritage at the Courts of Northern Sung China," 收入王耀庭主编《开创典范——北宋的艺术与文化研讨会论文集》，台北故宫博物院，499-535 页。

Brotherton, Elizabeth

2000 "Beyond the Written Word: Li Gonglin's Illustrations to Tao Yuanming's *Returning Home*," *Artibus Asiae* 59.3/4, pp. 225-263.

Bush, Susan

    1971 *The Chinese Literati on Painting: Su shih (1037-1101) to Tung Ch'i-ch'ang (1555-1636)*, Cambridge, MA.: Harvard University Press.

Cahill, James

    1976 *Hills Beyond a River: Chinese Painting of the Yüan Dynasty, 1279-1368*, New York & Tokyo: Weatherhill.

    1978 *Parting at the Shore: Chinese Painting of the Early and Middle Ming Dynasty, 1368-1580*, New York: Weatherhill.

Clapp, Anne De Coursey

    1991 *The Painting of T'ang Yin*, Chicago and London: The University of Chicago Press.

Clunas, Craig

    1996 *Fruitful Sites: Garden Culture in Ming Dynasty China*, Durham: Duke University Press.

Edwards, Richard

    1989 *The World around the Chinese Artist: Aspects of Realism in Chinese Painting*, Ann Arbor: The University of Michigan Press.

Fontein, Jan and Tung Wu

    1973 *Unearthing China's Past*, Boston: Museum of Fine Arts.

Foong, Ping

    2000 "Guo Xi's Intimate Landscapes and the Case of Old Trees, Level Distance," *Metropolitan Museum Journal* 35, pp. 87-115.

Fu, Li-tsui Flora

    2009 *Framing Famous Mountains: Grand Tour and Mingshan Paintings in Sixteenth-century China*, Hong Kong: The Chinese University Press.

Hashimoto, Fumio

    1981 *Architecture in the Shoin Style*, Tokyo: Kodansha International Ltd., Shibundo.

Hearn, Maxwell K.

    1999 "An Early Ming Example of Multiples: *Two Versions of Elegant Gathering in the Apricot Garden*," in Judith G. Smith and Wen C. Fong eds., *Issues of Authenticity in Chinese Painting*, NewYork: The Metropolitan Museum of Art, pp. 221-256.

Ho, Wai-kam et. al.

    1980 *Eight Dynasties of Chinese Painting: The Collections of the Nelson Gallery-Atkins Museum, Kansas City, and the Cleveland Museum of Art*, Cleveland, OH: The Cleveland Museum of Art.

Kim, Hongnam

    1999 "An Kyon and the Eight Views of Tradition: An Assessment of Two Landscapes in The Metropolitan Museum of Art," in Judith G. Smith ed., *Arts of Korea*, New York: The Metropolitan Museum of Art, pp.366-401.

Kobayashi, Hiromitsu

    2004 "Publishers and Their *Hua-p'u* in the Wan-li Period: The Development of the Comprehensive

Painting Manual in the Late Ming," 收入《故宫学术季刊》22.2, 167-198 页。

Li, Chu-tsing and James C. Y. Watt eds.

1987 *The Chinese Scholar's Studio: Artistic Life in the Late Ming Period*, New York, N. Y.: Thames and Hudson: Published in association with the Asia Society Galleries.

Liscomb, Kathlyn

1988-89 "The Eight Views of Beijing: Politics in Literati Art," *Artibus Asiae* 49.1/2, 127-152.

1991 "Before Orthodoxy: Du Qiong's (1397-1474) Art-Historical Poem," *Oriental Art* 37.2, 97-108.

1996 "Social Status and Art Collecting: The Collections of Shen Zhou and Wang Zhen," *Art Bulletin* 78, pp. 111-136.

Muller, Deborah Del Gais

1988 "Hsia Wen-yen and His *T'u-hui pao-chien* (*Precious Mirror of Painting*)," *Ars Orientalis* 18, 131-148.

Murck, Alfreda

2000 *Poetry and Painting in song China: The Subtle Art of Dissent*, Cambridge, Mass.: Harvard University Asia Center.

Nelson, Susan E.

1986 "On Through to the Beyond: The Peach Blossom Spring as Paradise," *Archives of Asian Art* 39, pp. 23-47.

Sensabaugh, David A.

1981 "Life at Jade Mountain: Notes on the Life of the Man of Letters in Fourteenth-Century Wu Society," 收入铃木敬先生还历记念会编《铃木敬先生还历记念：中国绘画史论集》，东京，吉川弘文馆，43-69 页。

Shih, Shou-Chien

1999 "Calligraphy as Gift: Wen Cheng-ming's (1470-1559) Calligraphy and the Formation of Soochow Literati Culture," in Cary Y. Liu et al eds., *Character & Context in Chinese Calligraphy*, Princeton, New Jersey: The Art Museum, Princeton University, pp.254-283.

Shimizu, Yoshiaki ed.

1988 *Japan: The Shaping of Daimyo Culture, 1185-1868*, Washington: National Gallery of Art.

Stanley-Baker, Richard

1979 "Mid-Muromachi Paintings of the Eight Views of Hsiao and Hsiang," Ph.D. diss., Princeton University.

1981 "Some Proposals Concerning the Transmission to Muromachi Japan of Styles Associated with Painters from Checking of the Late Yuan and Early Ming: with Particular Reference to the Sources of Styles Favoured in the Hung-Chih Academy," 收入铃木敬先生还历记念会编《铃木敬先生还历记念：中国绘画史论集》, 7-96 页。

Tsukamoto, Maromitsu

2005 "On 'Overseas Calligraphy': An Investigation into the Historical Role of Fine Art Diplomacy and the Collection of Artifacts in the Northern Sung," *Transactions of the International Conference of Eastern Studies* 50, pp. 97-116.

Watsky, Andrew M.

 2006 "Locating 'China' in the Arts of Sixteenth-century Japan," *Art History* 29.4, pp. 600-624.

Watt, James C. Y. and Anne E. Wardwell

 1997 *When Silk Was Gold*, New York: The Metropolitan Museum of Art.

Weitz, Ankeney

 1997 "Notes on the Early Yuan Antique Art Market in Hangzhou," *Ars Orientalis* 27, pp. 27-38.

Whitfield, Roderick

 1969 *In Pursuit of Antiquity: Chinese Painting of the Ming and Ch'ing Dynasties from the Collection of Mr. and Mrs. Earl Morse*, Princeton, New Jersey: The Art Museum, Princeton University.